La collection
THÉORIE ET LITTÉRATURE
est dirigée par
Simon Harel

Le désir du roman

La publication de ce livre a été rendue possible grâce à l'aide financière du Conseil des Arts du Canada et du ministère des Affaires culturelles du Québec.

©
XYZ éditeur
C.P. 5247, succursale C
Montréal (Québec)
H2X 3M4

et

Anne Élaine Cliche

Dépôt légal: 3ᵉ trimestre 1992
Bibliothèque nationale du Canada
Bibliothèque nationale du Québec
ISBN 2-89261-058-3

Distribution en librairie:
Socadis
350, boulevard Lebeau
Ville Saint-Laurent (Québec)
H4N 1W6
Téléphone (jour): 514.331.33.00
Téléphone (soir): 514.331.31.97
Ligne extérieure: 1.800.361.28.47
Télécopieur: 514.745.32.82
Télex: 05-826568

Conception typographique et montage: Édiscript enr.
Correction: Jean Coutin
Maquette de la couverture: Guy Gervais

Anne Élaine Cliche

Le désir du roman

(Hubert Aquin, Réjean Ducharme)

Théorie et littérature

Table des matières

TROISIÈME PARTIE
LE CORPS FICTIF

ABRÉVIATIONS DES ŒUVRES DU CORPUS

Hubert Aquin

A	*L'Antiphonaire*, CLF, 1969
BE	*Blocs erratiques*, Quinze, « 10 / 10 », 1982
NN	*Neige noire*, La Presse, 1974
Ob	« Obombre », *Liberté*, vol. XXIII, n° 3, mai-juin 1981
PÉ	*Prochain Épisode*, CLF, 1965
PF	*Point de fuite*, CLF, 1971
R	« Les Rédempteurs », *Écrits du Canada français*, n° 5, 1959
TM	*Trou de mémoire*, CLF, 1968

Réjean Ducharme

AA	*L'Avalée des avalés*, Gallimard, « Folio », 1966
D	*Dévadé*, Lacombe/Gallimard, 1990
E	*Les Enfantômes*, Gallimard, 1976
FCC	*La Fille de Christophe Colomb*, Gallimard, 1969
HF	*L'Hiver de force*, Gallimard, 1973
NV	*Le Nez qui voque*, Gallimard, 1967
O	*L'Océantume*, Gallimard, 1968

Théâtre: *Inès Pérée et Inat Tendu*, Leméac / Parti pris, 1976
            HA ha !..., Gallimard, 1982

Pour Jacques

C'est la vérité de ce que ce désir a
été dans son histoire, que le sujet
crie par son symptôme, comme le
Christ a dit qu'eussent fait les
pierres si les enfants d'Israël ne
leur avaient prêté leur voix.

Jacques Lacan,
Écrits

Le désir du roman

Le roman est désir. Désir de forme, de sens, de langue; désir d'aller à la rencontre d'une histoire inédite et pourtant déjà là, en train de passer à l'écrit. Écrire un roman, le lire, c'est aborder une forme étrange et touffue, rompue et fuyante, une forme donnée et pourtant insaisissable parce que multiple. Le roman a parfois l'apparence lisse du récit qui court à sa fin, mais c'est pour mieux dévoiler peu à peu son corps d'écriture, son trajet. Il a toujours la forme folle du fantasme qui se cherche, se trouve, se répète, insiste ou finit par éclater en scènes éparses, offertes ainsi à désirer. Le roman pense. Mais la pensée du roman ne vient pas dans ce qui s'énonce. Elle ressemble plutôt à une voix qui s'avance vers le dérobement infini de l'énoncé. Car la fiction donne à voir le champ où la pensée commence et où le savoir, en elle, vient s'oublier.

Le roman est désir et désir disposé au regard tel un champ miné par une pensée qui parle, raconte, m'invite et me perd. Ainsi, la lecture du roman ne livrera jamais que la figure plurielle d'un lieu où je viens autrement dans la langue qui me lie à lui. Si le roman est la forme donnée à lire d'un désir de langue, il est sans doute encore plus l'affirmation, voire la mise en scène du statut de ce désir, de sa cause. Et la causalité du roman a ceci de particulier qu'elle retourne le temps de la fiction sur celui du sujet pour porter au sujet les lettres de son nom. Il semble en tout cas que ce soit à la place où un sujet — un nom — se refait et se renomme que le roman nous interpelle. À la place où la nomination, ainsi prise en charge par une voix, n'est pas sans révéler le sens donné au procès par lequel s'accomplit la parole.

Le parcours d'une signature dévoile, bien sûr, les figures d'un désir singulier, irréductible. Et lisant le livre, je lis les mots d'un autre qui vient à moi, transfiguré en ses masques narratifs. Pourtant ce qui m'invite à lire n'est pas seulement cet autre. Il est ailleurs, encore en moi — hypocrite lectrice, hypocrite lecteur — et ne cesse de nouer le nom de la signature au nom d'une loi qui m'assigne aussi à la place du livre.

Alors ? Cet essai est une invitation — peut-être risquée — à rencontrer le roman là où il se fait sujet du désir; une invitation à lire pour approcher au plus près de ce que j'appellerai, après Derrida et autrement, la *Loi du genre* [1]. Une telle loi désigne ici, au seuil de ma pensée — et sans que je sache si les derniers mots de cet essai en portent l'aboutissement — ce qui fonde l'écriture à passer au champ de l'Autre pour parler.

Qui est cet Autre dont la majuscule coche déjà le trait d'une singularité où je ne suis pas sûre de me reconnaître ? L'Autre ? Ce n'est personne d'autre que ce trait par où l'écriture passe quand je lis. Mais encore ? Le lieu indécidable et certain de la transfiguration en cours qui dispose l'une à l'autre, et dans leur disparité, l'écriture et la lecture. De la disparité irréparable, le désir vient au texte.

•

Hubert Aquin, Réjean Ducharme. Les deux noms, au premier abord, ne s'apparentent pas. En eux pourtant, la disparité ne cesse de trouver ses noms. Les narrateurs aquiniens, par exemple, sont avant tout des lecteurs qui meurent de lire; et les narrateurs ducharmiens ressemblent souvent à des anti-lecteurs tournant leurs mots et leurs maux en dérision pour ne pas mourir de lire. Entre Aquin et Ducharme, ce n'est plus de parenté qu'il est question, mais d'alliance, d'une alliance incontournable sur la scène d'une certaine histoire, avec tout ce que cela implique de rapports impossibles. Cette alliance, d'ailleurs, se justifie seulement dans la lecture du sujet qui les allie pour mieux se lire et lire en eux la loi qui supporte la scène où se jouent leurs noms.

Car s'il va sans dire que l'Autre scène de l'écriture est la lecture, cette scène de l'Autre est toujours étrange, inquiétante et singulière parce qu'elle n'est pas simplement la place désignée de l'intersubjectivité mais une place indiscernable qui replie, tord ou scinde par avance ce qui se dit. Passer à l'écrit consiste pour un sujet à passer dans le pli du temps qu'est la répétition, à faire que sa parole, ses mots, sa pensée soient d'emblée repris, toujours déjà répétés selon une sorte de dispositif scopique qui le précipite au cœur de la division qu'il tentait justement, par l'écrit, de recouvrir. Et ce regard par avance posé sur la page appelle dans le texte l'autre qui viendra lire. C'est la faille entre le regard et l'œil, entre le trajet et l'écrit, entre l'Autre et les autres, qui ouvre le texte du roman. La souffrance du sujet qui écrit vient du fait qu'il fonce droit dans la blessure qui le pousse à écrire, et que la langue vers laquelle il court pour restaurer

---

1. Jacques Derrida, « La Loi du genre », *Parages*, Paris, Galilée, 1986.

son nom ou se faire un renom le ramène à la place insuturable d'où il a commencé à parler.

Au fond, la loi de l'écriture n'est jamais que *le temps de la Loi*; un temps où la successivité est court-circuitée par une répétition en acte. Sujet déjà double que celui qui passe à l'écriture, parce qu'il vient « sans savoir » au lieu qui l'a clivé, pour se lire et s'annoncer.

Le roman a structure de fiction. Sa pratique fictionnelle le mène au-devant de la Loi pour la faire parler en son nom. Car la Loi partage ses conditions de possibilité avec la chose littéraire, étant elle aussi un leurre, un miroitement inapprochable ou encore, une porte ouverte et pourtant infranchissable comme celle qu'a représentée Kafka dans une courte nouvelle qui a fait l'objet de plusieurs analyses[2]. En effet, que rencontre le roman sinon qu'*il y a* de la Loi? Le désir qui pousse le sujet au-devant de cette Loi, pour racheter un assujettissement qui a laissé son nom en souffrance, cherche la configuration ou la forme qui peut-être — c'est son fantasme — expulsera le nom de sa finitude et renommera le sujet sur une scène qui ne sera plus celle de sa condition d'engendré et de nommé.

Car le désir — on le sait depuis Freud — est infini en ce que, paradoxalement, la finitude du sujet le fonde. La finitude du sujet n'est pas autre chose que son rapport au temps et à la mort d'où il suppose une plénitude perdue dans la chute immémoriale qui l'a réduit au défaut de sa jouissance. Voilà pour le désir. Il est ce qui pousse infiniment un corps à parler pour faire passer la souffrance de sa fin.

Mais la langue du roman est unique de porter au registre de la Loi le fantasme de ce passage à l'infini. Comme si le sujet pouvait non seulement se jouer, par la fiction, de tous les registres de la subjectivité mais encore transiter dans le temps impossible de sa postérité. Comme si, enfin, sa mort devenait l'objet d'une transmission, et sa finitude l'occasion d'une jouissance dont il peut se faire, dans le temps présent que lui accorde la langue qu'il écrit, le sujet posthume.

On peut alors penser la lecture comme le moment d'accomplissement d'un axiome. Un axiome insistant pour dire qu'*il y a de l'Autre* dans l'écriture. L'*il y a*, c'est d'abord une proposition thétique[3] et impersonnelle sans laquelle rien ne peut être; une proposition agissant à l'instar d'une coupure et qui ne dit que l'advenir de ce qu'il y a, le temps où *ce* qu'il y a, arrive. Lévinas a parlé de l'*il y a* comme d'une scène ouverte et vide:

2.   Franz Kafka, « Devant la Loi », *Œuvres complètes*, Paris, Gallimard, coll. « La Pléiade », 1980.
3.   Jean-Claude Milner, *Les Noms indistincts*, Paris, Seuil, 1983, p. 7.

Quelque chose qui ressemble à ce que l'on entend quand on approche un coquillage vide de l'oreille, comme si le vide était plein, comme si le silence était un bruit. Quelque chose qu'on peut ressentir aussi quand on pense que même s'il n'y avait rien, le fait qu'« il y a » n'est pas niable. Non qu'il y ait ceci ou cela; mais la scène même de l'être est ouverte: il y a. Dans le vide absolu, qu'on peut imaginer d'avant la création — il y a [4].

Le roman nous ramène toujours à la souffrance du sujet, au sujet en souffrance de Loi ou d'une loi qui serait, croit-il, la sienne propre. Le sujet du roman est là où se joue cette souffrance. Car la *Loi du genre* ne fait que replacer le sujet devant la Loi de l'Autre. Le roman comme genre, comme forme, n'est donc pas séparé de la scène de l'Histoire, il n'échappe pas aux enjeux du lien social et s'il s'en excepte, ce n'est que le temps d'en nommer la fiction. Temps d'une nomination dont il fait d'ailleurs son temps. En cela, il est aussi un symptôme. De plus, c'est parce que la *Loi du genre* ramène le sujet à la Loi du lien que le roman n'est déjà plus simplement la représentation de l'Histoire ni même celle d'une histoire.

Quelque chose transite, fait retour, se répète; quelque chose qui fait de l'écriture une surface temporelle, mouvante, insaisissable parce que fracturée de tout temps par une lecture qui la double et la laisse pourtant indivisée, sans envers ni endroit, ou plutôt à la fois envers et endroit.

Le roman ressemble à la surface topologique du ruban de Mœbius dont le bord unique est clivé. Le doigt ou l'œil qui le parcourt revient à son point de départ après un double tour qui l'aura fait passer d'un versant à l'autre sans avoir eu à traverser son bord. Le roman est ainsi une sorte de ruban bouclé sur lui-même par une étrange torsion qui met les deux temps de son écriture et de sa lecture en continuité l'un avec l'autre.

S'il existe une topologie du roman, elle se justifie de mettre au jour un sujet de l'écriture qui soit d'abord une *place* dans la langue, une place où le temps se tord et se recoupe, et où une langue cherche à nommer son désir de langue. Je recours ici à la topologie parce qu'elle est aussi une logique du sujet intéressée aux réseaux des déplacements et non à l'objet même.

C'est dans cette mesure que la topologie concerne la psychanalyse. Elle est, en effet, une étude de la structure débarrassée d'un objet psychique unique substantivé. [...] Le sujet n'est pas l'objet de la psychanalyse, au même titre que [les objets

---

4. Emmanuel Lévinas, *Éthique et infini*, Paris, Le Livre de poche, 1990, p. 38.

n'intéressent pas] l'étude des topologues. Ces derniers ne s'intéressent qu'à leurs apparitions, leurs trajets et aux possibilités que permet de décrire un espace particulier. [...] l'étude [...] ne met en jeu, pour un topologue, que des questions de parcours dans un espace[5].

Le désir du roman désigne ici la Loi que je veux lire dans le jeu des places et du déplacement. La topologie devient en quelque sorte le principe de cette analyse du parcours d'un objet — d'une voix — par avance dérobé. Il y a dans le roman un acte par lequel le sujet tente de symboliser la possibilité d'*une* langue dans la langue des autres, ou encore la possibilité d'une énonciation souveraine sur une scène déjà constituée, politique, sociale, nationale. Le parcours du roman est celui qu'entreprend un sujet déjà nommé pour accéder à son Nom. Et chaque fois, c'est le déjà-nommé en souffrance qui dépose et dispose ses masques pour raconter d'où il vient au-devant de l'Autre.

•

Réjean Ducharme et Hubert Aquin composent leur œuvre à partir d'une négation radicale qui va jusqu'à s'énoncer comme un refus d'écrire[6], faisant ainsi porter à l'avance à l'écriture la lettre de son impossibilité. L'œuvre romanesque de ces deux écrivains semble en effet vouloir mener à sa limite l'illégitimité de l'écriture et dévoiler l'horreur que recèle l'indiscernable du Nom propre.

Je propose donc de rouvrir les corpus romanesques d'Aquin et de Ducharme[7] pour faire entendre comment le sujet en souffrance crie, dans la fiction de l'écriture, la forme désirée de sa lecture. Et il me semble reconnaître, dans l'aménagement de cette place disparate du lecteur, la figure inventée de l'Autre... où l'on m'invite à venir.

---

5. Jeanne Granon-Lafont, *La Topologie ordinaire de Jacques Lacan*, Paris, Point Hors Ligne, 1986.
6. Ducharme: « Je ne veux pas être pris pour un écrivain » (*MacLean*, septembre 1966, p. 57); Aquin: « Je suis déterminé à ma non-écriture [...]. Je condamne d'avance ce que j'écris à n'être qu'une expression infidèle de mon refus d'écrire » (« Profession écrivain », *PF*, p. 48 et 56).
7. Pour Hubert Aquin: *L'Antiphonaire*, CLF, 1969; *Neige noire*, La Presse, 1974; « Obombre », *Liberté*, vol. XXIII, n° 3, mai-juin 1981; *Prochain Épisode*, CLF, 1965; *Point de fuite*, CLF, 1971; « Les Rédempteurs », *Écrits du Canada français*, n° 5, 1959; *Trou de mémoire*, CLF, 1968. Pour Réjean Ducharme: *L'Avalée des avalés*, Gallimard, « Folio », 1966; *Dévadé*, Lacombe / Gallimard, 1990; *Les Enfantômes*, Gallimard, 1976; *La Fille de Christophe Colomb*, Gallimard, 1969; *L'Hiver de force*, Gallimard, 1973; *Le Nez qui voque*, Gallimard, 1967; *L'Océantume*, Gallimard, 1968.

Première partie

Les noms de la Loi

Chapitre premier

Le temps de la fiction

D'où viennent les romans ?

C'est par le détour de cette question que je voudrais relire Aquin et Ducharme. Comme le « d'où viennent les enfants ? », la question interroge d'abord l'énigme du temps et cherche à faire entendre comment le roman parle de ce lieu excentré, atopique ou utopique du désir. Si le roman repose la question des origines [1], c'est sans doute parce qu'il parle du corps qui le produit non seulement comme sa substance causale — psychique ou biographique — mais comme le corps qui en est aussi l'effet. Un roman ne cesse jamais de dire que le corps procède de l'écriture et non l'inverse. Naître à l'écrit c'est entendre une profération qui m'appelle d'un Nom dont « je » suis la *retombée*.

Le roman est un corps de langue mais son énonciation n'est déjà plus celle d'un sujet nommé. Car la voix du roman s'énonce en maintenant l'indécidable, en aménageant la place vide, en rappelant dans sa forme le foyer innommable du « où ». La narration romanesque vient en réponse — impossible — à cette inconnue qu'est le Nom; disons qu'elle porte à l'écriture la métaphore paternelle [2]. La topologie du roman se spécifie de mettre au jour la logique du désir et de porter à la lisibilité la Loi de sa constitution [3]. Le roman s'écrit

---

1. C'est ce que montre à sa façon Marthe Robert dans *Roman des origines et Origines du roman*, Paris, Gallimard, coll. « Tel », 1972.
2. Dans « Le roman familial des névrosés », Freud décrit l'élaboration, à un moment de l'histoire du sujet, d'une fiction visant à transformer le récit autobiographique en récit mythique. Au désir de sa mère dont la réalité charnelle n'est pas mise en doute, il invente un répondant dans lequel il souhaite reconnaître son père. Le roman familial est donc cette construction narcissique du désir fondée sur l'énigme de la paternité. Cette dernière, en effet, apparaît comme improuvable, ne se soutenant alors que des noms dont l'appelle le désir maternel. Ces « noms-du-père » recèlent donc un versant innommable ou incertain, que l'enfant comble pour un temps de ses fantasmes (*Névrose, psychose et perversion*, Paris, PUF, 1985, p. 157).
3. Cette conception du roman comme procès est bien sûr redevable entre autres à Julia Kristeva, en particulier à deux articles portant le même titre et consacrés

alors en traversant à la fois toutes les positions de la filiation d'où son nom lui revient, occupant en même temps toutes les places.

C'est par une telle constitution *en procès* que la logique du roman traduit et transpose le sujet d'énonciation, qu'elle l'égare aussi dans les dédales d'une élaboration qui répète, en l'inventant, son accession à la parole. En ce sens, l'écriture a quelque chose d'« inhumain », si je puis dire, quelque chose en tout cas de déplacé, voire de scandaleux, par rapport à la parole et à l'échange qui supportent la collectivité.

Le roman est inhumain, dirai-je, dans le rapport qu'il entretient avec la Loi, par sa façon de ramener dans le verbe — dans l'édit — la diction ou le foyer de sa proféation. Il nous replace ainsi dans l'écart de la mort; celle qui commence avec nous et se dispose paradoxalement, à l'horizon, comme un futur improbable. Il y a dans le roman quelque chose d'irréductible qui est cette « mort à l'œuvre ». Parce qu'elle est une sorte de mise à plat du corps, l'écriture vient à l'Autre dans la langue d'un texte dont la signature n'est peut-être jamais que la configuration que prend ce nouage du corps à la Loi qui le nomme. Un tel rabattement du sujet sur sa propre surface voue l'écriture à rencontrer le temps au moment où il entre dans le champ du visible.

Ce qu'on appelle le « temps de la narration » pourrait être repensé à partir de là. Le trajet de la narration implique à la fois le temps et l'espace qu'occupe le tracé d'un parcours. Le ruban textuel du roman se déroule et se noue à l'instar d'une bande qui n'aurait qu'une seule face, qu'un seul bord. Seul un événement temporel — celui de la lecture — permet d'actualiser la loi de cette répétition en acte. Ainsi, le tracé de l'écriture-lecture pourrait se présenter comme celui d'un huit intérieur décrivant le redoublement d'un circuit bouclé sur lui-même au second tour. La torsion que suppose ce repliement n'occupe là aucun lieu précis. Elle n'est ni le trajet ni la bande mais la disparité de la bande, son Autre déjà pris par le trajet de son recoupement:

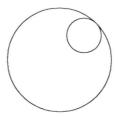

respectivement à Artaud et à Céline: « Le sujet en procès », *Artaud*, Colloque de Cerisy, Paris, UGE, coll. « 10 / 18 », 1973, p. 43-133; « Le sujet en procès: le langage poétique », *L'Identité*, séminaire dirigé par Claude Lévi-Strauss, Paris, PUF, coll. « Quadrige », 1977, p. 223-256.

Écrire, c'est entrer dans un temps étranger, impossible. C'est venir s'exposer à la surface sans envers de la narration comme sur une surface pure, tordue par un pli inénarrable qui insiste. Le sujet de l'écriture est pris à l'avance dans un temps clivé par la lecture. Car le corps du texte, dont la doublure infigurable fonde le procès de la narration, est celui, fictif, d'une surface temporelle. La narrativisation de l'Autre se définit, dans le roman, comme l'entrée en scène de cette face cachée du Temps.

L'œuvre romanesque d'Hubert Aquin et celle de Réjean Ducharme organisent de façons très différentes la narrativisation de l'Autre par le relais d'une figure subjective. C'est le mode de relation de cette subjectivité à la Loi qui signe les textes. De quelle Loi s'agit-il ici, sinon de la Loi de l'Autre comme injonction et effet d'écriture? Le désir de l'Autre vient signer la place d'un sujet entièrement livré à la fictionnalisation de son nom.

La fictionnalisation est au centre de cet essai pour désigner l'invention de la Loi scandant l'échec supposé de la loi juridique à fonder le sujet dans sa souveraineté. Le roman entretient donc un rapport à l'Autre parce que l'Autre est déjà prévu dans la forme du livre comme son acte « préjugé » de lecture. Le passage par la fiction devient le moment où un sujet donne à lire son désir d'interprétation. Mais il s'agit pour le sujet de la fiction de faire advenir une interprétation particulière dont le signifié demeure immanquablement dérobé. L'interprétation est désirée dans la forme agissante de ce dérobement. C'est-à-dire comme l'opération axiomatique venant délier les représentations où le sujet s'est suturé. Au fond, c'est le désaisissement du sujet du désir qui est, par la fiction, amené au régime du texte.

Le roman, composant le désir de son déchiffrement, porte en lui une vérité dont la lisibilité n'est plus un message — ou l'objet d'une interprétation — mais plutôt le trait — le tracé — de son attachement à la Loi du Nom.

Cet essai parle du désir du roman en termes de reNom ou de renommée. Lire les romans en fonction de leur disposition et de leur souffrance à rencontrer la Loi du genre — sur le mode du déni, de l'horreur, de la maîtrise ou de la reconnaissance — est peut-être aussi une façon de penser la place du sujet dans la collectivité. L'éthique du roman relèverait alors d'un art de transmettre le symptôme de son lien à la Loi. Car faire passer la souffrance ne va pas sans un acte de passation et de passion, quel qu'il soit.

J'ai choisi de relire deux écrivains qui entretiennent un rapport problématique, voire symptomal, avec l'écriture, afin de mettre au jour la vérité d'un symptôme, d'en reprendre le texte pour y lire la forme d'un désir de lecture dont la collectivité des lecteurs se re-nomme. Parce qu'une collectivité qui se renomme n'est pas une communauté qui se reconnaît. Lire Ducharme et Aquin aujourd'hui revient à penser le nom d'auteur comme un désir autour duquel se lient les subjectivités les plus disparates. Et entendre le désir du Nom permet que la disparité ne soit pas gommée par le nom commun.

Ducharme et Aquin emploient de façon généralisée une vocalisation subjective de la narration, mais on sait à quel point le « je » aqui-nien et le « je » ducharmien n'élaborent pas la même fiction du Nom. Chacun vient à sa place sur la scène de l'écriture et chacun entretient un rapport singulier avec le Temps.

Dans leurs temporalités respectives, les romans d'Aquin et de Ducharme viennent jouer l'inscription de leur signature. Le statut qu'ils donnent à la doublure écriture-lecture et au foyer fictif de l'énonciation en fait des systèmes narratifs distincts. En effet, si tout texte romanesque peut se définir par une structure «mœbienne», la singularité des romans découle, elle, du travail que le désir accomplit sur cette structure d'énonciation. Le roman s'écrit pour border le champ de la lecture et ce bord fantasmatique est celui de la rencontre avec la Loi.

L'interprétation en psychanalyse[4], même si elle n'est pas tout à fait une lecture, permet peut-être de comprendre ce que je cherche à montrer dans le processus de la fiction, à savoir que la lecture y opère, à l'instar d'une coupure, un réaménagement des signifiants du sujet. L'analyste construit une interprétation pour l'analysant dans le but de produire un effet sur lui, de *couper* sa parole et d'ouvrir l'es-pace de son désir jusqu'alors masqué par son propre récit. L'interpré-tation réussie n'est donc pas celle qui reconstruit la réalité, mais celle qui déclenche une symbolisation et une transformation de l'his-toire. L'acte d'interprétation ramène la fiction, le leurre, à la place où elle a pris forme, place de la fictionnalisation en tant que processus de structuration. De là, l'élément de la transmission n'est pas la vérité « vraie », mais la structure de fiction dans laquelle est toujours prise la vérité. La structure du roman quant à elle dispose à l'avance dans le texte, puisqu'elle est une adresse à l'Autre, l'enjeu — à lire — de son interprétation.

Le désir du roman qui se transmet d'une œuvre à l'autre, d'une œuvre au lecteur n'est pas autre chose que ce désir d'interprétation qui nous met, nous, lecteurs, à la place de la vérité. Et c'est de place, ici, qu'il sera question.

---

4. Voir Sigmund Freud, « Construction dans l'analyse », *Résultats, idées, problèmes II*, Paris, PUF, 1985, p. 269-282.

Frontières du Nom

Il y a dans le Nom l'écart d'un inter-dit, d'un *non* au franchissement pourtant en train de s'accomplir. Le Nom vient au fondement de la langue comme le trait coupant, séparant le corps de l'objet de son désir. Du nommant au nommé s'ouvre immanquablement une brèche... innommable. Ce qui revient à dire qu'un nom nomme toujours autre chose que lui-même, qu'il nomme toujours un autre nom. La Loi du désir est celle d'une division originaire où l'Un, supposé perdu, n'est que le trait de la scission. « Un-duité », pourrait-on dire, ou encore, doublure première engendrant l'infini. Le Nom du nom, c'est finalement l'interprétation qui s'abîme dans les noms comme le sujet devant la porte de la Loi (Kafka):

> Tout est ouvert et rien n'est résolu. Chaque nom résonne clair et évident, et pourtant aucun ne connaît sa propre racine, ne sait se souvenir de sa propre étymologie, personne ne sait s'imaginer comme rayonnement du Nom. [...] si la porte est déjà ouverte, comment espérer ouvrir? Comment envisager d'entrer dans l'ouvert? L'ouvert est le lieu où l'on est, où les choses se donnent, où l'on ne peut entrer[5].

Du nom et des noms va revenir l'innommable, relancé dans une nomination infinie attestant qu'il n'y a d'innommable que *dans* le Nom. Mais quel est cet infini que le Nom m'accorde?

Le travail de Cantor[6] peut servir à penser cet infini puisqu'il s'est constitué sur une distinction essentielle entre deux infinis. Ainsi, l'infini mathématique de la philosophie des nombres a les caractéristiques d'un infini *potentiel*, c'est-à-dire qu'il est conçu sur le principe d'un engendrement par addition récurrente d'une unité à tout nombre fini déjà formé. On reconnaît là la série des nombres qui est une succession potentiellement infinie de nombres finis ($N = 1,2,3, 4,5...$). La limite y est un point inaccessible et variable. C'est le même infini potentiel que l'on retrouve dans l'invention des nombres infinitésimaux, divisibles à l'infini à l'instar du π dont on peut approcher la valeur ($3.14159...$) sans jamais en atteindre le terme exact. Pour cet infini potentiel, la limite est un lieu vide, une place où tout nombre est appelé à manquer.

---

5. Massimo Cacciari, *Icônes de la Loi*, traduction de l'italien par Marilène Raiola, Paris, Christian Bourgois, 1990, p. 76.
6. Voir à ce sujet, en particulier: G. Cantor, « Fondements d'une théorie générale des ensembles » (1883), *Cahiers pour l'analyse*, n° 10, hiver 1969, p. 35-52; Alain Badiou, « La subversion infinitésimale », *ibid.*, p. 118-137; Jean-Louis Houdebine, « L'expérience de Cantor », *L'Infini*, n° 4, automne 1983, p. 87-110; Daniel Sibony, « Le transfini et la castration », *Cahiers pour l'analyse, op. cit.*

La démonstration de Cantor cherche à rendre compte d'un impensable qui serait l'infini *actuel* — « in actu » — transcendant l'ordre de la puissance.

> [...] il n'y a pas de nombre infini; *infinitum actu non datur*: un infini actuel, en acte (*in actu*), ou comme dit Cantor: un infini proprement dit ne saurait être considéré comme réel; il ne peut y avoir d'infini qu'en puissance (*in potentia*) [...][7].

Le geste radical de Cantor est de nommer, selon la théorie des ensembles, la succession des nombres entiers finis tout « entière », de la supposer « en acte » à partir d'un nom (Aleph) qui permette de la penser dans sa « finition ». Ce nom nomme précisément l'infini — actuel — de cet ensemble en lui faisant bord pour boucler, sans la fermer, la série infinie alors discernable dans sa totalité inachevée.

Le Nom est ainsi un acte de coupure, un saut au-delà qui définit la limite en même temps de son franchissement. Il est la double frontière entre ce qui est nommé et ce qui nomme. Le temps de la nomination est donc aussi un temps double, nommé et innommable. Temps non mesurable, non spatialisable, mais par où un autre temps se met à fuir, esquissant son trajet sans fin dans lequel d'autres noms relancent infiniment le parcours. Le temps du Nom est générique, *en réserve*[8]; il est celui dont tous les autres temps découlent et s'écoulent d'en interdire le tracé. Car le temps du Nom ne souffre aucune écriture, il est scansion ou encore cette porte grande ouverte qui pourtant ne laisse entrer personne.

La Loi du Nom se vérifie partout où il y a groupe, collectivité. Dans un ensemble de sujets désirants, aucun des membres ne détient le pouvoir de collusion qui les fait « tenir ensemble ». Ce qui les tient est « ailleurs », soit dans la figure d'un père ou d'un « leader » — toujours « mort » d'être ainsi expulsé des corps en jeu ou, ce qui revient au même, d'être symbolisé par ces enjeux — soit dans une parole, un mot d'ordre, un signifiant qui, parce qu'il reste hors d'atteinte des interactions, les supporte.

> Ce qu'il importe ici de remarquer c'est que le signifiant ne saurait à lui seul dicter la loi ni représenter un ensemble de sujets pour un autre signifiant à moins que ce dernier se serve du nom propre comme marque indivisible du rassemblement. [...] Si le Un surgit du détachement de l'ensemble, ce qui le désigne comme Un, c'est l'effet de passage à la limite qui le nomme à la fois dans la négation de l'ensemble qui le fonde

---

7. Jean-Louis Houdebine, *loc. cit.*, p. 97.
8. L'expression est de Daniel Sibony, *L'Autre incastrable*, Paris, Seuil, 1978.

comme Un et dans l'affirmation de l'ensemble qui marque sa distinction[9].

Ainsi, nommer consiste à provoquer l'apparition non pas d'une présence ni non plus d'une absence mais d'un retrait, d'un dérobement tel qu'en lui-même il supporte la langue: « mise en retrait » du sujet, du signifiant.

Le temps de la nomination est celui d'une métaphoricité « en acte », celui d'une fracture double ou clivée. Et le Nom — Aleph, par exemple, pour Cantor — désigne à la fois ce qui se tient hors de l'ensemble et l'ensemble même qui « le porte ». Nommer (quelqu'un, quelque chose) revient à se produire (pour lui) comme mort. Le Nom, en inscrivant l'interdit et la mort de celui qui s'en fait le signifiant — par une signature dont l'art ne cesse de témoigner — révèle sa Loi à l'ensemble d'où il s'excepte. Comme l'ont montré Daniel Sibony et René Major[10], on peut toujours lire les effets du lien social, ses ratées comme ses révolutions, à partir d'une telle logique du Nom.

Les romans de Ducharme et d'Aquin entretiennent avec le Nom des rapports certainement différents. La topologie du roman permet de lire la configuration de leur rencontre singulière avec l'Autre. Rencontre qui prend pourtant la forme, de part et d'autre, d'une mise à mort. Ducharme est indisposé par la Loi. Le désir du roman semble chez lui insister pour re-suturer la bande du texte en une sorte de collusion qui agglutine l'auteur, le narrateur et le lecteur sur un littoral étrange. Le roman aquinien, quant à lui, semble disposer de la Loi, comme si la narration, en proie à un devenir-Loi, s'enlisait à la place indiscernable du Nom.

La mission et la transmission du roman s'enregistrent dans une certaine façon de faire transiter le symptôme d'un désir par une écriture qui est la chance de son déchiffrement.

Voilà. Cet essai vient proposer une évidence: la lecture est le désir du roman. Mais en cela, il est aussi, je l'espère, un essai sur l'éthique de la lecture. Car peut-être est-ce seulement en reconnaissant d'où il lit qu'un lecteur arrive à lire (en) son Nom.

---

9. René Major, *Le Discernement. La psychanalyse aux frontières du droit, de la biologie et de la philosophie*, Paris, Aubier, 1984, p. 139.
10. Daniel Sibony, *Le Groupe inconscient, le lien et la peur*, Paris, Christian Bourgois, 1980; René Major, *De l'élection*, Paris, Aubier, 1986.

Chapitre II

La doublure narrative

Atopie du Nom-du-Père

L'énonciation du roman est toujours par avance clivée, doublée d'une lecture qui en reparcourt le temps, les figures, la voix. Ainsi, tout écrivain entre en rapport avec un temps étrange et particulier dans lequel son Nom semble projeté ou relancé dans l'inachèvement[1]. Ce que j'appelle ici la *forme* du roman est une certaine façon de tenir compte ou non d'une telle disposition du temps, une certaine façon de la reconnaître et de l'interpréter dans la langue du texte.

Les romans de Ducharme et d'Aquin se caractérisent par la mise en jeu de la doublure du texte à travers l'autonarrativisation d'un « je » presque toujours livré à l'écriture même du roman. La répétition en train de s'accomplir dans la fiction se trouve au fondement de leur topologie respective.

D'un point de vue logique, le clivage du Nom détermine toujours la place de ce qui, justement, ne peut être répété: place où s'avère l'insuffisance de tout nom à nommer, et où se marque le vide ou encore le « pli » formé par l'impropriété radicale de tout nom propre. Entre le nommant et le nommé il y a la place d'un *tiers* — non pas troisième mais entre-deux — qui est l'innommable du Nom. En fait, la doublure ne se définit que de l'entre-deux qui la traverse et qui implique l'inadéquation du sujet à sa langue, du Nom à ce qu'il nomme. Un sujet est fondé en son Nom lorsqu'il souscrit à la part qui l'« innomme ».

---

1. Roland Barthes, dans la préface aux *Essais critiques*, rend compte ainsi de la singularité du temps de l'écriture: « [...] le temps de l'écrivain est un temps opératoire et non un temps historique [...]. Le temps de l'écriture est en effet un temps défectif: écrire c'est ou bien projeter ou bien terminer, mais jamais " exprimer "; entre le commencement et la fin il manque un maillon [...], celui de l'œuvre elle-même. [...] l'œuvre s'écrit en cherchant l'œuvre, et c'est lorsqu'elle commence fictivement, qu'elle est terminée pratiquement. [...] retorsion illogique du temps [...]. C'est que le temps de l'écrivain n'est pas un temps diachronique mais un temps épique; sans présent et sans passé, il est tout entier livré à un *emportement*. » (p. 11)

Le roman n'a pas pour fonction de rapporter l'effet de cette nomination ni, en d'autres termes, de reproduire la réalité du sujet nommé ou de se faire simple « porteur » du nom. Il travaille plutôt à *déporter* cet effet en le rejouant. C'est ce qu'implique la doublure narrative que Ducharme et Aquin problématisent en mettant au jour l'acte même d'une énonciation en procès. Le sujet d'une telle énonciation n'est donc plus un sujet psychique, mais la voix d'une opération de vidage des représentations, sujet d'une néantisation singularisée par la temporalité qui la signe. Ici s'impose la distinction fondamentale entre les signatures d'Aquin et de Ducharme: dans le traitement du Temps.

L'écriture aquinienne commence directement à partir d'un savoir sur la néantisation, attestant que l'être n'accède à la différenciation — c'est-à-dire au statut de sujet — qu'en passant par une disparition qui, paradoxalement, est toujours, par la langue et le texte, en avance sur lui.

> En fin de compte et somme toute, c'est le néant qui différencie l'être et non pas l'être le néant. La vie n'émerge vraiment que de son contraire absolu. Le néant distingue, tout comme la marge invente le texte. (*BE*, p. 270)

Une telle analyse logique révèle déjà chez Aquin une préoccupation dialectique pour le Nom, une interrogation sur sa Loi. Dans le roman aquinien, la dialectique s'articule à l'intérieur d'une structure de fiction qui cherche à en fonder l'inscription. La principale fonction du sujet d'une telle narrativisation consiste à se mettre à la place de l'innommable pour se renommer de la Loi. Chez Aquin, le roman trouve sa logique en cherchant la fiction du Nom, en cherchant à « faire prendre » la fiction dans une incarnation folle et improbable de l'innommable.

La structuration du roman aquinien élabore toute la complexité de ses ramifications à partir de la métaphoricité du nom propre. La métaphoricité, constitutive des réseaux de signifiants et de représentations, reprend chaque fois la division inaugurale qui les produit. Ce qui, dans l'action métaphorique, se perd, s'exclut, s'arrache du champ des représentations, c'est le Nom. Et le Nom fait ici l'objet du roman.

Chez Aquin, les relais nominaux que génère le procès métaphorique — *un nom pour un autre* — lancent la narrativisation dans un parcours où le narrateur se trouve constamment re-nommé. On assiste alors à des redoublements narratifs qui donnent l'effet d'une projection selon laquelle la narrativisation ferait retour dans la narration. Le temps clivé de l'énonciation est repris par les réseaux de la représentation, au point où celle-ci en vient à se constituer en une pure énigme. En absorbant dans les représentations le parcours qui les supporte, le roman aquinien interprète en la recoupant sa narrativisation, pratiquant ainsi une troublante ouverture dans le texte. Cette ouverture donne à voir la fiction comme une torsion de l'énonciation et libère, si l'on peut dire, le foyer voilé par le repli du tissu textuel.

Dans le roman d'Aquin, la fictionnalisation fait vraiment « l'objet » du récit. La multiplication des doubles déporte le temps de la lecture sur la scène de la représentation, obligeant celle-ci à une sorte de disfocalisation. Faire entrer dans le roman le vecteur de son interprétation pour rompre la constitution du sens par l'énigme, déclenche à peu près la même chose qu'une coupure le long de la surface continue du ruban mœbien.

> La coupure [de cette surface à un seul bord] crée un deuxième bord. [La bande reste entière mais acquiert une torsion qui défait sa composition paradoxale.] Cette disparition de la structure mœbienne par la coupure, sans pour autant détruire l'objet physique dans son unité, permet de réduire la bande à sa coupure [2].

Le vide né de la coupure est un vide clivé mœbien. La coupure réelle qui subvertit la surface ressemble aux effets de vérité racontés par le roman aquinien: une vérité d'ordre épiphanique révélée comme une fracture mortelle.

Dès lors, le « théâtre illuminé » de *Neige noire* devient la figure logico-onirique de ce lieu atopique de fictionnalisation infinie puisqu'il est la figure improbable de la *place* par où passent toutes les « œuvres humaines », autant dire toutes les représentations. Lieu supposé du Symbolique en tant que tel.

> Nicolas se souvient d'un théâtre illuminé, mais cette dimension réflexive demeure intraduisible en images [...]
>
> Nicolas: Je jouais Hamlet [...] j'ai été pris de panique; je n'ai pu terminer la représentation... Je me souviens, avec tristesse, du théâtre illuminé... [...]
>
> (L'entêtement onirique de Nicolas pourrait sembler aussi gratuit que ce théâtre illuminé dont il vient d'être question pour la deuxième fois et dont on ne sait pas si c'est l'extérieur ou l'intérieur qui est illuminé, s'il n'apportait au spectateur plus ou moins distrait une indication très nette de l'inexistence de l'archipel du Svalbard où Sylvie Dubuque et Nicolas Vanesse se sont rendus en voyage de noces.)

---

2. Jeanne Granon-Lafont, *La Topologie de Jacques Lacan*, Paris, Point Hors Ligne, 1986, p. 34.

(Eva et Linda approchent de ce théâtre illuminé où la pièce qu'on représente est une parabole dans laquelle toutes les œuvres humaines sont enchâssées) (*NN*, p. 118, 143-145 et 254)

L'archipel de Svalbard, où se déroule le scénario de Nicolas qui redouble la « réalité fictive » du roman-scénario, donne à ce « théâtre illuminé » sa fonction de support irreprésentable des représentations. Tous les romans d'Aquin peuvent se relire depuis le « théâtre illuminé », dans la mesure où celui-ci apparaît dans l'*enchâssement* d'un temps en réserve — « toutes les œuvres humaines » — qui est aussi le temps du texte s'ouvrant alors non pas à la résolution des impasses narratives — celles-ci, comme on verra, organisent plutôt le texte en réseaux énigmatiques —, mais à la sérialisation de ces impasses. Le roman aquinien est une composition qui vise à *faire passer* par tous les noms l'imprononçable, ou l'*imparlable*, du Nom. René Major appelle « le nom qui nomme l'innommable » ce que Lacan désigne par le terme de Réel. On peut ainsi présenter les trois registres — imaginaire, symbolique et réel — du désir de nom :

Du *nom qui nomme l'innommable*, on saisit aisément trois ordres de propositions :

1) le nom fait lien mais c'est l'imaginaire qui fait tenir entre elles les propriétés réalistes, semblables ou dissemblables, qui s'y rapportent ;

2) la nomination discerne dans la liaison fantasmatique ce qui distingue l'Un des semblables qui feraient Tout Un ;

3) l'innommable désigne le lieu où le Sujet ne renonce à être ni Autre ni rien [3].

Si « le néant différencie l'être », c'est aussi parce que le néant ne se repère qu'à partir de l'être, et le vide, qu'à partir du signifiant qui en est l'effet. De ce postulat naît pourtant le désir de ramener la scission, l'ouverture — l'innommable — dans le nom pour accéder enfin à la nomination. Écrire enfin le Nom serait pour Aquin lui rendre son pouvoir de conférer l'existence à l'être à partir de cela — *ce là* — même qui reste à jamais en deçà de l'inscription et de la lettre. Soit : faire en sorte que de l'identité advienne par le désêtre du Nom. En fait, si l'on veut bien considérer les trois registres lacaniens de l'imaginaire du symbolique et du réel, il s'agit en quelque sorte pour Aquin d'accéder à un réel du symbolique à travers le sacrifice violent de l'imaginaire. Il y a en permanence un sacrifice de la représentation

---

3. René Major, *Le Discernement. La psychanalyse aux frontières du droit, de la biologie et de la philosophie*, Paris, Aubier, 1984, p. 55.

à l'œuvre dans la narration, et ce sacrifice vise chaque fois à isoler le signifiant de l'Autre. La jouissance féminine est d'ailleurs, comme on verra, la figure privilégiée de ce réel aquinien. Autrement dit, il s'agit de faire advenir le Nom dans sa nudité la plus folle pour mourir à lui. Les mises à mort sont nombreuses dans les romans d'Aquin, et elles ont la fulgurance du sacré. Les narrateurs rencontrent la possibilité irrecevable d'une instance symbolique pure, d'une instance paternelle qui serait enfin fondatrice en son absolu et son absolution. La jouissance féminine illustre en cela la sortie de la représentation vers ce Nom-du-Père impossible et désiré en tant que tel.

La métaphoricité devient donc logique romanesque à partir du moment où un nom survient à la place d'un autre pour l'innommer, en le renommant. Puisqu'un nom est toujours une frontière, posée en même temps que franchie, entre ce qu'il nomme et le lieu de sa profération, le parcours aquinien qui consiste à ramener à la surface le circuit des noms finit par inscrire dans la narration l'« acte pur » de sa profération. Le « théâtre illuminé » est la figure irreprésentable de cet acte qui permet de passer à travers tous les noms de l'histoire selon une structure d'« enchâssement » dont le statut n'est pas seulement celui d'une poursuite identitaire tenant du délire [4], mais l'opérateur de la fiction [5]. Ce travail du texte ouvre la narrativisation au *qui* énigmatique du Nom. Car qui? quoi? s'agit-il de nommer? Le Nom. Mais le Nom de qui, de quoi? De (ce) qui nomme dans la nomination. C'est cela qui motive le parcours mystifiant et mortuaire de la pratique aquinienne, et met le discours en crise en le forçant à produire toutes les formes de la commotion. Cette logique implique d'emblée un rapport formel au roman:

> L'idée d'écrire un roman me vient plus par la forme que par le contenu. Je ne cherche pas quoi dire, mais comment le dire. [...] Pour moi un romancier doit courir après des formes. Le contenu, il l'a en lui et il le sort dans la forme choisie. (*PF*, p. 19)

Les personnages d'Aquin sont littéralement assujettis à la dialectique de la vérité et de la fiction, au point de s'affirmer comme sujet de vérité au moment où leur nom est mis à l'épreuve d'une fictionnalisation dont le roman ressaisit les effets d'écriture. *Prochain Épisode*

---

4. Délire, par exemple, d'un sujet proclamant: « Tous les noms de l'histoire c'est moi. »
5. La folie du sujet qui cherche à habiter son nom fait en quelque sorte la raison du roman. On n'a qu'à songer au travail d'érudition qui traverse *L'Antiphonaire* où théologiens, médecins, alchimistes, hérésiarques, philosophes et artistes forment un réseau onomastique envahissant. On trouve le même procédé, quoique moins insistant, dans *Prochain Épisode* et *Trou de mémoire*. *Neige noire* déplace ce travail du signifiant nominal vers une rhétorique visuelle de l'enchâssement basée sur la superposition et l'accélération. Je renvoie pour cela à la suite de l'analyse.

avoue l'acte de composition qui consiste à déporter la vérité de l'enfermement dans la fiction rythmée d'un temps non mesurable, en fuite, celui d'une « épellation » — de *spellôn* : « raconter », nommer chacune des lettres du nom — qui fait de l'enfermement une posture infinie :

> Écrire une histoire n'est rien, si cela ne devient pas la *ponctuation* quotidienne et détaillée de mon immobilité interminable et de ma chute ralentie dans cette fosse liquide.
>
> [...] je gagne du temps. Un temps mort que je couvre de *biffures* et de phonèmes, que j'emplis de *syllabes* et de hurlements, que je charge à bloc de tous mes atomes avoués [...] et pendant tout ce temps que je passe à *m'épeler*, j'évite la lucidité homicide. [...] Infini, je le serai à ma façon et au sens propre. Je ne sortirai plus d'un système que je crée dans le seul but de n'en jamais sortir. (*PÉ*, p. 9, 18, 19, je souligne.)

Il s'agit là, on le voit, de prendre le temps à la lettre du Nom, de s'en faire littéralement le signataire et la signature. Ce temps, d'ailleurs, est aussi celui de la poursuite dont le roman d'espionnage représente ici le prototype. Poursuite, on s'en souvient, qui n'aboutira pas parce que le roman se donne pour la recherche actualisée mais inachevable de sa propre forme. Le Nom trouve ainsi sa forme dans un procès qui tend à porter au-delà de lui-même l'effet dont il est la cause[6]. Les narrateurs répercutent ainsi l'énigme non résolue d'une intrigue dont les clés ne seront jamais livrées. Dans sa poursuite effrénée et son inaboutissement, le récit devient énigmatique. Il est une incessante — parce qu'impossible — sortie de lui-même.

À ce titre, le séjour du héros dans le château de H. de Heutz est très significatif. Ce séjour est en fait une attente prolongée qui devient l'hypostase de l'attente du narrateur dans sa prison de Montréal. Mais l'attente constitue une augmentation du coefficient de mystère. Elle est en fait une poursuite de plus en plus mystifiante du fait qu'elle se produit sur place dans un temps insaisissable, symbolisé par l'absence d'horloge et l'arrêt de la montre du héros. Le temps fuit et reste pourtant immobile. Ce temps est présent dans tous les romans d'Aquin, et c'est un temps en avance sur lui-même, devenu en quelque sorte l'épure du temps, son bord.

---

6. « Le titre *Prochain Épisode* est la négation même du livre et la valorisation de ce qui vient après. [...] À la limite, *Prochain Épisode* n'existe pas. C'est ce qui vient après qui existe. » (*PF*, p. 18-19) Il faudra entendre dans cet énoncé bien autre chose que l'effacement du livre ; plutôt, au contraire, son fondement dans une rhétorique qui fait du « prochain » l'occasion, la chance, sinon le temps toujours performatif de sa cause. Voir à ce sujet, Anne Élaine Cliche, « L'hérétique du prochain », *Religiologiques*, n° 5, printemps 1992.

Le cryptogramme de l'Hôtel de la Paix et l'ex-libris de l'exemplaire de *L'Histoire de Jules César* se présentent d'abord comme les signifiants générateurs du récit pour se faire immédiatement les représentants du Nom en tant que retour sidérant de l'innommable dans le nommé.

> [...] équation à multiples inconnues que je dois résoudre avant d'aller plus loin dans mon récit. [...] j'ai le sentiment de me trouver devant le mystère impénétrable par excellence. Plus je le *cerne* et le *crible*, plus il *croît au-delà de mon étreinte*, décuplant ma propre énigme lors même que je multiplie les efforts pour la saisir. [...] J'écris dans l'espoir insensé qu'*à force de paraphraser l'innommable, je finirai par le nommer*. (*PÉ*, p. 21, 22, je souligne)

Cette paraphrase de l'innommable n'est-elle pas justement le tracé qu'effectue le roman aquinien afin de cerner, de cribler et d'étreindre le Nom inaudible du père ? D'ailleurs, la dialectique vérité-fiction qui supporte ici la métaphoricité apparaît bien dans le temps de la poursuite où les deux régimes de l'énonciation se disposent non pas selon une successivité, mais selon une simultanéité qui les met paradoxalement l'un à la poursuite de l'autre.

Les autres romans déploient cette logique en adoptant la « fausseté » autobiographique à prétention informelle pour opposer, semble-t-il, une vérité d'énonciation à une organisation narrative des faits. Mais ce dire vrai — qui est chaque fois un aveu, une descente vers l'indicible horreur — ne se révèle que par son retournement immanquable en un dire fictif, devancé ou cerné de tout temps par la fictionnalisation. À tel point que le seul aveu avouable et expié dans la langue du roman est celui qui met en accusation l'écriture et la fiction elles-mêmes.

> Je viens de commencer un roman infinitésimal et strictement auto-biographique [...]. Le roman d'ailleurs c'est moi [...].

> Écrire un roman parfaitement désarticulé, c'est ce que je peux faire de mieux dans mon état [...]. sa machination qu'il raconte dans un style cynétique [...] reproduit ce qu'il raconte. Note de l'éditeur.

> [...] mon propos n'est pas tant de porter un jugement littéraire sur cet écrit que de prévenir le lecteur sur sa qualité non fictive.

> [...] de le situer hors littérature, hors fiction et tout à fait hors roman [...]

> [Partie du texte signée RR dont la stratégie finit par s'avouer] [...] c'est en quelque sorte un pseudonyme abrégé dont je me

suis affublée et qui n'est pas sans exprimer ma volonté initiale de me situer d'emblée au niveau de la fiction. (*TM*, p. 19, 22, 39, 73-74, 123)

Sans titre, sans logique interne, sans contenu, sans autre charme que celui de la vérité désordonnée, ce livre est composé en forme d'aura épileptique [...].

J'ai commencé ce livre sans raison [...]. Puis la vie s'est insérée de force dans mon pauvre récit; et du coup, celui-ci s'est transformé en autobiographie [...].

Mais comment dire..., je n'ai pas tellement de style, j'écris sans style, ce qui probablement explique la sinistre spasmophilie graphique à laquelle je m'abandonne [...] j'ai fait d'abord de mon mieux pour décrire la vérité: je n'ai rien truqué, rien déformé, rien gonflé. (*A*, p. 17, 44, 213)

En vérité, le cours de la vie est chaotique et imprévisible. Aucune fiction ne peut masquer cet « ordre » imprévisible de l'existence [...].

La discontinuité du film n'est que le versant formel de celle de tout ce qui vit [...].

Dans mon scénario, la fiction n'est pas un piège, c'est elle, plutôt qui est piégée par une réalité qu'elle ne contenait pas et qui l'envahit hypocritement [...].

Il n'est plus question pour Linda, de démêler la réalité de la fiction puisque la fiction est inextricablement mêlée aux mailles de la réalité [...] cette fois, c'est la réalité qui est contaminée par une fiction encore plus frissonnante. Sylvie Dubuque s'est substituée à Sylvie Lewandowski comme le pareil au même, mais voilà que Sylvie retrouve son identité nominale [...]. (*NN*, p. 48, 49, 147, 243)

Une telle logique renverse l'idée reçue selon laquelle la fiction transposerait ou reproduirait la réalité. Les romans d'Aquin mettent plutôt en scène une réalité qui procède de la fiction et qui vient dans l'*après-coup* de l'écriture. L'écriture, et la lecture qui en effectue le parcours, ne cessent en effet de produire des retombées dans le réel des scripteurs. De plus, cette dialectique de la vérité et de la fiction est toujours littéralement donnée comme la conséquence du dédoublement du nom. Le désir du Nom au fondement de la sérialisation narrative, s'il donne au roman aquinien son « identité », à savoir un temps clivé, il signe incontournablement la mort ou l'effondrement du personnage-sujet qui en est le « facteur ». Car l'identité nominale, entendue ici non pas comme le « vrai » nom, mais comme une identification à la vérité du Nom, porte le « mourir » au cœur de la représentation. Les corps aquiniens actualisent toujours ce sacrifice désiré de l'imaginaire.

Chez Aquin, le mourir comme moment de « véridiction » du Nom garde toujours le réel de sa fureur, oscillant entre les trois scènes du meurtre, de l'accident et du suicide [7]. Par ailleurs, la mort de Sylvie, dans *Neige noire*, est inextricablement liée au versant caché de son nom — le père illustré ici par le nom de famille —, nom que le scénario de Nicolas s'attache à révéler par une sorte de « redoublement antérieur » de la réalité (romanesque) des sujets. Apparaît alors un véritable retournement du temps opéré de façon systématique et variable par l'anamorphose. Celle-ci permet en effet de réaliser la doublure narrative et de donner au texte son temps logique: celui d'une réversibilité effective.

L'anamorphose, on le sait, a fait l'objet de nombreuses analyses de l'œuvre romanesque d'Aquin [8]. Il ne s'agit pas ici de reprendre ce qui a déjà été dit, mais d'en rejouer les termes pour faire surgir un versant de l'œuvre resté, à mon sens, impensé ou du moins très souvent esquivé sinon inanalysé. Part « maudite » que l'on peut reconnaître comme la logique catholique travaillée par Aquin et qui est au fond, plus précisément, une *théologique* [9] selon laquelle le désir de Dieu raconte le désir de Loi et de Nom; logique faulknérienne [10] aussi, pour le tragique qui la sous-tend; logique baroque enfin, si l'on veut bien reconnaître dans cette esthétique de l'excès une façon de faire passer la symbolique catholique à travers des jeux optiques ou verbaux qui en constituent l'interprétation.

Le sacré n'y est plus tant de l'ordre de la croyance, mais de l'ordre de l'inversion et de la perversion, de la profanation ou de l'extase:

---

7. Voir entre autres *Neige noire*, p. 227: «[...] le meurtre se superpose au suicide, tout comme le faux accident du début avait été substitué au suicide [...].» Et *Trou de mémoire*, p. 201: «[...] la vérité, elle-même, s'est chargée d'aller vite. Olympe s'est donné la mort; Pierre X. Magnant aussi, du moins selon toute vraisemblance — puisqu'il est mort très exactement comme l'avait rapporté son présumé éditeur, soit: dans un accident d'automobile qui ressemble singulièrement à un suicide pur et simple. »

8. Voir entre autres Wladimir Krysinski, « Destin des pulsions, destin des narrations », *Carrefour des signes. Essai sur le roman moderne*, La Haye, Mouton, p. 345-375; Sylvia Söderlind, « Hubert Aquin et le mystère de l'anamorphose », *Voix & images*, vol IX, n° 3, printemps 1984, p. 103-111.

9. Une exception parmi quelques-unes à souligner: le livre de Robert Richard, *Le Corps logique de la fiction*, Montréal, L'Hexagone, 1990. Voir aussi Josiane Leralu, « Hubert Aquin: entre le littéraire et le théologal », *Voix & Images*, vol. XI, n° 3, printemps 1986, p. 495-506.

10. «[...] et je crois que je suis plus faulknérien que joycien. [...] j'ai été profondément perturbé par les livres de Faulkner et je reconnais qu'il y a eu beaucoup moins de distanciation. » (« Aquin par Aquin », *Le Québec littéraire 2. Hubert Aquin*, Montréal, Guérin, 1976, p. 133)

« Dans le sacré rien n'est sacré: tout est corps, tout est pris dans ce matérialisme propre au christianisme [11]. » Le temps de l'anamorphose est celui où le sacré devient un flambloiement du corps. Pour quelle urgente vérité? « Sacré, je le suis, car je flambe sur place, aliéné dans mon incandescence pyrophorique. » (TM, p. 21) Ici, le sacrement vient au service du fantasme prométhéen qui pousse le sujet de l'écriture à se mettre à la place de Dieu. Et l'expérience que fait le sujet n'est pas tant celle du sacré que celle, plus radicale, d'un devenir-sacré.

Le procès de renversement reporte l'invisible dans le visible, l'inaudible dans l'audible, l'infini dans le fini. Il ordonne le temps selon le surgissement d'un passé encore inarrivé que Claude-Edmonde Magny a nommé dans un essai célèbre « l'inversion théologique [12] ». La logique catholique devenant forme romanesque est ce moment important et très peu étudié où le religieux accède au statut de pensée [13].

Le désir du Nom donne à lire, dans une telle logique, le principe fondateur du texte aquinien. La position du scripteur — figure de l'écrivain — par rapport aux noms propres et à leur distribution dans le texte marque le temps de l'écriture. Cette opération et les nombreux recours du texte à la rhétorique catholique font donc résonner le registre théologique.

La fonction du Nom permet de revenir sur le rôle et le sens du double à l'œuvre dans les romans d'Aquin pour saisir la portée du versant mortifère de l'identification à l'Autre. La doublure narrative, pensée dans sa raison topologique, exige de la lecture un changement de régime puisqu'elle fait passer les personnages au rang de voix incarnées par le seul parcours évanouissant de leur(s) nom(s). Et le parcours du nom vers sa re-nomination est supporté par les doubles, la répétition déplacée faisant advenir un creux, un invisible où disparaît le proférateur du Nom. Le roman d'Aquin met en « scène » la disparition du scripteur dans le Nom. Passe alors à l'écrit cette

---

11. Christine Buci-Glucksmann, *La Folie du voir. De l'esthétique baroque*, Paris, Galilée, 1986, p. 52.
12. Claude-Edmonde Magny, « Faulkner ou l'inversion théologique », *L'Âge du roman américain*, Paris, Seuil, 1968.
13. L'inversion dont parle Magny est celle de la temporalité chronologique (sur laquelle s'appuie l'idéologie sociale-catholique) dans une temporalité paradoxale à l'œuvre dans l'exposition des dogmes, par exemple. Le texte aquinien actualise, comme on verra, le temps de la Rédemption qui fonde, après le judaïsme, le catholicisme. À ce titre, une remarque du philosophe et psychanalyste Jacques Lavigne reste pour le moins significative: « [...] ce n'est pas parce que notre pensée n'a toujours été que religieuse que nous sommes incapables de produire une littérature et un savoir profanes, mais parce que notre pensée religieuse n'a jamais eu lieu. » (Citée par Jean Larose, *Le Mythe de Nelligan*, Montréal, Quinze, 1981, p. 95)

vérité de l'écriture, à savoir qu'il n'y a d'écrivain que mort[14]. Le tragique de ce passage... à l'acte travaille toute la fibre du texte. D'ailleurs, c'est entre autres le tragique de cette scène, assumée ultimement par l'écrivain lui-même, qui donne au roman aquinien sa logique épiphanique et symptomale.

L'anamorphose, ai-je dit, est le support de cette disparition. En effet, la sérialisation des énonciations ne s'accompagne jamais d'une multiplication de narrations[15], mais ne s'engendre qu'en passant à travers les relais « apocryphes » d'une seule narration en perpétuelle transformation. Seule la prise en charge d'un même acte autobiographique par des signataires différents — quant au statut ou quant au nom — déclenche la série du récit et sa fictionnalisation. Chaque roman rejoue de façon distincte la mathématique de cette signature qui passe à l'infini, du fait qu'elle produit en creux l'indiscernable de tout nom. L'infini, comme on verra, étant fondé de ce que le livre se referme, se boucle ou se suture en quelque point.

Prochain Épisode déploie une double énonciation en une seule profération, mettant ainsi en présence un engloutissement irréversible et un roman d'espionnage entièrement construit sur une poursuite impossible. L'autonarrativisation est ainsi d'emblée, on s'en souvient, un double « j'écris » :

> Cuba coule en flammes au milieu du lac Léman pendant que
> je descends au fond des choses. Encaissé dans mes phrases, je
> glisse, fantôme, dans les eaux nébuleuses du fleuve [...] j'ai le
> temps de divaguer en paix, de déplier avec minutie mon livre

---

14. Comme il n'y a de père, disait Freud, que mort. Voir à ce sujet « La mort de l'écrivain maudit », (*BE*, p. 147-151), et « La Disparition illocutoire du poète (Mallarmé) » : « La tension de tout écrit vers son terminus exerce une pression morale sur l'écrivain et l'incline à ce que Mallarmé appelle "l'omission de soi" [...]. Je trouve que l'*ego* de l'écrivain doit évacuer au maximum l'écriture. [...] L'écrivain doit se sacrifier [...]. J'en viens à préconiser une pratique de l'absence [...]. » (*BE*, p. 263-267)

15. J'insiste ici sur la distinction entre *narrativisation* et *narration* qui marque la séparation entre deux registres d'un même procès. La narration est la constitution du récit tel qu'il se repère ponctuellement dans les fonctions narratives représentées — narrateur, personnages, espaces, point de vue, temps raconté. La narrativisation est ce qui génère et *supporte* la narration, ce qui *cause* comme procès en cours. En d'autres termes, c'est l'acte de symbolisation tel qu'il demeure irreprésentable sauf pour s'offrir en s'effaçant comme « représentant de la représentation ». La narrativisation est le temps de l'écriture-lecture. Seule cette distinction permet de penser la répétition au travail dans le système romanesque. Or, chez Aquin, la narrativisation revient dans la narration pour devenir l'événement central et polarisant du texte. Cela a pour effet d'empêcher la narration de rencontrer un simple achèvement et contribue au contraire à la produire comme décomposition, dissolution ou encore *différance* infinie. Le roman d'Aquin fait intervenir la narrativisation à l'instar d'une coupure de la narration, ramenant ainsi la cause dans l'effet. Pratique qui déclenche, semble-t-il, une réversibilité du temps.

inédit et d'étaler sur ce papier les mots clés qui ne me libére-
ront pas. [...]

J'assiste à ma solution. J'inspecte les remous, je surveille tout
ce qui se passe ici; j'écoute aux portes du Lausanne Palace et
je me méfie des Alpes. L'autre soir à Vevey, je me suis arrêté
pour prendre une chope de bière au café Vaudois. (*PÉ*, p. 7, 11)

Le sans-nom de la voix (je) est l'opérateur d'une doublure passant à
travers un seul mouvement vocalique. Mais l'anonymat du narrateur
ne saurait effacer le redoublement d'un sujet dans un autre puisque
chaque « je » participe de temporalités et de registres explicitement
différents. Le même procédé est à l'œuvre dans *L'Antiphonaire* où le
passage d'un registre à l'autre est cette fois assuré par une renomination de Christine Forestier en Renata (re-née) Belmissieri.

L'engendrement des doubles demeure l'opérateur d'un dispositif
en miroirs par lequel les sujets s'auto-réfléchissent, projetant la
narration, d'un « je » à l'autre, dans une sérialisation « dé-focalisante ».
La discontinuité narrative de *Prochain Épisode*, perceptible dans la
variabilité du ton allant de l'intensité lyrique à la spéculation formelle
sur la fiction policière, et saisissable dans le changement fréquent et
répété des registres, inscrit dans la textualité un rythme qui, dans
L'Antiphonaire, devient une pratique recherchée et systématique de la
fragmentation. La narration de Christine Forestier, en plus d'être
constamment détournée par des voies affabulatrices, discursives,
herméneutiques, qui ne sont que les divers investissements d'une
hésitation constante, reste ainsi inachevée. Ce sont deux lettres
signées, l'une par Suzanne, l'autre par Albert, qui terminent le roman
d'ailleurs inauguré par une voix anonyme.

En fait, les noms de ces deux signataires appartiennent déjà à la
narration de Christine, qui fonctionne comme un dispositif auto-
réfléchissant dont les miroirs sont constitués par les sujets nommés
— Renata, Chigi, J.C. Beausang, Jean-William, Albert, Suzanne,
Paracelse, etc. La spécularité crée ainsi des séries parallèles avec cette
particularité que le miroir ne reproduit que la déformation du sujet
qui s'y projette. Les miroirs déformants supposent qu'entre les deux
images se glisse une torsion dont la fonction est topologique. D'autre
part, le journal de Chigi-Beausang — déjà apocryphe — est en train de
connaître sa réécriture dans le journal de Christine, mimétisant
quant à lui son objet, à savoir la crise épileptique de Jean-William. La
superposition des « alias » donne au texte ses paliers d'énonciation,
celle-ci étant constamment recoupée et recomposée par une itération
en sauts successifs qui la fait passer d'un nom à l'autre.

J'ai le sentiment soudain que mes labiales s'enfoncent dans
un épithalame ombrageux dont les divers personnages (Jean-

William, Robert, le docteur Franconi, moi enfin...) sont revêtus de costumes de nuit. Avez-vous lu les pages futiles dans lesquelles le grand Chigi (alias Jean-William, alias Beausang, alias Léonard de, alias Alfarabi...) (*A*, p. 209)

Ce mode d'écriture est surtout pratiqué dans *Trou de mémoire* qui brouille le faux de l'apocryphe par de faux apocryphes en lesquels se relaient un auteur-révolutionnaire, un éditeur et une lectrice-commentatrice du texte en cours d'édition et d'authentification. La lectrice, RR, redouble le travail éditorial en le contestant, pour prendre finalement l'entière responsabilité du texte en s'en faisant la nouvelle signataire. En *sous-scrivant* ainsi après coup au déjà-écrit pour y incorporer une version inédite qui redouble la première en l'innommant [16], sa réécriture — qui est aussi désécriture — s'avère ineffaçable. Le procédé de mystification finit plutôt par provoquer l'effacement du nom même des signataires, causé par l'indétermination du sens qui ressort du décryptage des identités. La mort prétendue du scripteur P. X. Magnant justifie la pseudonymie et la clandestinité de l'éditeur Mullahy qui, « re-tué », déclenche — dans la *Suite* narrative — la renomination de la troisième signataire. Le Nom enchâssant le roman s'accompagne enfin d'une transmission des noms — P.X. Magnant, Joan X. Magnant — dans la chaîne de la filiation.

> Et j'ai signé: RR... [...] En lisant ce livre, je me suis transformée: j'ai perdu mon ancienne identité [...]. J'ai changé de nom, je porte un enfant qui s'appellera Magnant — et jusqu'au bout je l'espère, et sans avoir peur de son nom. Et je veux que mon enfant [...] n'apprenne jamais [...] mon ancien nom... (*TM*, p. 202, 203, 204)

La transmission du nom, comme on le verra, ne s'effectue qu'à travers le parcours anamorphotique de la fiction qui nomme le Nom finalement expulsé hors du texte. Ce nom du père, l'imaginaire du récit ne peut ici que le ressaisir dans une descendance à venir.

Le même redoublement simultané s'enregistre dans *Neige noire*. Ce roman fonctionne selon une rhétorique entièrement différente tout en inscrivant dans le temps de la réalité romanesque le temps d'une fiction affirmée qui en est, au futur, l'exacte reproduction. C'est le

---

16. « RR ne sont pas vraiment mes initiales; c'est en quelque sorte un pseudonyme abrégé dont je me suis affublée et qui n'est pas sans exprimer ma volonté initiale de me situer d'emblée au niveau de la fiction. » (*TM*, p. 123); « [...] cet être humain [...] non seulement ne s'appelle pas Pierre X. Magnant dans la réalité, mais c'est moi! » (*TM*, p. 124); « [...] Joan [...] ne pratique pas dans la réalité la microbiologie [...]. Loin de là, Joan (j'emprunte au personnage fictif le prénom innommable de la vraie) est spécialiste en esthétique de théâtre [...]. » (*TM*, p. 126); « "Joan", comme je voudrais crier ton vrai nom [...]. » (*TM*, p. 133)

futur en train d'avoir lieu dans la lecture qui, toujours, cherche la doublure — théâtrale-cinématographique — de ces relais nominaux.

Sylvie: Tu n'aurais pas un rôle pour moi dans ton film?
Nicolas: Peut-être...
Sylvie: Quelle sorte de personnage?
Nicolas: Une femme... 22 ans, blonde, mariée depuis quelques jours.
Sylvie: Quel caractère?
Nicolas: Le tien...
Sylvie: C'est moi, le personnage!!!? Tu me fais marcher...
Nicolas: C'est la vérité... [...]
Tu sais c'est à Linda que j'ai pensé pour interpréter le personnage de Sylvie [...]
Son nom est Linda Noble... [...]
Eva: Il y a un autre rôle important dans ton scénario, en dépit de son absence, c'est celui de... [...] Michel Lewandowski...
Nicolas: Je pensais... Eh bien! je pensais contacter ce monsieur et le lui proposer carrément. Mais c'est de la folie... Bien franchement d'ailleurs, je cherche encore le comédien à qui proposer le rôle... (*NN*, p. 90-91, 170-171, 197-198)

On assiste, dans les romans d'Aquin, à une sérialisation du Nom dont la superposition structurante pourrait trouver sa formule dans la série des Joan — «Joan I, Joan II, Joan III...» — qu'élabore *Trou de mémoire* (p. 59). On peut donc parler de doublure narrative dans la mesure où, en se redoublant, ce n'est pas une représentation de lui-même que le sujet scripteur met en œuvre mais une renomination qui finit toujours par lui revenir comme une extériorité d'où il reçoit ses effets de vérité. La vérité dès lors se limite à ce qui, du Nom, supporte la disparition et l'évanouissement du nommé. Il s'agit en l'occurrence d'une fonction qui permet de tracer le bord d'un trou — celui du Nom — pour mettre en scène l'innommable et le hors-lieu de la Loi.

Chez Aquin, la nomination effectue une «trouée» parce qu'elle est fonction d'une rencontre *toujours ratée* entre un nommant et un nommé. L'entre-deux de la doublure est à entendre comme le tiers d'où peuvent surgir et se proférer les deux versants du Nom. En d'autres termes, c'est l'espace de jeu, la case vide reconnue comme espace topologique qui assure la transmission du Nom dans le texte et dans le sujet lisant confronté à l'énigme que lui pose le roman.

La transmission du Nom est par ailleurs toujours représentée par une procréation, impossible et pourtant accomplie, des corps [17]. La

---

17. Illustrée par Aquin en une série de «vierges enceintes» (*NN*, p. 149) que le roman met en scène à travers le récit d'une fécondation au moment des règles (RR, Christine) ou d'une interfécondation féminine (Eva-Linda).

fin de *Trou de mémoire* met en scène le fondement logique de cette manifestation, à savoir que dans la filiation, ce qui est transmis c'est le Nom du père. Le fantasme dont RR est la figure, depuis le viol jusqu'à l'accouchement du nom au futur — tous deux, hors des limites du récit — garde à mon sens son statut littéraire, à savoir qu'on peut le lire comme l'équation aquinienne de la transmission. Ainsi, pour avoir lieu, cette transmission exige que le père soit nommé par le désir de la mère, afin de parvenir au sujet par le nom même de ce qui, du désir, reste en quête de Nom. La transmission aquinienne passe par cette équation selon laquelle ce qui parvient au sujet ne serait qu'une ouverture, une faille, une place où il advient à ce qui le discerne. Étant expulsé de l'Autre et ne pouvant oblitérer sa jouissance, un sujet accède — au futur — à son nom et, du même coup, à la fracture — le viol — qui le supporte. Jouissance innommable dont *Trou de mémoire* fait son histoire. L'enfant (toujours) expulsé du texte demeure l'inconnue de cette équation par laquelle les personnages agissent suivant des combinatoires *à lire*.

La topologie du Nom, tous les romans d'Aquin la mettent en jeu dans un procès qui fait intervenir à outrance l'effraction — viol, meurtre, suicide, crise. L'entrée en scène de l'hors-scène ou, comme le disait Bataille, de l'« ob-scène » s'effectue par l'anamorphose, c'est-à-dire par une projection perforante de la perspective. Il s'agit bien dans l'anamorphose d'un procédé optique de *néantisation* de la toile puisque l'objet anamorphosé n'apparaît qu'à partir d'un déplacement latéral par rapport à la représentation donnée. Celle-ci perd alors ses repères optiques et devient de plus en plus floue au fur et à mesure que l'autre forme s'érige[18]. On peut donc parler d'une « érection » dans le tableau, en train de se produire sous le regard du spectateur (lecteur), permettant ainsi d'associer la disparition de l'image au signifiant de la jouissance. Et l'érection n'est pas tant celle du tableau ou de la représentation que celle de la perforation elle-même. Ce n'est donc pas un hasard si, chez Aquin, le transfert de l'énonciation est toujours intimement lié à un puissant investissement de la gestualité érotique: l'anamorphose est le trait du désir donné à voir.

Toute la narrativisation aquinienne procède d'un irreprésentable au cœur d'une surcharge de représentations érotiques dont la narration énonce tous les degrés — orgasme, impuissance, viol, inceste, relation sadomasochiste, coït, désir, jouissance. C'est justement le

---

18. Quant aux anamorphoses à miroirs, la représentation y est d'emblée savamment détruite, liquéfiée, anéantie selon les données d'une mathématique visuelle que le miroir a pour fonction de *redresser*. Toiles dans lesquelles se marque un angle hors image où doit être placé le miroir, point d'ombre dans la toile qui la borde comme son lieu de lecture.

bord de l'indiscernable que les représentations ont pour charge de tracer, traitant ainsi le réel de la pulsion [19] par le travail de symbolisation de l'écriture.

Le texte aquinien a cette particularité étrange et difficile à définir de porter l'écriture à ce que l'on pourrait appeler l'«inécriture», et ce, par la technique de l'anamorphose qui permet qu'arrive au texte le signifiant fondamental du manque, de l'absence, du rien, de la division originaire oubliée. Lisant Aquin, on assiste ainsi toujours à une sorte d'érection du sujet à la place de la Loi et de l'oubli. On reconnaît là, par exemple, la pratique de l'invisible qui travaille la rhétorique filmique de *Neige noire*, le blanc narratif de *Trou de mémoire*, la désintégration épileptique de *L'Antiphonaire* ou le « mot manquant » et la rencontre manquée de *Prochain Épisode* [20]. L'inécriture se joue dans l'insistance du roman à faire surgir l'irreprésentable. À ce titre, Lacan avance quelques remarques dans son analyse de la toile d'Holbein qui le préoccupe à la même époque qu'Hubert Aquin :

> Comment ne pas voir ici, immanent à la dimension géométrale — dimension partielle dans le champ du regard, dimension qui n'a rien à faire avec la vision comme telle — quelque chose de symbolique de la fonction du manque — de l'apparition du fantôme phallique ? [...] tout cela nous manifeste qu'au cœur même de l'époque où se dessine le sujet et où se cherche l'optique géométrale, Holbein nous rend ici visible quelque chose qui n'est rien d'autre que le sujet comme néantisé — néantisé sous une forme qui est, à proprement parler, l'incarnation imagée [...] de la castration, laquelle centre pour nous toute l'organisation des désirs [...] [21].

Le procédé optique trouve dans le romanesque aquinien — véritable « pratique de l'invisible » — sa fonction logique qui consiste à rendre manifeste le travail de la représentation. L'anamorphose scripturale nécessite de *faire passer* le visible par une rhétorique visuelle qui devient alors celle du texte et du sujet qui en est l'effet. Le texte aquinien ne cesse d'investir l'activité libidinale, aussi bien dans la narration que dans la narrativisation repérable dans la temporalité textuelle — rythme, fragmentation, coupures, viols narratifs,

---

19. Pulsion narrativisante pour reprendre une expression de Wladimir Krysinski (*loc. cit.*), et que je préfère désigner par le terme « narrant » ou simplement par celui de Nom.
20. « D'un instant à l'autre, je vais sûrement trouver le mot qui me manque pour tirer sur H. de Heutz » (*PÉ*, p. 165) ; « J'ai compris alors que ce n'est pas H. de Heutz que j'avais manqué mais qu'en le manquant, de peu, je venais de manquer mon rendez-vous et ma vie tout entière. » (*PÉ*, p. 166) ; « [...] le dernier chapitre manque qui ne me laissera même pas le temps de l'écrire quand il surviendra. » (*PÉ*, p. 172)
21. Jacques Lacan, *Séminaire XI*, p. 82-83.

ratures, variabilités de tons. Elle opère la déflagration, la disparition des relais discursifs, l'anéantissement des narrateurs. Une telle « incarnation de la castration » — redressement ou surgissement d'une perspective cachée qui est toujours celle de la mort ou de l'aphanisis — donne au texte son coefficient de jouissance [22] mais aussi d'horreur, et devient le facteur de sa négativité active. C'est ainsi que le roman d'Aquin écrit son désir de Loi; désir non pas de se placer devant la Loi mais au lieu même de sa diction. Façon, dirais-je, d'assumer « à mort » le symptôme d'une collectivité problématique.

Tous les titres des romans d'Hubert Aquin insistent pour désigner le bord d'un irrepérable: *Trou de mémoire, Point de fuite, Neige noire* (négatif filmique où se perd le texte), *Prochain Épisode* (suite / poursuite de ce qui a déjà eu lieu), *L'Antiphonaire* (signifiant liturgique d'une scansion, celle des psaumes « antiphonés »). Les deux textes de fiction parus en revues semblent par ailleurs donner les repères fondamentaux du traitement symbolique de l'infini. « Les Rédempteurs » inscrit la perspective théologique dans un récit auquel l'auteur est resté, dit-il, « fatalement » attaché [23]; « Obombre », livre impossible et mise à l'épreuve finale, excédée, du désir d'infini qui supporte tous les autres romans, pousse à l'excès le baroque funèbre [24] en cédant au vertige de « cette surcharge de néant » (*Ob*, p. 18):

> L'auteur est absent, mais son ombre encre chaque caractère [...] l'ombre est là, tout près, qui m'envahira et brisera ce délicieux clavier sur lequel je suis en train de jouer la noèse des noèses. (*Ob*, p. 18).

Ainsi l'anamorphose explicitement présente dans *Trou de mémoire* travaille tous les romans d'Aquin. Elle est le lieu stratégique de la fictionnalisation jouée dans le transfert métaphorique qui boucle son mouvement circulaire et produit un retour de l'Autre-nom dans le corps du sujet scripteur dédoublé, lui signifiant ce qu'il rate précisément à nommer. En se renommant du nom des personnages de son histoire, le scripteur se dispose à recevoir l'Autre-nom qui revient nommer le réel de sa mort ou de ce qui en tient lieu sous forme d'évanouissements spasmodiques violents ou de « disparition illocutoire ». Si la doublure narrative fonde l'énonciation d'un sujet de l'écriture en proie à la reconstitution infernale de son nom, c'est

---

22. Au sens de Barthes: « Texte de jouissance: celui qui met en état de perte, celui qui déconforte [...], fait vaciller les assises historiques, culturelles et psychologiques du lecteur, [...] met en crise son rapport au langage. » (*Le Plaisir du texte*, Paris, Seuil, 1973, p. 25-26)
23. « Je crains de ne pouvoir écrire quoi que ce soit qui ne reprenne fatalement " Les Rédempteurs ". Prisonnier de ma propre histoire, cela me paraît inévitable; ce que j'ai inventé me retient. » (*PF*, p. 125).
24. Dont il sera question dans les chapitres suivants.

aussi pour forcer la narration à s'expulser du nom et à s'éprouver dans l'atopie de la nomination. Livrée à l'enfer de la mémoire, l'auto-narrativisation ne parvient jamais à une autonomination. Elle est, chez Aquin, l'occasion d'un désaisissement qui déporte l'énonciation dans le hors-lieu de la Loi.

La renomination se présente bien comme une descente aux enfers. Si la chose recherchée est sans aucun doute l'établissement d'une identité et d'une légitimité par les voies de l'identification et de la projection, ce qui vient à la rencontre du sujet, dans la composition de son autobiographie, c'est la Loi de l'écriture; Loi de la fiction par laquelle le « je » s'irréalise d'accéder à la place du signifiant. La seule dimension biographique demeure alors celle qui donne à voir le geste même d'écrire — dans sa rhétorique compositionnelle impliquant toujours la lecture —, geste marquant le moment de déflagration du « je » livré à une décharge excédentaire. Ce procédé fait du Nom un lieu irrepérable où le lecteur lui-même est appelé à signer. Les doubles ne tracent jamais que le double bord d'un versant subjectif nominal et d'un espace atopique recueillant toutes les stases de la disparition. Quant au roman, il ne cesse d'aménager le temps d'une mort au présent.

> Ce livre défait me ressemble. [...] il épouse la forme même de mon avenir: en lui et par lui, je prospecte mon indécision et mon futur improbable. (*PÉ*, p. 92-93)

> [...] je sens que je bave et, pour cette raison même, je choisis illico de m'épancher. [...] je suis propulsé vers mon apogée silencieuse par une décharge d'air chaud qui me donne froid dans le dos. La trêve se rompt: le liquide archi-pyrétique de la vie m'inonde avec une violence qui me fait jaillir à tous coups [...]. J'écris, je raconte une histoire — la mienne — [...] je cumule, je gaspille les effets secondaires [...].

> Une seule stylistique est possible: écrire au maximum de la fureur et de l'incantation. (*TM*, p. 19-21, 35)

> [...] ce livre est composé en forme d'aura épileptique: il contient l'accumulation apparemment inoffensive de toute une série d'événements et de choses, le résultat du mal de vivre et aussi sa manifestation implacable. [...] je n'ai pas tellement de style, j'écris sans style, ce qui probablement explique la sinistre spasmophilie graphique à laquelle je m'abandonne: on croirait, [...] que je me déforme, que j'explose, que je me fissionne, que je me désintègre, que je me pulvérise en diverses séries atonales et entrecroisées de mots ou de symboles [...] j'écris comme si je me noyais [...] le langage ampoulé qui me servait de radeau au début se dégonfle et coule étrangement avec moi [...]. (*A*, p. 17, 213-214)

Le propre de toute combinatoire est d'engendrer une hésitation croissante en cours de réalisation. [...] Je n'écris le scénario qu'à mesure que je le vis... Et je n'ai pas fini de le vivre dans la mesure où le scénario est inachevé. (*NN*, p. 33, 148)

Écrire à la place du Nom-du-Père signifierait sans doute produire la fracture originaire qui rompt la fascination duelle et mimétique avec l'Autre et déporte dans les répétitions sérielles ce qui ne peut justement pas se répéter. De là, infinitiser la coupure du Nom, reviendrait à se situer entre deux morts: celle de l'identité et l'autre, toujours à venir. Le roman aquinien dispose la topologie d'une énonciation qui n'est plus celle de la parole — celle d'un sujet vivant —, mais celle d'une voix qui a déjà haussé au statut de principe le symptôme qu'elle annonce. Le roman d'Aquin s'écrit pour libérer un temps perdu, celui de l'entrée du sujet dans le temps de l'histoire. Il force la transmission du temps originaire — retrouvé — d'où l'histoire pourra enfin commencer. Mais c'est au prix d'incarner lui-même le Nom de la Loi. Ce qui est donné à lire ou, plus simplement, ce qui est transmis, c'est un symptôme dont le livre n'est pas le dénouement mais l'acte de symbolisation en regard de celui qui lit...

Utopie des « noms-de-la-mère »

Chez Ducharme aussi, le narrateur ou la narratrice est d'emblée engagé(e) dans un processus d'autonarration[25]. Mais celui-ci, on le verra, se présente plutôt sous l'aspect d'un « devoir parler » à tout prix, plaçant l'énonciation dans une sorte de nécessité narrative où dire n'importe quoi ne peut aboutir qu'à dire le vrai sur soi. Une problématique contraignante s'installe qui noue étroitement la croyance en l'arbitraire — ce qui paraît coupé de sa cause — et l'affirmation de l'autorité — l'auteur est cause de tout. L'autonarration tend alors à coïncider avec l'effort d'auto-engendrement qui gouverne les narrateurs, alliant jusqu'à la confusion les narrateurs-auteurs — d'une parole, d'une chronique, d'un journal, de mémoires — à l'auteur du roman dont il arrive que le nom (Réjean Ducharme) ponctue la narration. C'est ainsi que supposer l'arbitraire de la loi, le fantasmer dans la langue, revient à s'autoriser du discours.

Tout l'humour de Ducharme, humour noir à l'ironie souvent cinglante, s'érige sur cette équation entre arbitraire et autorité. La narration prend ainsi toutes les formes qui permettent de soutenir l'assertion des narrateurs, à savoir que *l'arbitraire, c'est l'autorité*. En

---

25. Sans excepter *La Fille de Christophe Colomb* qui se présente comme le travail désespéré d'un narrateur amer; sorte de déni de l'autonarration qui en est justement la signature.

cela s'établit l'équivalence ducharmienne entre la langue et l'énonciation, entre l'Autre et l'autre, entre la vérité et l'affirmation.

Je ne sais pas si ce que j'écris là est vrai. Mais de toute façon, ces lignes sont vraies puisqu'elles rendent fidèlement ce que, vraiment, je pense en ce moment.[...] Je ne sais pas où je veux en venir, mais je suis sûr que j'y arriverai. [...]

Je me perds, je m'égare. Cela ne me dérange pas. Je n'ai rien à vous dire, races. Vous parler est futile. Si je te parle, ce n'est pas parce que j'ai quelque chose à te dire, c'est parce que j'ai envie de parler. (NV, p. 47, 103)

[...] j'aime mieux croire que je me suis sevrée moi-même [...]. J'imagine toutes sortes de choses et je les crois [...]. Il n'y a de vrai que ce que je crois vrai [...]. (AA, p. 21, 33)

[...] J'aime croire que je me suis mise au monde, qu'en ce qui me concerne je ne suis la chose de personne que de moi. [...]

Sache que pour moi il suffit que tu racontes ceci pour que le contraire soit moins vrai. Ce qui te semble assez vrai pour que tu me le dises est toujours pour moi plus vrai que ce qui le nie [...] (O, p. 22, 112)

Dénoncer l'arbitraire du signifiant linguistique revient chez Ducharme à nier la place du Nom. Or, le Nom n'est ni arbitraire ni nécessaire mais serait plutôt de l'ordre de l'inassignable. L'Autre n'est jamais qu'un lieu, bordé par la parole. Il faut qu'une place vide soit marquée pour que se brise l'illusion de l'adéquation entre la lettre du nom et l'identité. À ce titre, le signifiant n'a pas la fonction d'un signe mais recouvre le lieu inapprochable de la Loi des signes. C'est pourquoi, du point de vue du symbolique, si la langue est arbitraire dans son rapport aux nommés, elle n'en demeure pas moins fondée du fait qu'elle est traversée d'une causalité impossible à saturer qui inscrit sans retour l'assujettissement des corps parlants.

Ce qui se produit dans le roman de Ducharme pourrait se définir comme l'effort désespéré — jusqu'à l'amer, qui est toujours la Mère — pour ramener la langue à une autonomination ou, ce qui revient au même, pour la mener à saturation. La narrativisation, dans la mesure où elle est justement le parcours insaisissable de la narration, est niée dans ce qu'elle a de fatalement irreprésentable.

Chez Ducharme, ce parcours est porté à la représentation par le masque d'un despotisme maquillé en acte de foi. Comme si la bande mœbienne du texte, parce qu'elle reste invisible dans sa structure unilatère, était constamment réduite au temps de sa matière. En ce sens, la narration ducharmienne se présente comme une suture de la bande, suture qui tend à recoller le double bord de l'écriture pour ne pas avoir à en supporter la structure paradoxale. Il faut donc rendre nulle la Loi de ce parcours infigurable, la porter au registre imaginaire de l'impuissance pour maintenir le fantasme d'une maîtrise de l'assujettissement. Le dérobement de la Loi se présente alors ici sous la forme d'une déficience devenue pôle de l'identification. La narration ratée tend ainsi à faire consister l'Autre [26] afin de se l'approprier. Le signifiant en défaut devient signe de défaite ou de faillite et passe dans la narration sous les traits d'une insuffisance linguistique.

J'écris mal et je suis assez vulgaire. Je m'en réjouis. (*NV*, p. 10)

Le travail d'appropriation s'effectue jusqu'à ce que la langue s'en trouve entièrement démontée, déraillée, « tartelue » comme dans *Les Enfantômes*. Le procès est ainsi saisi par son propre bord et voilé par la figure de la narration qui se constitue selon la logique d'une auto-nomination impliquant l'oscillation indépassable entre une tendance forcenée à l'adhésion à la langue, facteur d'« autonymie » — mon nom c'est moi ! — et le constat « écœurant » d'une inadéquation qui relance la langue dans l'affirmation de l'arbitraire totalitaire.

Chaque roman est travaillé par cette oscillation qui va de la croyance au dégoût, de l'acte de foi à la défaite ou à la démission revendiquée. Véritable pivot de la narration, cette double entrave fait constamment passer la voix narratrice du *Nez qui voque*, par exemple, d'un pôle à l'autre, illustrant ainsi de façon manifeste l'ambivalence, sinon l'« équivoque », d'un tel rapport à la langue. Les romans se classeraient, en fait, selon la dominance d'un seul de ces pôles, actualisant davantage un des deux aspects du processus « autonymique ». Par exemple, on pourrait ranger *L'Hiver de force*, *Les Enfantômes* et *Dévadé* sur le versant de la défaite assumée — « C'est pas pour me vanter mais ce n'est pas une vie » (*D*, p. 9) — ou de la reconnaissance implacable du vide — « on est un vide qui se refait » (*HF*, p. 181); alors que *L'Avalée des avalés*, *L'Océantume* et *La Fille de Christophe Colomb* mettent davantage en scène l'acte de foi.

En fait, ces deux moments marquent les deux temps d'une suture. En tentant de « souder » la cause à l'effet, le parcours à l'objet, la langue du roman nie la torsion ou la division qui la supporte. La croyance au pouvoir et à l'autonomination dure le temps de l'affirmation. Mais la bande mœbienne de l'écriture laisse un vide, si minime soit-il: celui qu'engendre le pli de la doublure. L'Autre ne

---

26. Puisque l'Autre ne saurait consister, sauf dans l'imaginaire qui efface la fracture en lui donnant le relief de l'être. C'est ce qu'énonce Lacan dans la formule « il n'y a pas d'Autre de l'Autre », *Ornicar ?*, n° 25, 1982, p. 31. L'Autre, c'est le *lieu* où se dérobe un signifiant.

revient plus alors que sous la forme d'un ressac d'horreur, l'insuturable étant pris pour un défaut de structure. On reconnaît là le ressac final de *L'Océantume*, qui renverse le fantasme du parcours englobant en impératif d'impuissance et d'arrêt devant la puanteur — «Nous y sommes, soyons-y!» La dialectique de l'avalement — dialectique de la suture — qui prétend nier l'hétérogénéité du Nom, vécue comme un arrachement inacceptable, en voulant ramener l'Autre à soi fait resurgir l'hétérogène dans sa version objectalisée: l'ordure.

La suture, présentée comme le recollement interminable de deux temps, produit un aller-retour du sujet ballotté entre le totalitarisme de la langue et sa vacuité tout aussi «totalisante». Elle constitue le parcours de la logique narrative qui pervertit la doublure en force d'adhésion pour prendre à la matière linguistique — ou disons: *à la lettre* — le redoublement et la répétition. L'effet que l'on perçoit d'emblée chez Ducharme, à l'opposé du roman d'Aquin, est l'absence de relais narratifs quels qu'ils soient. La voix de chacun des romans est lancée sur différents registres, de différentes longueurs et à vitesse variable. Véritable narration de soi qui se perd et se reprend, se tord, s'interrompt, se coince, se relance, mais n'«autorise» aucune autre prise en charge que la sienne. Le discontinu ducharmien — la fragmentation du texte en brèves séquences ou chapitres — qui fomente l'interruption de la lecture, apparaît comme l'effet d'un désir violent de continuité que la langue ne cesse de trahir et dans laquelle un pli fait constamment retour. La langue en prolifération cherche à saturer le vide sur lequel elle s'appuie. La raillerie et la digression, la démission haussée au statut de principe qu'affichent les narrateurs constituent le signifié insistant du rejet, dans l'écrit, de l'écriture du roman.

En fait, l'énonciation, centrée sur le monologue ou le processus mémoriel — «Je m'en souviens très bien» (*E*) — privilégie le présent de la parole puisque la parole *est* l'action, et tend à faire coïncider narrateurs et auteur. Souvent, ce qui permet entre autres de cerner l'enjeu de la doublure, ce sont les notes en bas de page, les exergues, les parenthèses par où le nom de l'auteur fait irruption, en toutes lettres ou contracté dans ses initiales. Puisque l'adhésion à l'Autre ne se pense qu'à partir de la répétition, l'intervention du nom d'auteur dans la narration prend un sens tout à fait structural. En d'autres termes, il s'agit de reconnaître son statut, soit de simple présence spéculaire mythique, soit de relais possible ayant pour rôle de *nommer* aussi la narration.

Bérénice, Iode, Mille Milles, André, Vincent et même Bottom, tous assument l'acte narratif selon une modalité générale qui tend à se donner pour immédiate en faisant place à toutes les formes de «digressions» ou à tous les changements de régimes, qu'ils soient d'ordre poétique, mythologique, scientifique, historique ou autre[27]. L'énonciation « orale » de quelques-uns des romans rejoint l'écriture « journalière » des autres, dont le trajet chronologique est fracturé d'ellipses et de délires en tous genres. Mais dans tous ces romans, on assiste à la narration d'une subjectivité qui ramène sur le plan linguistique la Loi que suppose le travail de l'écriture. Le clivage de la Loi, marqué par la logique du Nom, devient littéral et « traite », en la saturant, la doublure écrivain / narrateur.

Lorsque le sujet d'énonciation devient autonarrateur, c'est toute la narration et le système du roman — son temps — qui s'en trouvent travaillés, façonnés par la dynamique des investissements narratifs. Mais lorsque l'inénarrable est pris à la lettre, c'est-à-dire transposé dans une narration du vide qui devient, par ce transfert même, vide existentiel ou vide linguistique, c'est le sujet et le temps qui sont saisis par l'identification de la langue au Nom. L'identification tend à verrouiller la langue par la dyade sens / non-sens. La néantisation du sujet fait retour, dans le registre de l'être, sous la forme d'un « n'être rien ». L'inénarrable passe au rang de fonction métaphysique et littérale, et la narration est maintenue au niveau de la vacuité, de l'ennui, de l'abject et de la niaiserie. La fusion déguisée entre l'auteur et le narrateur est chez Ducharme le trait marquant de l'énonciation. Elle manifeste la façon qu'a l'écriture, dans sa quête d'elle-même, de recourir à la logique du Nom, c'est-à-dire de s'autoriser de ce qui la discerne dans la communauté des noms.

Le Nom — signifiant fondamental et fondateur — désigne la place irréductible du sujet dans la langue parce qu'il trace d'emblée le lieu inassignable de l'Autre d'où « je » peux parler. Mais être nommé, c'est aussi être divisé, se trouver fracturé par du signifiant dont le premier effet est de creuser une faille entre mon corps et celui de l'autre, et, par le fait même, de marquer la place de tous les autres noms qui pourraient la recouvrir. Au fond, la signature du texte trace la configuration de la place qu'occupe un sujet dans l'infini du procès

27. Ces digressions sont précisément le « signe » de l'immédiateté dont la limite est peut-être *La Fille de Christophe Colomb* qui se présente comme le renversement de l'art de la « niaiserie » à travers la voix d'un narrateur-auteur (R.D.) dégoûté qui ne se tue pas *au nom de* sa mère : « J'ai hâte d'avoir fini de vous raconter cette belle histoire. / Quand j'aurai fini, je m'écrierai : « Enfin ! » / Les affaires seront bonnes pour quelque putain, ce soir / Mais je devrai me passer de manger et j'ai faim. / Je ne le dirai jamais assez : mon existence m'écœure. / Je voudrais mourir sans m'en apercevoir. Ma pauvre mère ! / Elle deviendrait folle si je me tuais. Je ne suis pas sans cœur / Je goûte le vinaigre. Je suis on ne peut plus amer. » (*FCC*, p. 218-219)
On note en passant que ce qui, dans *Le Nez qui voque*, se donne formellement pour des poèmes de Mille Milles dont la rime semble être la seule loi, envahit ici toute la narration. Le procédé insiste encore dans le dernier roman, *Dévadé*.

métaphorique de son nom. La topologie du roman, sa Loi, assujettit l'écriture au manquement du Nom. Chaque écrivain est aux prises avec cet inscriptible, seul enjeu de sa signature.

Le clivage littéral tel qu'il intervient chez Ducharme — et que la phrase de Schiller retenue par Vincent Férié semble résumer: « nous ne sommes rien. Ce que nous faisons est tout » (E, p. 115) — participe directement de la fonction du Nom dans le roman et redouble en le masquant le clivage réel de l'écriture. L'effet de suture constitue la singularité temporelle du romanesque dans la langue ducharmienne.

Les personnages de Ducharme gardent un rapport insistant avec le nom propre, rapport que le roman entretient quant à lui avec la langue elle-même. Les réseaux onomastiques traversent le texte de part en part et lui donnent un tempo, une fragmentation multiple où la majuscule agit comme une cassure, un arrêt et une conflagration. Chaque page est envahie par cette horde de signes désincarnés qui sont davantage des « corps flottants » que les signaux d'un réseau complexe. Chez Ducharme, ces noms semblent inoccupés, comme pour faire surgir le versant a-signifiant de la langue. Noms de lieux, noms de commerces, d'œuvres, de personnages historiques, de stars, ils pullulent dans la trame narrative pour en marquer le non-sens, minant le texte comme autant de « débris » culturels dont l'absence de hiérarchie vient souligner la primauté de l'amalgame[28].

À croire que la Loi n'occupe le texte qu'à passer et repasser par du nom propre, menant ainsi l'énonciation à la positivité d'un « rien » linguistique sinon d'un rien culturel toujours plus envahissant[29]. Et c'est aussi parce que cette posture est portée à sa limite que la langue « morte », celle des expressions toutes faites — « ce n'est pas pour me vanter mais »...; « je n'ai fait ni une ni deux... »; etc. —, accède à une place particulière. C'est d'ailleurs, je crois, parce que le déni de la Loi est assumé jusqu'au bout par le texte que la langue de Ducharme est une invention... *magistrale.*

Les noms de personne se dressent dans le roman comme les signifiés de la narration. Cela revient à dire que la nomination de soi et de l'autre par le narrateur est aussi le moment révélateur du sens de la narration. Ainsi, par exemple, Bérénice veut être habitée par toutes les Bérénice de l'histoire mythologique, universelle et

---

28. *Cf.* Nicole Deschamps *et al.*, « Ducharme par lui-même », *Études françaises*, vol. XI, nᵒ 3-4, octobre 1975, p. 193-194.
29. Les référents culturels de *L'Hiver de force*, par exemple, insistent sur le défaitisme inhérent à l'acculture américanisée: « On a fait venir à crédit de chez le Grec [...] du fromage tranché Kraft, du pain tranché Weston, enrichi de vitamines M, A, S, T, I et C, du lait hyptonisé J.J. Joubert, du sucre superfin St-Lawrence, du beurre *sale* [...] Lactancia et du café décaféiné Sanka. » (*HF*, p. 115)

littéraire[30]. De leur côté, André et Nicole renomment Catherine « Petit Pois », nom de star, d'étoile, de princesse, qui deviendra, au fil du texte, « Petit poids » ou « Petit Pouah ». Les noms de personnes bloquent ainsi l'ouverture du signifiant en produisant du signifié qui ramène l'Autre au littéral. Chez Ducharme, désirer son Nom consiste d'abord à forcer l'adéquation du signifiant linguistique à la parole. Entreprise de saturation qui ne cesse pourtant de rencontrer la fracture inévitable, ressurgissant dans la douleur du morcellement.

Dans les romans de Ducharme, se trace avec insistance la constitution répétée, entérinée par la narration, d'un phénomène que l'on pourrait appeler *l'utopie* des « noms-de-la-mère[31] », le terme d'utopie renvoyant ici à une fonction imaginaire qui consiste à prendre l'Autre au corps en le supposant «être» à la place de la Loi. Le concept des « noms-de-la-mère » n'est pensable qu'à partir d'un déni[32] du Nom. Si le Nom cause une rupture dans la fascination duelle d'un sujet avec sa mère, s'il est bien la place inassignable d'un *où*, le concept des noms-de-la-mère peut servir à désigner les signifiants *linguistiques* appelés à recouvrir cette place, à en détourner la Loi par les signes de l'Autorité — figure imaginaire de la maîtrise. La biffure du Nom, sa rature par le signifiant linguistique vise à en colmater la béance et installe un rapport incestueux à l'Autre supposé langue ou corps maternel.

Dans les romans de Ducharme, avant même que la voix narratrice ne tente d'investir le Nom qui la supporte, c'est le nom de la mère — toujours pluriel — qui en porte la violence et déporte la narration. Les noms-de-la-mère sont donc d'abord les noms d'une figure maternelle toujours clivée et souvent scindée en deux supports nominaux: Mme Einberg/Chamomor (*AA*), Ina/Faire Faire (*O*), Laïnou/Petit Pois (*HF*), etc. La figure maternelle porte ainsi les noms de l'ambivalence

---

30. « Je cours après toutes les Bérénice de la littérature et de l'histoire. J'apprends que Bérénice d'Égypte a épousé son frère, Ptolémé Evergète, et s'est fait assassiner par son fils [...]. À lire et relire *Bérénice* d'Edgar Poe, je prends l'habitude de faire ce qu'elle fait, d'être comme elle est. L'influence qu'exercent sur moi ces Bérénice n'est pas à négliger. [...] Il faut que les pouvoirs de l'imagination soient grands pour que la seule coïncidence de quelques syllabes provoque un accommodement si vif de tout mon être [...]. » (*AA*, p. 217)
31. « Noms-de-la-mère » est ici un concept forgé pour désigner une certaine façon d'*occuper* la langue.
32. Déni: « mode de défense consistant en un refus par le sujet de reconnaître la réalité d'une perception traumatisante [...] ». La dénégation est essentiellement liée au refus de reconnaître la castration, soit le manque dans l'Autre. Refus qui voue le sujet à rater la symbolisation du désir et à se prendre pour le représentant imaginaire des désirs de la mère. Le signifiant du manque comme Nom (phallus) est donc maintenu dans l'imaginaire. *Cf.* Laplanche et Pontalis, *Vocabulaire de la psychanalyse*. Ici, c'est le désir du roman qui n'est pas symbolisé et qui tourne, pour rire, en haine du roman.

qui la constitue à la fois comme être sublime, beauté, reine ou princesse, et déchet, loque, infirme ou cadavre, c'est-à-dire doublement objet idéal du désir et horreur du sujet devant l'impossible comblement de ce désir. Chat Mort / Chamomor, Ina Ssouvie, Questa (Qu'est-ce t'as?), Petit Pois (Pouah) / Reine-des-Tounes, et récemment, dans *Dévadé*, Juba / Diminou — « ça se prononce Jiva » (j'y vas) (p.10) —, dite aussi la *patronne*, la femme-sœur interdite, aimée et humiliée par son infirmité[33], ce sont là les noms générateurs du système ducharmien dont le fonctionnement s'appuie sur un redoublement oppositionnel et fantasmatique oblitérant l'innommable. La mère est une princesse déchue, objet d'admiration et de dégoût, d'amour et de haine, que la catégorie du « trop » recouvre comme on colmate une coupure insupportable. Le « trop » est le point de suture d'où surgissent tous les réseaux d'oppositions.

> Je suis avalée par le visage *trop* beau de ma mère. Le visage de ma mère est beau pour rien. (*AA*, p. 9)

> [...] Petit Pois est le contraire du personnage de je ne sais plus quel cartoon auquel elle doit son surnom. [...] son visage est *trop* pâle, *trop* tragique, *trop* beau dans la lumière *trop* claire de ses yeux *trop* grands. En tout cas, on est saisis. (*HF*, p. 21)

> On se débat, on veut partir, mais elle a des yeux dont on ne sort pas; ils ne vous retiennent pas mais ils sont *trop* noirs, on ne trouve plus la sortie. (*D*, p. 10)

De là, la reine Ina Ssouvie 38 ou l'oiseau Chat Mort deviennent les noms qui tentent d'inverser cet *en trop* qui avale et saisit.

> Ma mère est comme un oiseau. Mais ce n'est pas ainsi que je veux qu'elle soit. Je veux qu'elle soit comme un chat mort [...]. J'exige qu'elle soit une chose hideuse au possible. Ma mère est hideuse et repoussante comme un chat mort que des vers dévorent. [...] Il faut trouver les choses et les personnes différentes de ce qu'elles sont pour ne pas être avalé. Mme Einberg n'est pas ma mère. C'est Chat Mort. Chat Mort! Chat Mort! Chat Mort! [...] Je la déteste Chat Mort! Chameau Mort! Chamomor! Chamomor! (*AA*, p. 33, 84)

---

33. « Ma princesse est du Haut Atlas; elle est tombée bas mais elle descend de la Cahina d'Ouarzazate [...]. J'aime son nom de drogue et de malédiction. [...] Juba (ça se prononce Jiva) est la seule enfant de mon âge qui veut jouer avec moi. [...] une autre passion qui s'est laissé humilier et grandir par l'humiliation, comme le feu d'une plaie rongée... Mais elle se plaît si bien à croire que c'est tout ce qu'elle mérite qu'on se dit que c'est tout ce qu'elle mérite en effet... Ce qui la met dans nos prix. » (*D*, p. 10-11)

Nommer consiste ici à faire passer le signifiant au statut de signifié, à saisir le représentant de l'Autre *dans* la langue. Chez Ducharme, le nom de personne est un signifiant travesti — mythologique, historique, qualitatif, objectal — d'où peuvent se lirent — et d'où délirent — les ramifications d'un système romanesque qui se complexifie pour mieux s'expliciter. Ainsi, l'ambivalence pureté-impureté ou beauté-hideur, puissance-faiblesse de la mère se joue sur une séparation nominale qui installe une véritable opposition reparaissant à tous les niveaux du texte.

Le sujet de l'énonciation, impur, raté, « fucké » (*HF*), « rada » (*D*), projette la part de pureté maternelle dans la figure d'une « sœur de temps » (*NV*, p.17) qui mourra fatalement avant l'ère « pornographique », autant dire avant d'avoir à reconnaître la différence sexuelle. La sœur prend son nom de la pureté — celle des gaz rares — de la royauté ou de la légèreté. Elle incarne l'arrêt du temps, l'exigence d'un temps immobile. Constance Chlore, Azie Azothe, Chateaugué, Fériée, ces noms sont ceux du fantasme qui ne peut rejoindre le réel, sauf pour revenir hanter le sujet en proie à l'horreur du temps. Les sœurs sont les spectres ou les fantômes d'un temps mort, les incarnations du temps perdu et illusoire de la présence pleine et imaginaire du versant maternel. La « projection » du paradis perdu dans le nom des âmes sœurs fait d'elles les figures fantasmatiques par excellence. Leur statut paradoxal de présences-absences est lui-même surnommé par Mille Milles « présences Esso[34] ».

> J'ai une sœur. Ce n'est pas une sœur de sang. On peut dire que c'est une sœur par l'air, l'air des hivers et l'air des étés [...] une sœur de temps. [...] Ma sœur, qui s'appelle Ivugivic en réalité [...] je l'appelle Chateaugué! [...] Chateaugué est une action sur moi. Chateaugué n'est pas un mot mais une action. [...] Les présences dont le coup pénètre nous les appellerons présences Esso. Les présences Esso sont comme le savon Esso, le détergent qui agit en profondeur. [...] J'ai inventé les présences Esso. [...] Chateaugué est une illustration vivante de mes présences Esso: présences en provenance et en direction du passé. (*NV*, p. 17, 80)

> Ces quelques traits vite placés ne disent rien de ma sœur. [...] C'était une ange. C'était la suite ininterrompue de notre mère. C'était les mêmes ailes lourdes qu'elle portait comme une croix, comme le montreront ces mémoires où je veux la donner [...]. (*E*, p. 12)

---

34. « Présences Esso » comme dans S.O.S.: « En allemand, pour que personne ne comprenne, j'ai ajouté un S.O.S... Viens ici. J'ai besoin de toi. Viens vite, si tu ne veux pas que je meure. » (*NV*, p. 17)

Si Constance Chlore vivait encore, je changerais son nom en Constance Exangue. Comment ai-je pu, pendant cinq ans, lui conserver un nom si bête ? [...] Je pense beaucoup à Constance Exangue. Quand je subis mes pires secousses de désespoir, je prends son spectre dans mes bras [...]. J'ai un spectre. [...] — Je ne t'ai pas trahi, beau spectre. [...] car c'est toi, ton innocence, ta douceur et ta beauté que je suis en train de défendre [...]. (*AA*, p. 237, 272)

Ainsi, l'antinomie pureté-impureté subit presque toujours une séparation nominale qui marque l'équivoque où se trouvent le narrateur et la narration. L'oscillation qui traverse *Le Nez qui voque* est toute comprise dans les noms de Chateaugué et de Questa. L'un inscrit la souveraineté de la joie et l'autre l'angoisse de la quête « inassouvie » dont l'interrogation qui la nomme — qu'est-ce t'as ? — génère le récit désespéré de Mille Milles. L'aller-retour de la gaieté au dégoût met aussi en place l'équivalence fonctionnelle entre mère et sœur, installant l'inceste ou l'interdit du rapport sexuel dans toutes les relations amoureuses, au point d'aboutir à la clôture du narcissisme où « je » est à la fois « il » et « elle » (*NV*, p. 260-261).

Le renversement de l'espoir en désespoir et de l'amour en haine ponctue les récits, ironisant le désir, la quête du sens et de l'autre par des exclamations qui caractérisent chacun des romans : « Vacherie de vacherie ! » (*AA*), « Hostie de comique ! » (*NV*), « Fuck ! » (*HF*), « Putain ! » (*E*), « Grosse valétudinaire ! » (*O*), « Que le cric me croque ! » (*D*). Ce dernier cric, d'ailleurs, n'est pas sans lien avec le sujet de cette exclamation, Bottom, qui commence son récit *d'évadé* avec cette histoire de voiture massacrée. Là commence aussi son double deuil à faire qui sera le roman de sa vie avec Juba, double de la petite sœur perdue :

Ici commence la vie après Juba, qui était la vie. Ici commence la vie après la vie, au fond d'un trou d'où nul n'est sorti. [...] Je n'ai que des moyens de rendre la douleur moins supportable. [...] Repenser à Lucie, souffler sur les cendres glacées de nos amours disparates. [...] Je me suis épris de Lucie (et le suis resté vingt ans) [...] Bruno tombé malade, elle me faisait servir de frère pour marcher à l'école [...]. J'avais trop bien joué mon rôle fraternel. Avec la puberté, elle ne supportait plus que les liens d'extrême parenté. Le samedi de mars de ses noces [...] j'ai pris le cric dans notre bagnole et j'ai été massacrer la limousine enrubannée. Le juge n'a pas cru que j'étais sujet à des absences [...] La lumière de la patronne était allumée [...] je me jette au pied de son fauteuil, je serre ses jambes dans mes bras, je la vole par effraction pour qu'elle [...] m'emprisonne, à vie. (*D*, p. 31-33)

L'ambiguïté haine-amour qui divise tous les narrateurs ducharmiens trouve aussi ses noms dans *L'Hiver de force*, *Les Enfantômes* et *Dévadé*. Mais dans ces trois romans plus que dans les autres, la déchéance comme esthétique amoureuse prend totalement en charge les figures de l'affect. La figure maternelle ramenée sur son versant impur et dans son défaut de jouissance revient aux Ferron dans le nom de Laïnou, et la voix narratrice, collectivisée au singulier par le « on » asexué, peut en supporter le rejet — « on l'haït, nous ». Quant à la raideur de cadavre [35] d'Alberta Turnstiff, elle s'oppose encore à la fête joyeuse de la pure Fériée.

De la même façon, Faire Faire Desmains (O) nomme l'emprisonnement à vie, l'assujettissement du sujet aux mains de l'Autre [36]. La jouissance de la mère est vécue comme un rejet dont la narratrice se fait obstinément le sujet. Dans *L'Océantume*, la fusion des mères [37] ne fait que ramener au même lieu les deux temps d'une relation duelle à l'Autre, soutenant l'affirmation violente d'un « je m'ai, je me garde » (O, p. 91) contre son envers menaçant: l'hypnose et la possession. Problématique de l'avalement qui décrète que « le châtiment de ceux qui ne peuvent pas tout englober est d'être englobés par tout » (O, p. 185).

Les noms-de-la-mère se placent à l'origine du texte, inscrivant en toutes lettres l'angoisse du sujet qui les appelle. Angoisse du Nom dont la voix narratrice reproduit compulsivement le blocage qui se met à ponctuer l'écriture de débris et d'ordures. Agir sur le temps c'est d'abord ici agir sur la langue, en recouvrir la fracture, y empêcher la diction de la Loi en recourant à une parole autoritaire; dictat de l'« horreur ».

Le fantasme d'une cessation de l'écrit constitue ici la modalité de l'arbitraire, surgissement d'une volonté pure qui prétend s'autoriser de la langue pour en exclure le désir. L'horreur du sans-nom passe par tous les noms de l'abjection et de l'ennui, en vient à se signifier et à s'investir d'un pouvoir imaginaire contre la Loi [38]. En fait, la dénonciation de l'arbitraire se donne à lire dans une sorte de désir que ça

---

35. Sans parler de sa fadeur de « grande fadasse » (E, p. 29) qui lui vient de son identification à « la petite Fadette ».
36. « Je l'avoue, je succombe: je lui fais confiance. [...] Faire Faire a pris mes mains entre les siennes » (O, p. 91). On se souvient que Faire Faire est aussi celle qui hypnotise les foules en leur faisant croire à leur puissance absolue, renversant ainsi la sujétion en illusion de pouvoir.
37. « Je suis placée entre Ina et Faire Faire: les interminables cheveux de l'une, très bruns, se mêlent sur mon visage aux interminables cheveux de l'autre, très noirs. » (O, p. 189)
38. Dans les lignes qui suivent, je m'inspire des analyses de Julia Kristeva publiées dans *Pouvoir de l'horreur*, Paris, Seuil, coll. « Points », 1975.

« cesse de s'écrire ». Chaque narrateur écrit ou parle en attendant d'agir — de se suicider ou de tout détruire. L'écriture cherche l'immobilité, l'arrêt.

Dans cette mesure, la Loi et le Nom sont repris par la narration des noms-de-la-mère suivant un principe formulé par Iode Ssouvie :

> Ma mère est la reine Ina Ssouvie 38. Mon père s'appelle Van der Laine. Mon frère et moi nous appelons Ino Ssouvie et Iode Ssouvie, non Ino der Laine et Iode der Laine. C'est ainsi. Si on n'est pas content, on n'a qu'à skier. Si tu trouves ton nom laid, grosse valétudinaire, tu n'as qu'à aller te faire renommer. (O, p. 18)

Toute la démarche narrative, toute la logique de l'autonarration consiste en effet à aller se faire renommer, c'est-à-dire à tenter d'échapper à la douleur du Nom dans l'impasse des noms-de-la-mère; temps bloqué dans l'alternative d'une dévoration réciproque condamnant la répétition à la compulsion. Ce sont les noms-de-la-mère qui règlent la narration, forçant la langue à « rendre » l'être-mère et la lettre-mère qu'elle laisse toujours supposer.

« Aller se faire renommer » est la démarche de quiconque prétend échapper à l'Autre — à son horreur, à sa beauté dont le nom englue — en le confinant à son statut d'être déchu. Le fantasme d'auto-engendrement ou d'autonomination est prescrit par cette formule d'expulsion puisqu'« aller se faire renommer » ne s'accomplit que pour échapper à son Nom. Supposer que l'on puisse se débarrasser de son nom est précisément ce qui installe la dualité dans laquelle s'emprisonnent les figures de la narration et la narration elle-même. Parce que vouloir sortir des noms-de-la-mère c'est encore les convoquer pour retourner l'identification... contre soi. L'idéal déchu se renverse, pour le sujet de la parole, en idéal de la déchéance. Le déni du sujet remplace la « faillite » de la langue à le nommer par l'inassouvissement de l'Autre, et le sujet de la parole exige de se faire lui-même le « signifiant-Maître » de ce remplacement. En termes ducharmiens, une telle logique finit par rendre la langue « comme-Ina-toire ».

« Aller se faire renommer », comme aller se faire voir ailleurs, c'est encore assumer le rejet, s'en faire soi-même l'auteur en donnant à l'Autre la consistance de l'abjection. Pour les narrateurs des romans de Ducharme, le Nom ne peut venir que d'un autre dont on a déjà repéré la menace d'avalement. La logique du Nom s'organise alors en véritable tyrannie, dans la mesure où « se faire renommer » implique la dépendance du sujet à une langue dont il a suturé la faille.

« Si on n'est pas content... » Il se trouve que Bérénice, Iode, Mille Milles et les autres ne sont guère contents et qu'ils sont en proie à une renomination généralisée. L'injonction de la renommée énoncée par Iode découle directement des noms-de-la-mère, c'est-à-dire d'une jouissance retournée en signe, cherchant à signifier, comme pour le conjurer, le ratage de la langue.

Les noms-de-la-mère renvoient le sujet à son Nom dans la mesure où, en identifiant la mère à la déchéance — jusqu'au cadavre —, le « je », expulsé de l'Autre, croit devoir s'autoriser de sa condition de « déchet ». Condition issue de son déni qui le fait *tenir* à la langue. Les noms-de-la-mère lui restent au corps. Et c'est de là qu'il tente de se ressaisir, signifiant.

Se faire renommer est l'impératif qui gouverne le sujet désireux de se soustraire à sa division. D'où le détournement de la différence sexuelle, inscrit dans le fonctionnement même de la langue prise au piège d'un relativisme continu. Mille Milles, l'équivoque, porte le nom de la distance dans laquelle il veut tant se maintenir. Distance d'abord nombrée puis devenue incalculable[39]. Mille Milles ne trouve pas son nom laid, il s'est arraché à tout pour chérir sa « renommée ». Pas étonnant qu'il *en arrache* tant avec sa langue. Sa renomination n'est jamais qu'une façon de se vouer à sa lettre. D'où le fait qu'il perd tous ses repères, jusqu'à se prendre pour « *une* hostie de comique » (*NV*, p. 275). On ne saurait mieux exprimer l'identification à la langue.

Le même procédé se retrouve dans *L'Hiver de force* où Nicole et André « qui s'accordent en genre et en nombre » (p. 13) habitent leur nom — Ferron: faire on — en marquant une fois de plus la volonté de faire un dans et avec la langue. La même fusion se produit dans les noms de Vincent et de Fériée, nés d'un seul jour du calendrier: jour (férié ?) de la Saint-Vincent-Ferrier. Cela a pour effet de déclencher un déplacement sans fin du trait linguistique qui installe la langue dans l'infantilisme puisqu'elle n'arrive jamais à la place de la nomination[40]. De même, si Colombe n'a de nom que le nom de son père, c'est qu'il prend un sens de se féminiser en oiseau symbolique de la pureté, quand il ne nomme pas directement une jeune fille pure et candide. Oiseau dont l'envers abject et immédiat est la mère-poule —

---

39. « Ils ont des tâches historiques. Sans accent circonflexe, nous obtiendrons: ils ont des taches historiques. C'est une équivoque. C'est un nez qui voque. Mon nez voque. Je suis un nez qui voque. Mon cher nom est Mille Milles. Je trouve que c'est mieux que Mille Kilomètres. Je ne me suis jamais plaint de mon nom. » (*NV*, p. 10) « Avant je m'appelais Dix mille Milles. Mais, quand il y a deux prénoms, il y en a toujours un de trop. Il a fallu que j'abandonne le premier. Par exemple, qui songerait à appeler Urine un de ses enfants ? » (*NV*, p. 14)
40. « Et Buckley, c'est un nom que je donne à ma sœur, et je veux les lui donner tous, parce qu'elle est née tous les jours, pas seulement le 5 avril, jour de la Saint-Vincent-Ferrier. » (*E*, p.78). Autre façon d'inscrire l'identification au nom en recourant aux saints du calendrier. Une nomination datée est une nomination nommée.

cocotte et couveuse[41]. Quant à Bérénice Einberg, fille du père, son roman familial la ramène toujours à ce nom inamovible qui la prend au corps et l'affecte au plus haut point. Moment encore où le Nom du père est pris à la lettre de sa coupure:

> Einberg est bien là, tout à fait là. Les bretelles cassées, les lacets en bataille, le revolver sens dessus dessous [...]. Il râle, crie, écume, bave. Il se démène comme un coq qui vient de subir le sort d'Holopherne. [...] Que va-t-il faire? Sa figure crispée de *chat agonisant* se détend, et il éclate de rire. Ne tenant plus qu'à un fil, mon cerveau s'échappe et je me mets à hurler, et je me vois devenir folle. (*AA*, p. 212, je souligne)

Bref, il suffit de ramener le père dans le signifiant maternel — chat mort — pour que le sujet Bérénice, à l'instar des autres narrateurs, porte la représentation et la langue au statut de délire.

Le roman, ici, écrit l'utopie de la langue, illustrant la négativité par ce que l'on pourrait appeler un arrêt performatif de l'écriture. Blocage du temps entre l'arbitraire et le totalitaire qui sont les deux versants d'une même horreur, d'une même « sidération » de la langue. Prendre le Nom à la lettre revient donc à suspendre la nomination et à rendre le signifiant intransmissible. L'échec affirmé voire convoité de cette transmission donne au roman de Ducharme son temps: celui d'une fixation, d'une arête spéculaire dont les deux pôles, le bérénicien et l'*enfantomophonie*[42], insupportent, si l'on peut dire, le Nom.

Se renommer généralise l'abjection des noms-de-la-mère dans le but de renverser l'immonde de sa jouissance en jouissance de l'immonde. L'absolue pureté des sœurs reste l'utopie reconnue comme telle, celle dont la langue n'arrive pas à faire le deuil, car ce non-lieu, le sujet se l'approprie en en renversant les signes[43]. Le fantasme

---

41. « Colombe Colomb, fille de Christophe Colomb [...] / Est gracile et belle comme un petit oiseau [...]. Une enquête du juge Gruzelle a révélé / Que la poule leghorn au sein de son agonie, / A rassemblé ses forces et est allée / Porter à Christophe son cœur presque fini. / On peut donc affirmer que c'est elle qui a pondu l'œuf / Qui a défrayé les manchettes sous le nom d'œuf de Colomb / Et duquel est née Colombe [...]. » (*FCC*, p. 13 et 18)

42. Le bérénicien est la langue de la haine, de la dislocation des signifiants, la langue de l'incommunication, celle d'une seule contre tous (*AA*, p. 337). L'« enfantomophonie » renvoie à l'homophonie (ou à la « logofolie ») généralisée comme effet du colmatage de la langue, effet de la collusion des signifiants qui arrête le temps et dont *Les Enfantômes* reste l'affirmation extrême.

43. Les « sœurs du temps » sont sans cesse retuées par le dégoût général, l'ennui, l'abjection. Constance Chlore-Exangue est remplacée par Gloria la lesbienne (tuée); Chateaugué se suicide laissant Mille Milles à ses « obsessions sexuelles »; Asie Azothe s'efface dans l'immonde de la mer; Fériée la suicidée est noyée dans le « dégoût général » auquel le narrateur tente d'échapper en la ressuscitant dans

répété de s'auto-engendrer en se renommant dispose le sujet à sa condition de déchu. Sa légitimité inversée le rend digne du pouvoir de l'horreur.

Ce temps bloqué est bien le Nom tel qu'il désigne la *place* où une voix accède à la langue: le Nom de l'écriture. Celle de Ducharme dont la doublure ne libère pas du temps, mais en marque plutôt l'impasse, la butée.

Ce qui, dans le texte d'Aquin, se fantasme telle une transmission de l'innommable du Nom, ou encore un surgissement du sujet à la place *réelle* de la Loi, se présente chez Ducharme dans l'incarnation de l'inassummable. Le désir de Loi devient chez lui, aversion pour la Loi, et aversion au Nom de la Loi: accession *d'autorité* à l'horreur, au dégoût, à la niaiserie. Le Nom est ressenti comme un obstacle ou une frontière à l'intérieur de laquelle l'Autre vous enferme dans le dilemme interminable de l'appropriation et du rejet. L'utopie consiste à supposer l'autorité dans le Nom, et l'autonomie dans la renommée.

---

ses « mémoires »; Nicole échappe à la force de destruction pour céder à l'hiver de force et refaire « on » dans la mort ambiante. Il s'agit là d'une dualité indépassable et récurrente.

Chapitre III

L'entre-deux-voix

Le Nom de Dieu

> Le temps est une vierge enceinte.
>
> (*NN*, p. 149)

De quoi le roman est-il la transmission ? La topologie de la doublure révèle que la fiction, dans la mesure où son espace ne peut se concevoir en dehors du temps, actualise la scène oubliée de l'entrée du sujet dans la langue. Elle met en jeu la structure selon laquelle un sujet dispose de son Nom. De là, la théorie du roman reconnaît dans la fiction le travail de symbolisation de cette Loi dérobée, oubliée et inapprochable. La fiction est alors l'imprononçable du Nom revenant dans la langue comme s'il avait parlé. Elle ressemble somme toute à une expérience continue de la répétition qui ne produirait un « corps » textuel que pour traiter, en la racontant, la fuite des corps.

C'est en ce sens que le « corps fictif » du roman n'est pas seulement de l'ordre d'une réalité fantasmatique. S'il y a dans la fiction structure de fantasme, c'est dans la mesure où la fictionnalisation vise précisément à porter à l'écrit le ratage de l'objet dont le fantasme, comme la littérature, se soutient [1]. La fiction n'est donc pas tant l'objet

---

1. En effet, l'objet de la littérature — et l'objet dans la littérature — a un statut bien singulier. Comme le soulignait Barthes dans sa *Leçon* inaugurale au Collège de France : « La littérature s'affaire à représenter quelque chose. Quoi ? Je dirai brutalement : le réel. Le réel n'est pas représentable, et c'est parce que les hommes veulent sans cesse le représenter par des mots, qu'il y a une histoire de la littérature. Que le réel ne soit pas représentable mais seulement démontrable — peut être dit de plusieurs façons : soit qu'avec Lacan on le définisse comme l'impossible, ce qui ne peut s'atteindre et échappe au discours, soit qu'en termes topologiques, on constate qu'on ne peut faire coïncider un ordre pluridimensionnel (le réel) et un ordre unidimensionnel (le langage). Or, c'est précisément cette impossibilité topologique à quoi la littérature ne veut pas, ne veut jamais se rendre. » (Paris, Seuil, 1978, p. 22)

ni la scène du fantasme que sa vérité, c'est-à-dire le déploiement d'une logique qui assure le dérobement de la représentation et ne s'assure qu'en elle. C'est de ce dérobement dont je veux ici rendre compte en maintenant la théorie du roman dans le registre du désir.

La logique de la fiction — fantasme et représentation — telle que je voudrais la nommer s'inspire en passant de Käte Hamburger et de sa réflexion, tributaire de la philosophie du langage, qui cherche à questionner l'écrit en fonction d'une *position* d'énonciation dans la langue [2]. Hamburger voudrait démontrer que la fiction se caractérise par une source d'énonciation spatio-temporelle irrepérable de l'énonciation, qu'elle appelle, dans son attachement à la tradition philosophique, un « Je-Origine » fictif. Autrement dit, la fiction serait l'énonciation surgie d'un foyer illocalisable quant au référent, quelque chose comme un lieu axiomatique, un « il y a » qui ne cesserait d'affirmer qu'*il y a cette histoire, ces noms, ces corps, qui ne sont pas mais qu'il y a.*

L'approche logique de Hamburger ne me donne ici que le point de départ d'une analyse définie d'abord et peut-être entièrement par le facteur d'indécidabilité du lieu d'énonciation. La transmission serait alors le passage ou la mise en jeu, pour les autres, de ce « signifiant axiomatique ».

Dès lors, l'atopie et l'utopie telles que je les propose pourraient bien être deux versions d'un même désir: celui du signifiant de la Loi. Quelle différence y a-t-il, par exemple, entre « se refaire un Nom » en ramenant *en son nom* le temps de la violence fondatrice, et « se renommer » en s'arrachant *au nom de l'Autre* pour recoller à sa lettre ? Je dirais: la différence des traitements appliqués à un même mal. Le sujet en souffrance est dans les deux cas en souffrance de Loi, de Nom et d'histoire.

Abolir l'Autre du Nom en le prenant aux mots est certainement ce qui supporte la signature de Ducharme et l'affect dont son texte est le tracé. Quant à Hubert Aquin, il signe l'irrémédiable de la « faute » comme lieu incernable et violent de la Loi et comme facteur de nomination. C'est en cela qu'il reprend à mon sens, et à contre-courant de la Révolution Tranquille, les termes de la transmission catholique.

Tenter de lire l'esthétique baroque dans le texte aquinien, c'est du même coup se rapprocher des principes de la Contre-Réforme [3]. La pensée de la Contre-Réforme a été, de quelque manière qu'on l'envisage,

---

2. Käte Hamburger, *Logique des genres littéraires*, Paris, Seuil, 1986.
3. À l'époque où un autre écrivain québécois, Jacques Godbout, écrivait une série de réflexions qu'il allait recueillir sous le titre *Le Réformiste*, Montréal, Fides, 1975.

un travail magistral d'anamnèse et d'analyse des sources, dont le mouvement baroque fait l'étalage. L'anamnèse, « forcée » en quelque sorte par les bouleversements de la Réforme a, d'une certaine façon, refait de l'Incarnation le représentant fondamental de la transmission catholique. C'est le concile de Trente qui par ailleurs confirma le culte des saints et des images dont l'art baroque a tiré un si grand parti [4]. Au fond, toute la rhétorique baroque — et les romans d'Aquin ne cessent de le rappeler — s'articule à partir de ce temps de l'Incarnation qui marque aussi bien l'originaire du parcours catholique de la Rédemption, que celui de toute *forme formée* [5], dont l'anamorphose rejoue le surgissement. L'Incarnation catholique, raconte le temps d'une naissance qui n'est plus celui, biologique, de la reproduction des corps.

> [...] les rapports du baroque au christianisme ne s'épuisent pas dans les seuls dogmes d'une Contre-Réforme réhabilitant les pouvoirs de l'image, du décorum, des rituels et de leurs effets de masse dans la religion. Ils s'enracinent dans un rapport au corps et à la scène — à l'incarnation — qui sépare le christianisme des autres monothéismes de la Loi. Corps christique perdu, corps glorieux, corps simultanément visible, exhibé en sa passion, et invisible: une véritable dramaturgie sert ici de paradigme à tout scénario en corps [6].

L'anamnèse du catholicisme entreprise par le mouvement de la Contre-Réforme a consisté à renforcer, mais surtout à reconstituer, la théologique de l'Incarnation, dont la Réforme protestante avait évacué la composante essentielle et irrecevable de la Vierge-Mère Marie [7]. Toutes les hérésies n'ont d'ailleurs pas manqué non plus de s'en débarrasser. Seul le catholicisme a voulu soutenir jusqu'au bout les implications logiques d'une telle figure de la Mère, et l'esthétique baroque en a porté à l'excès la corporalité insaisissable dans le déploiement foudroyant des corps extatiques en corps de jouissance.

La logique de l'Incarnation appelle une « position tout à fait stratégique de l'esthétique baroque: la *forme comme donner forme à*

---

4. On sait, d'après l'édition critique de son *Journal*, établie par Bernard Beugnot (Montréal, Leméac, coll. « BQ », 1992), que Hubert Aquin a lu plusieurs livres sur le sujet. Les ouvrages de Rousset et d'Eugenio D'Ors demeurent les références classiques consultées.

5. Pour l'associer à la « forme formante » qu'est l'anamorphose: « La forme formante du film rebondit par ses propres agencements et non par le déroulement extérieur dont elle est la représentation. » (*NN*, p. 94)

6. Christine Buci-Glucksmann, *La Folie du voir. De l'esthétique baroque*, Paris, Galilée, 1986, p. 97.

7. Toutes les Églises de la Réforme rejettent l'autorité épiscopale, le culte de la Vierge et des saints ainsi que la messe comme sacrifice. Voir Pierre Hadot, « Réforme », *Encyclopædia Universalis*.

la jouissance Autre dans l'événement [8] ». C'est précisément en cela que la Contre-Réforme traverse le roman aquinien. L'Incarnation est le récit de l'événement par lequel le Verbe se fait « chair ». Ce récit demeure le principe fondateur du processus de rédemption qui trouvera son terme, en passant par le sacrifice de la croix, dans la résurrection, elle-même ne devenant complètement signifiante qu'à se doubler de l'assomption de la Vierge. Dès lors, au-delà ou en deçà de toute acception religieuse, l'Incarnation est le *temps* central d'une intrication logique dont le nouage passe par le corps impossible de la « vierge enceinte », et dont le procès signifiant exige l'assomption comme effet de « vérité implicitement révélée [9] ».

L'esthétique baroque ne prend tout son sens qu'en reprenant ce parcours extrême, cette mise en scène extravagante et mystifiante de l'« originaire » du corps christique. Dans cette mesure, le catholicisme se donne pour la Vérité, au sens où il se propose de rappeler dans ses configurations un savoir sur l'oubli duquel s'est bâti l'Occident. La théologie et l'explosion érotique des corps convulsés par le regard baroque rencontrent l'écriture aquinienne dans sa disposition géométrale — anamorphotique — du temps, celui d'un Nom en train de passer dans un corps de femme pour le traverser et le hausser, hors de toute corporéité, au statut d'un foyer innommable. Temps de la nomination, cette « vierge enceinte » à laquelle aucune chronologie, aucune filiation ne peut recourir, dit l'origine d'un corps prenant effet d'un « souffle » ou d'une profération dont il est expulsé, et où il doit infiniment revenir pour être renommé.

La profération — voix, Esprit — du Nom-du-Père dans le corps « impossible » de la Vierge-Mère, et le corps qui s'en incarne pour retourner au Père, disposent les quatre termes d'une trinité symbolique où Marie reste le lieu axiomatique. Avec les quatre signifiants de la Trinité [10] — voix, Père, Fils et Marie —, le baroque n'a cessé de signifier le ravissement des corps incarnés en une théâtralisation du Nom. La logique aquinienne n'est baroque que parce qu'elle traite la Trinité en tant que signifiant du corps de jouissance ou signature du temps inscriptible et inspatialisable du « naître » — et du « n'être ».

[...] le baroque serait l'allégorie même de notre histoire occidentale, l'origine non empiriste, non historiciste que Walter Benjamin définit en ces termes: « L'origine ne désigne pas le

---

8.   Christine Buci-Glucksmann, *op. cit.*, p. 96.
9.   Hubert Aquin, « L'Assomption "vérité implicitement révélée" », *Quartier latin*, vol XXXIII, n° 11, 7 novembre 1950, p. 1.
10. On se souvient de l'« axiome de Marie la Copte » qui ouvre *L'Antiphonaire*: « L'un devient deux, le deux devient trois, et le trois retrouve l'unité dans le quatre. »

devenir de ce qui est né, mais bien ce qui est en train de naître, dans le devenir et son déclin. »[11]

Il y a chez Aquin une présence insistante du corps religieux plaçant en travers du texte — tel le corps de Joan— quelque chose comme le fantasme secret d'une « féminité absolue ». Aquin passe publiquement à l'écriture, avec « Les Rédempteurs[12] », par le récit d'un acte « commis en commun » qui raconte la tentative et l'échec d'un rachat de la faute originelle, lors d'un sacrifice collectif. C'est l'histoire d'une rédemption irréalisable. Toute l'écriture romanesque d'Aquin s'amorce comme le processus d'une rédemption dont l'accomplissement est voué à échouer dans la répétition de la faute. Quelle faute? Celle qui pousse Heman et Elisha à s'excepter du rachat universel, à s'exclure des rédempteurs et à élever la transgression au rang de Loi.

Si la première faute de l'humanité est le désir et avec lui l'inscription du temps — celui du sujet —, la seconde est ici celle des rédempteurs qui supposent pouvoir retourner à « une grandeur perdue » (R, p. 47). Dès lors, tout le récit pourrait se lire à partir de la notion de « courage ». Le courage pour Sheba est d'expier, de payer une fois pour toutes la faute d'Adam (R, p. 55). Le courage pour Heman et Elisha est de répéter la faute et d'en faire l'occasion d'une jouissance. Dans ces actes symboliques, l'écriture d'Aquin accède au seuil de l'esthétique baroque au risque de s'« enfoncer plus profondément dans le gouffre du passé occidental» (PF, p.10). La felix culpa — selon l'expression de saint Augustin — imprime la temporalité baroque de l'après-coup. L'exception y a fonction de Loi, posant l'indépassable d'une « faute » qui mène les corps à la « félicité ».

[Au murmure de la terre], ils mêlèrent leurs soupirs, à sa chaleur, leur étreinte qui peuplera le monde et rendra à l'insatisfaction sa continuité ininterrompue. Il fallait que deux mortels s'aiment comme ils se sont aimés, et n'aient de courage que celui de cette faiblesse inscrite dans la chair, pour que l'œuvre fatale et lourde de l'humanité se poursuive jusqu'à nous. Personne n'en arrêtera jamais la course effrénée vers quel sombre horizon que nous n'atteignons pas. [...] Et tout cela continue dans les ténèbres. (R, p. 113-114)

Si Aquin craint « de ne pouvoir écrire quoi que ce soit qui ne reprenne fatalement "Les Rédempteurs" » (PF, p. 125), n'est-ce pas dans la mesure où ce premier texte raconte sur le mode mythique la

---

11. Christine Buci-Glucksmann, op. cit., p. 211. Voir aussi Walter Benjamin, Origine du drame baroque allemand, Paris, Flammarion, 1985.
12. Cf. Anne Élaine Cliche, « L'hérétique du prochain », Religiologiques, n° 5, printemps 1992.

condition primordiale de l'écriture, à savoir qu'elle est une « incarnation » infinie du verbe, et qu'elle ne saurait faire advenir de salut au-delà d'elle-même ? En d'autres termes, l'écriture commande la primauté absolue du verbe et, de ce fait, ne trouve son « salut » — ou son éthique — qu'en ramenant toute rédemption à une rédemption du temps: « temps gnossien [13] » (O, p. 19) d'un salut en train d'advenir.

Le temps du roman se situe entre-deux-morts, entre-deux-voix, entre-deux-noms.

> Chacun de nous est habité par le remords de sa grandeur perdue. Il nous est facile d'imaginer tout ce que nous aurions pu faire, de sonder quelles irréductibles révoltes, quels corps éclatants nous portions en nous. [...] Voici l'histoire d'un de ces actes absolus, arrachés au plus secret de l'homme. Disons que cela se passe en un temps où les hommes n'étaient pas nombreux, bien avant les prophètes... (R, p. 47)

La trajectoire analytique des romans d'Aquin va assez loin dans la lecture du religieux pour en livrer, en plusieurs parts de l'œuvre, le symptôme. Cette trajectoire rend compte d'un désir de faire passer les représentants religieux au rang de signifiants romanesques. En cela, il me semble qu'on peut lire le fondement religieux sur lequel le désir de Loi du romanesque aquinien pose sa promesse de rédemption.

Une logique, on l'a vu, est à l'œuvre chez Aquin dans les auto-narrativisations qui avancent pour s'enfoncer toujours plus loin en des dédales labyrinthiques et mystifiants, et qui, partant d'un savoir souvent encyclopédique, s'abîment en des dérèglements scripturaires, surmultipliant les investissements rationnels qui haussent la structure au rang de mystère. Le texte aquinien évolue toujours du nommé à l'innommable, du savoir — autobiographique et scientifique — à l'énigme, du donné au retrait, à l'évidement du sens. Une telle pratique infinitiste de l'énonciation vise à rendre à la voix la violence de l'imprononçable — du Nom — et à faire voir dans les représentations l'irruption dramatisée de l'invisible et de l'irregardable.

---

13. La gnose étant une « connaissance salvatrice », un certain rapport à la vérité comme salut. Le gnostique est celui pour qui la rédemption est toujours en train d'advenir parce qu'il sait que la faute est irrémissible. « Dans une telle conception, le salut n'est ni le résultat d'un effort moral, ni l'effet d'une grâce divine. La chute comme le salut restent finalement extérieurs à la liberté humaine. [...] Le gnostique prend partie pour le Serpent qui invite à la gnose du bien et du mal, contre le Dieu jaloux qui interdit à Adam et Ève le chemin de la connaissance et de la vie. [...] Ainsi le salut qui résulte de la " gnose " n'est pas l'effet d'une collaboration entre la grâce divine et la liberté humaine, mais il est seulement conscience d'être sauvé [...] », Pierre Hadot, « Gnostique », *Encyclopædia Universalis*. Voir aussi Bernard Puech, *En quête de la gnose*, Paris, Gallimard, 1980.

L'écriture d'Hubert Aquin se situe consciemment dans la tradition catholique romaine. Ce qu'on dit moins, c'est qu'elle vise aussi à lui arracher ses effets de vérité. En cela réside son caractère « blasphématoire [14] » puisqu'elle ne s'expie qu'à repasser infiniment par la « faute », à savoir par l'histoire de la nomination d'un corps dont la Vierge-Mère est le temps incomptable. La « vierge enceinte » est donc ici le signifiant du désir. Elle est ce temps énigmatique du verbe remontant vers le vide infini qui a Nom de Dieu. Façon, dirait-on, d'insister sur la primauté du verbe et de désamorcer la rédemption par une performance du sujet qui se met lui-même à la place improbable de la Révélation.

L'« anamnèse » du roman est celle-là même de la « chute » renvoyant au temps d'avant l'Incarnation pour en reprendre le processus. C'est aussi le temps particulier de l'anamorphose. Baltrusaïtis a défini l'anamorphose comme une projection de l'invisible dans le visible, un mouvement d'anéantissement et d'apparition, voire une expulsion de la forme formée hors d'elle-même par un décentrement de la perspective, un déplacement du regard:

Une projection des formes hors d'elles-mêmes et leur dislocation de manière à ce qu'elles se redressent lorsqu'elles sont vues d'un point déterminé [15].

Le « point déterminé » est toujours un second foyer d'où la forme va surgir et où le visible — l'ensemble de la toile — est déjà entré dans une métamorphose qui ira jusqu'à la dissolution. Le foyer de néantisation du visible est aussi en même temps celui de l'incarnation de l'invisible qui s'expulse de la toile en point de fuite vers l'avant. Cette représentation en train d'advenir dans le tableau est liée au mouvement du spectateur, forcé de sortir de son premier champ d'optique, poussé à s'extraire de la « vision » afin que, de la toile, lui revienne son propre arrachement: l'anéantissement du « propre » dans la tête de mort de la toile d'Holbein.

L'anamorphose consiste à produire, dans la représentation, une déhiscence du visible par projection d'un corps qui n'accède à l'incarnation que depuis un lieu indécidable, irreparable dans la toile. Le corps anamorphosé est un corps fictif à cette seule condition qu'il s'expulse d'un point perspectif purement constructible mais non consistant: il est à la fois dans le champ du visible et hors de lui. Corps à jamais flottant entre le mystère de l'apparition et l'incarnation réelle, il est la forme du surgir, l'effraction même du regard qui le voit à la

---

14. « J'écris au niveau du pur blasphème. » (*TM*, p. 57)
15. Jurgis Baltrusaïtis, *Anamorphoses ou perspectives curieuses*, Paris, Olivier Perrin, 1955, p. 5.

fois dans et hors de la toile. Ainsi, c'est l'indécidabilité de son lieu qui fait du corps anamorphosé un corps fictionnel.

La technique de l'anamorphose est basée sur la structure de l'ellipse introduite dans la cosmologie baroque par la révolution képlerienne. L'ellipse à double foyer n'a plus la stabilité parfaite du cercle puisqu'elle est sans centre et qu'un des foyers demeure virtuel, c'est-à-dire constructible [16]. La virtualité d'un des foyers permet d'articuler dans le registre géométral de l'anamorphose, la distinction essentielle entre imaginaire et fiction, la fiction étant précisément ce qui se constitue à partir d'une virtualité non référentialisable. Les références peuvent bien être vraies, elles ne sont pas les facteurs de la vérité. L'anamorphose, production d'un corps fictif, est aussi une remontée de la forme vers l'originaire de toute forme. Mouvement scopique qui révèle l'origine à partir d'un redoublement:

Anamorphé: le retour, la remontée de la forme à la forme, son anamnèse, sa transformation et sa régénération [17].

Le corps fictif en suspens dans la toile troue la représentation et survient comme une tache aveugle du regard. Par là même, il introduit dans le tableau un principe d'incertitude, un mystère. Le corps anamorphosé revient dans la représentation comme son point d'extériorité, sa propre nomination, son foyer de dilatation, de néantisation et de recomposition: du corps anamorphosé, le déplacement fait ainsi renaître la toile.

Les Ambassadeurs d'Holbein reste l'exemple célèbre de cette scène « en deux actes » (TM, p. 133). Le spectateur est « saisi » par la violence d'un surgissement, au moment où « le distancement visuel estompe la figure des " Ambassadeurs " » (ibid.). L'irruption de la tête de mort fait l'effet d'une hallucination lorsque, focalisant le crâne mortuaire, le spectateur est livré à l'effondrement des formes qu'il vient de quitter.

La mort frappe. Son spectre, indéchiffrable au premier regard, agit avec d'autant plus de force pour multiplier la terreur: la mort, figurée anamorphiquement par Holbein est toujours subite. [...] Ce qui avait les propriétés de l'immuable et de la présence réelle se trouve réduit en poussière soudain! (TM, p. 133)

On ne saurait nouer plus rigoureusement l'anamorphose baroque à la pensée de la Contre-Réforme. La virtualité du foyer d'où surgit le corps anamorphotique, la place illocalisable du Verbe dans l'Incarna-

16. Voir à ce sujet le texte de Severo Sarduy, Barroco, Paris, Seuil, 1975.
17. Christine Buci-Glucksmann, op. cit., p. 42.

tion d'où s'engendre le corps christique et l'indécidabilité du Nom-du-Père dans la constitution du sujet causant le corps érotique: ces trois temps — qui n'en sont qu'un — supportent le roman aquinien. Il s'agit de représenter l'infini d'une narrativisation en proie au désir de nomination. Baroquisme s'il en est, qui implique toujours le vecteur de sa propre lecture.

L'anamorphose, réalisée par voie mathématique à partir de l'ellipse, crée une structure topologique parente de la structure mœbienne. L'écriture-lecture dans sa répétition est une doublure générique dont le corps fictif — structural — de la bande se donne à lire aussi dans le temps d'un battement, d'une scansion. On peut dire que l'anamorphose rejoue la composante mœbienne à l'instar du «cross-cap» ou «plan projectif». Cet autre objet topologique possède toutes les caractéristiques de la structure anamorphotique. Il permet, si l'on veut, de rendre compte de la place de l'Autre. Le plan projectif — autre corps du ruban de Mœbius — travaille de part en part le roman aquinien.

> Le plan projectif est l'espace dans lequel se conçoit la géométrie projective. [...] Le plan projectif lui-même doit être conçu comme un espace au même titre que notre espace ordinaire. [...] Deux surfaces se recoupent passant l'une dans l'autre selon une ligne arbitrairement dessinée. Si l'on se représente une petite fourmi qui marche sur une de ces surfaces, elle suit ce trajet sans savoir qu'une autre surface a traversé la première. [...] Ce recoupement a [...] pour conséquence de mettre en continuité la face externe avec la face interne [de l'objet plongé dans cet espace]. Si l'on considère le cross-cap comme une surface pure sans épaisseur, l'intérieur [...] communique avec l'extérieur. De la même manière, la bande de Mœbius met en continuité l'endroit avec l'envers [18].

L'entre-deux-voix, somme toute, est cette place de l'Autre, place du lecteur qui met au jour le «baroque originaire» du temps. L'anamorphose procède de façon à ce que le passage de la représentation à la figure anamorphosée produise aussi un effet de retour vers la représentation. Un retour qui s'effectue à partir du trou énigmatique qui la traverse sans lui appartenir. La réinscription de l'objet anamorphosé dans la toile fait «battre» deux temps, et le regard est expulsé hors du visible, enlevé, arraché, foudroyé par l'horreur d'un rapt [19].

---

18. Jeanne Granon-Lafont, *La Topologie de Jacques Lacan*, Paris, Point Hors Ligne, p. 70-75.
19. Le «rapt» du regard met en jeu, dans la composition du tableau, le temps de la naissance. C'est en cela qu'on peut parler d'un «baroque originaire». Par la dialectique de l'aliénation et de la séparation (*Séminaire XI* et «La signification du phallus», *Écrits*), Lacan a illustré ce temps spécifique de l'entre-deux de la

Ce que provoque l'anamorphose, c'est un surgir entre deux temps par lequel un sujet se fraye une voie à travers la violence convulsive de la mort.

> En arrangeant la succession des deux images indépendantes, Holbein ne les a pas dissociées : le symbole de la mort contamine la pose somptueuse des « Ambassadeurs » et s'instaure secrètement dans leur belle réalité. Le visiteur qui s'approche de cet illustre tableau est enclin à examiner de près l'implacable touche du maître mais plus il s'approche du double portrait, moins il est en mesure de déchiffrer cette écriture séduisante et hermétique. Alors commence le deuxième acte. [...] La mort frappe. [...] Son visage, rallongé ou raccourci par les artifices de la « perspective curieuse », a la sombre beauté d'un masque de mort : quand on le reconnaît, on est aveuglé par ce choc noir qui crève les yeux ! (*TM*, p. 132, 133)

L'anamorphose déploie un temps originaire où mal et jouissance, douleur et extase, leurre et vérité, savoir et mystère se constituent l'un de l'autre. Elle se place « au point précis où le sens se produit dans le non-sens » (Lacan).

Reste à reconnaître dans les doubles aquiniens cette fonction anamorphotique, c'est-à-dire les enjeux de la déhiscence, dans le sujet de l'écriture, qui le dessaisit avec violence et projette son autobiographie dans la fiction. Tout l'engagement du roman, selon Aquin, semble confiné au statut de cette violence par laquelle le sujet se renomme de la Loi. Les doubles que sont H. de Heutz, RR / Joan, Renata / Chigi / Jean-William / Robert, Fortinbras, Linda / Eva occupent

---

répétition. Le « premier temps » du sujet reste insignifié à l'infans tant que rivé au champ de la Demande, il ne se constitue qu'en tant que signifiant de la demande de l'Autre. Le premier temps du manque dans l'Autre provoque l'« aphanisis » de ce qui sera, après coup, désigné comme « être » — essence, présence à soi. Cette aphanisis de l'être dans le signifiant — « je » est le signifiant de l'Autre, c'est-à-dire l'objet qui lui manque — ne sera perte traumatique qu'au moment où le manque refracture l'Autre, se répète, arrachant l'infans à sa place de signifiant, « vidant » son espace en rouvrant la suture pour la marquer du trait du désir. Le trait s'inscrit entre deux rapts. Expulsion et viol qui ne sont supposés qu'après coup puisqu'ils sont la cause d'un sujet qui ne pourra que fantasmer une « grandeur perdue » qui n'a jamais été qu'hallucinée. Cette expulsion est l'effet du Nom — signifiant inassignable —, de l'appel traversant le corps maternel où l'entrée est à jamais barrée au sujet. C'est en tant qu'il est expulsé de la « langue maternelle » qu'un sujet est coupé — marqué — de son nom et qu'il peut infinitiser le battement de sa nomination comme ouverture-fermeture de l'innommable et du nommé. C'est donc dire que la chute est antérieure à toute faute ou que la transgression est simultanée à l'interdit. « Je » désire au moment précis où l'Autre m'est interdit. Le baroque, en rappelant cette violence du jouir dans la « faute » — toujours déjà commise — ne cesse de ramener la question du Mal et la fureur du « mourir ». Il signe la néantisation du mourir à soi dans le naître.

la place dessaisissante du miroir où le reflet fait saillir un point aveugle, un couloir de disparition: le point invisible du regard dans la captation du double. Produits par la scription, les doubles sont les projections qui reviennent au scripteur comme son « foyer d'étrangeté [20] ». Ils scandent le rythme d'un « stade du miroir » de la dépossession qui met en place une vision de la vision, une sorte de regard du regard perforant la représentation.

La doublure ici s'accompagne de la crise et de l'explosion du sujet, donnant sa pulsation — interruption-reprise-débordement — au texte. D'où le jeu des actes narratifs qui passent d'un nom à l'autre, installant une réversibilité insaisissable et un non-rapport à soi. La réversibilité passe toujours par le regard, par une « révulsion » du regard dont Merleau-Ponty a énoncé le circuit:

> La vision n'est pas un certain mode de pensée ou de présence à soi: c'est le moyen qui m'est donné d'être absent de moi-même, d'assister du dedans à la fission de l'Être. [...]

> Non pas voir par le dehors, comme les autres voient, le contour d'un corps qu'on transite, mais surtout être vu par lui, exister en lui, émigrer, être séduit, capté, aliéné par le fantôme [21].

Le double aquinien dépossède le sujet, le « déforme », le reconduit à sa naissance par la violence, et à la déflagration d'un mourir et d'un jouir. Dans le roman, la fission inaugurale du « double foyer » s'accomplit chaque fois entre autobiographie et interprétation — édition, commentaires, analyse, exégèse. Elle est la condition du retour défocalisant de la vérité. Les narrateurs s'exposent à « dire la vérité » qui pour eux est d'abord d'ordre autobiographique. Mais dans le redoublement interprétatif de l'écriture, le scripteur est expulsé hors de sa position d'énonciation par un acte de lecture critique qui projette son regard dans l'écrit.

Ainsi, *Prochain Épisode* se construit par retours récurrents d'un questionnement portant sur l'écriture et sur l'effet de l'intrigue policière qui préoccupe le scripteur; *Trou de mémoire* avance par des relais de l'énonciation qui sont tous des effets de lecture — édition, correction d'édition; *L'Antiphonaire* met en place une énonciation de plus en plus travaillée par la lecture qui la traverse, énonciation trois fois lue par les relais narratifs qui ouvrent et ferment le roman; *Neige noire* se présente comme un « scénario dans le scénario » suivant un

---

20. L'expression est de Michel de Certeau dans *La Fable mystique*, Paris, Gallimard, 1985.
21. Maurice Merleau-Ponty, *L'Œil et l'Esprit*, Paris, Gallimard, coll. « Folio essais », 1985, p. 81 et 183.

double tour narratif qui procède du paradoxe créé par le simulacre du commentaire filmique mis entre parenthèses. Le brouillage constant entre la réalité de l'écriture autobiographique et la fiction du roman passe par un dispositif de nominations dont le temps déréalisant de la lecture est à la fois la cause et l'effet projectif.

De la même façon que l'anamorphose fait entrer le spectateur dans la composition de la toile tel un « voir » entre l'œil et le regard, le roman aquinien fait du lecteur une fonction « fractale[22] », un temps de déprise où la forme de l'énonciation fuit hors d'elle-même vers le lieu d'où elle se projette. Il s'agit ainsi chaque fois d'une logique d'écriture qui intègre la fonction scopique de la lecture[23].

> L'écriture: *une lecture inversée*, cela veut dire, dans la pratique, que je suis préoccupé jusqu'à l'obsession par le lecteur. En écrivant, j'imagine que je me lis *par les yeux* de cet inconnu et je voudrais que son plaisir de lire mon texte ne soit pas uniforme, constant, prévisible en quelque sorte [...] Quand j'écris, je pense au lecteur comme à la moitié de mon être, et j'éprouve le besoin de le trouver et de l'investir. (*BE*, p. 263, je souligne).

La vérité avouée de l'autobiographie est ainsi constamment dénarrativisée par l'intrusion d'un voir « improbable[24] » dont l'avènement injecte à l'énonciation la teneur mystifiante et énigmatique. Le narrateur livré à son autonarrativisation devient immanquablement la proie du second foyer d'énonciation dont il fait l'analyse et qui revient le foudroyer d'une renomination. La rencontre du narrateur avec H. de Heutz / François-Marc de Saugy / Carl von Ryndt donne les fondements de cette formalisation qui se déploie en séries dans les autres romans[25].

> À mesure que j'écoute son histoire, j'éprouve une sorte de vertige. [...] Pourtant, c'est l'évidence [...]. Toute cette histoire à dormir debout ressemble singulièrement au boniment que je lui ai servi ce matin [...] H. de Heutz me raconte en ce

---

22. Expression empruntée à Marie-Claire Ropars-Wuilleumier, « Le spectateur masqué», *Revue de l'Université d'Ottawa*, vol. LVII, n° 2, avril-juin 1987, p. 95.
23. C'est ce qu'a montré Robert Richard à travers le circuit de la pulsion scopique dans « La transmission du roman », *ibid.*
24. « L'écrit est toujours adressé [...] à un lecteur souvent improbable et imprévisible. [...]. » (*BE*, p. 263)
25. «[...] dans *Prochain Épisode* [...], je répétais l'identique. C'était une façon dans l'un des doubles de m'aimer, dans l'autre de me prolonger ou de me multiplier ou de me détester. Ça permettait un rebondissement à l'intérieur de ce qui est identique. [...] Cette interprétation que l'Autre serait le lecteur à l'intérieur du livre, je la trouve intéressante parce que de fait, pour ce qui est de la relation avec le lecteur, j'admets qu'il y a une " danse de séduction " [...]. J'admets que j'essaie d'étreindre le lecteur littéralement dans *Trou de mémoire*. » *Le Québec littéraire 2, Hubert Aquin*, p. 134.

moment exactement la même histoire alambiquée. *C'est du plagiat.* [...] Cet homme possède un don diabolique pour *falsifier la vraisemblance* [...]. L'histoire qu'il persiste à me raconter me pose une énigme [...]. Il a sûrement prévu que je ne serais pas dupe de son stratagème *incroyable.* [...] ce n'est pas par accident, ni par une combinaison fortuite due aux *simples lois de la probabilité.* [...] Ce qui me mystifie le plus c'est son autobiographie incroyable [...]. Ce mystère déconcerte ma préméditation [...]. Je m'immobilise en statue de sel, et ne puis m'empêcher de me percevoir comme *foudroyé.* [...] Je continue de le regarder [...] et une sorte de mystère me frappe d'une indécision sacrée. Un événement que j'ai cessé de contrôler s'accomplit solennellement en moi et me plonge dans une transe profonde. (*PÉ*, p. 82-88, je souligne)

Le mystère du double procède ici de la « trinité » du nom propre, véritable hiéroglyphe qui aspire le narrateur dans le sacré — l'infini — de l'indécidable.

Est-ce Carl von Ryndt [...] ou bien H. de Heutz [...] ou encore [...] le troisième homme, du nom de François-Marc de Saugy [...]? En fin de compte, je suis sans doute en train de me fourvoyer dans le piège indéchiffrable de cette noire trinité, en tergiversant de la sorte sur la présence réelle [...] d'un homme qui, à quelques pas de moi, s'abîme dans la douleur qui ne lui appartient pas plus que son nom propre. (*PÉ*, p. 87)

Le « sacré » dans un tel procès, c'est le temps improbable de la répétition qui renverse l'antériorité en futur infiniment différé [26].

Projeter de tuer H. de Heutz constitue le support de la fiction. Ce projet qui soutient la poursuite du récit est rendu inaccomplissable par le récit lui-même, dans la mesure où s'expulsant de son foyer d'énonciation autobiographique par la production d'un second foyer, il fait s'accomplir l'imprévisible fracture — schize — entre l'œil du scripteur et le regard du « lecteur » plagiaire H. de Heutz. Le scripteur-narrateur est pris dans une spécularité inouïe où il se lit « par les yeux de cet inconnu », où il se voit se voir. L'irregardable prend dans le texte la figure d'une répétition improbable de l'autobiographie. Dès lors, tuer H. de Heutz revient à s'annihiler comme sujet dans un devenir-Loi qui ne pourra, à la fin, qu'être reporté au-delà de l'énonciation, dans le « manquement du mot » qu'est le « prochain épisode [27] ».

---

26. Chez Aquin, le sacré est toujours dans le saisissement, dans l'effraction — le viol, la profanation: « Le paysage inspire autant de frayeur que d'étonnement; en cela, le voyage de noces au Svalbard conserve un caractère sacré. » (*NN*, p. 82)

27. « Les mots s'arrêtent dans sa bouche (*K*) et m'emplissent d'un flot d'imprécision et de peur. Tout s'emmêle; mon temps remémoré fuit défectueusement [...] D'un

Les doubles opèrent ainsi une transmission de temps. Temps théologique de la « vierge enceinte » : temps aquinien où la réalité est saisie par la fiction qu'elle crée. Le roman transmet ultimement le battement d'une nomination entre la reconnaissance et le mystère, entre la réalité et la fiction. Le Nom — du narrateur mourant, jouissant ou en transe — accède à ce point de lecture aveugle constitué comme un trou dans le roman. Ce temps est donc bien celui qui supporte la topologie et donne à la fonction de déhiscence de voir son effet de scansion, dans la mesure où elle réduit à néant le champ perceptif de l'énonciation et imprime le trait de sa coupure [28]. Et l'anamorphose en est, bien sûr, le principe de composition.

> L'espace géométrique des lignes et du visuel se défait, s'exténue, s'anéantit dans un tout autre espace d'Apparition et de Lumière, au-delà des apparences. Le tableau surgit « de ce point de regard » qui instaure une dialectique foudroyante entre l'Œil et le Regard, marqué lui du manque, de la non-coïncidence, de l'absence, de la castration [29].

Le temps, chez Aquin, frappe par sa résonance catholique. À ce titre, les deux dernières pages de *Neige noire* et le roman inachevé *Obombre* demeurent éloquents. Une relecture de l'œuvre à partir de ces quelques pages — les dernières de l'auteur — permet, à mon avis, de reconstruire d'une façon saisissante la cohérence de l'ensemble romanesque.

> Linda : [...] Tu es vierge et tu resteras toujours vierge... [...] Le Christ s'est réincarné en toi... [...] Jésus, brûle-moi, abolis-moi [...]

> Eva : Je ne me suis jamais sentie aussi proche de Dieu. C'est comme si j'étais intoxiquée par un divin poison. [...]

> Le Verbe est entré en elle (Eva). Celui qui, comme Eva, contemple cette splendeur caverneuse est voué à la mort. [...] La jouissance d'Eva reste inachevée, car Eva se meurt déjà autour de l'équateur céleste [...] parce qu'au-delà de la passion qui la secoue Eva embrasse Dieu lui-même [...]. (*NN*, p. 252-253)

---

moment à l'autre, je vais sûrement trouver le mot qui me manque pour tirer sur H. de Heutz. [...] Ce que je n'ai pas écrit me fait trembler. » (*PÉ*, p. 165, 173) *Cf.* le développement de cette analyse dans « L'hérétique du prochain », *loc. cit.*

28. Lacan a souligné l'enjeu du désir actualisé par le double espace de l'anamorphose : « Si on ne met pas en valeur la dialectique du désir, on ne comprend pas pourquoi le regard d'autrui désorganise le champ de perception. [...] On croit qu'il s'agit de l'œil-point géométral, alors qu'il s'agit d'un tout autre œil — celui qui vole au premier plan des Ambassadeurs. » (*Séminaire XI*, p. 83)

29. Christine Buci-Glucksmann, *op. cit.*, p. 44.

Le temps de l'Incarnation est explicitement raconté dans cette dernière scène où c'est, on le voit, la fécondation impossible et la jouissance féminine qui ouvrent le passage à la résurrection et au re-Nom. Le devenir-Loi du sujet, son symptôme, parvient sous cette forme au registre du romanesque.

Dans un tel parcours théologique, il y a, semble-t-il, une coïncidence entre le Nom de Dieu et la jouissance de l'Autre — femme. Atopie doublement nommée d'où l'écriture se fantasme.

> [...] la jouissance interfécondante donne accès à la palingénésie et [...] son cours recoupe le déroulement de la cène céleste. [...] Que la vie [...] continue éternellement vers le point oméga que l'on n'atteint qu'en mourant et en perdant toute identité, pour renaître et vivre dans le Christ de la Révélation. Le temps me dévore, mais de sa bouche, je tire mes histoires, de sa sédimentation mystérieuse, je tire ma semence d'éternité. Eva et Linda approchent de ce théâtre illuminé où la pièce qu'on représente est une parabole dans laquelle toutes les œuvres humaines sont enchâssées. (*NN*, p. 254)

L'atopie, « virtualité » flottante et projective, travaille *en personne* le texte. Reste encore à dire comment se soutiennent tous ces corps aquiniens — corps christiques, érotiques, anamorphotiques, corps, enfin, fictifs et romanesques. L'interprétation qui redouble en l'évidant la narrativisation, tient en fait le rôle que joue le « théâtre illuminé » dans le rêve de Nicolas. Elle est à la fois rapt et ravissement; elle apparaît tel un foyer excentré autour duquel le texte se récite. Ce facteur d'évidement fait surgir dans la représentation la « forme comme donner forme », le Nom, l'infini, la série, autant dire le procès de la fictionnalisation. Le temps logique selon Aquin est celui qui ramène l'inachèvement dans l'achevé, l'infini dans le fini, et cela, à travers le récit incessamment recommencé d'une fiction parvenant à prendre de vitesse la réalité.

La « vierge enceinte », figure du temps, est aussi le corps fictif de la Loi telle qu'elle se désire réincarnée en une fécondation virginale. Christine fécondée dans le viol au moment de ses règles et qui compte accoucher le 25 décembre (*A*, p. 158), Eva et Linda interfécondées, et toutes ces femmes en train de jouir au-delà du corps qui les pénètre, sont le « foyer » excentré de l'histoire du sujet[30]. La

---

30. RR violée en « période infécondable » (*TM*, p. 174) est elle aussi enceinte de son violeur. Quant à la jouissance: « Elle était là sur moi. Elle se déplaçait comme en rêve [...] son plaisir l'isolait complètement: elle voguait sur une mer tumultueuse dont chaque vague la faisait chavirer dans un dérèglement incalculable de plaisir. [...] S'était-elle au moins aperçue de cet intermède fulgurant?... » (*TM*, p. 176). Les romans d'Aquin sont parsemés de scènes de viol dans lesquelles la femme est à demi inconsciente, coupée du rapport sexuel, portée par une jouissance Autre, sans repère.

jouissance narrativisée est la *figure* du temps, celui de la fiction en procès dans le roman. La féminité absolue est donc aussi ce temps continu ET discontinu qui, chez Aquin, marque le temps révolutionnaire :

> [...] ce qui confère à la révolution sa qualité imperceptible peut donc faire l'objet d'une description phénoménologique du « continuum » de toute donnée révolutionnaire. La discontinuité apparente recouvre un phénomène continu. [...] Le continu historique irréversible doit être réversible, sans quoi je plains franchement ceux qui sont hors continuum, désaxés (historiquement parlant), en proie à l'oscillation bouleversante du discontinu. [...] le discontinu est continu, ce qui revient à dire [...] que s'il y a continuum, celui-ci ne peut se produire que sous les espèces sonnantes du discontinu. (*BE*, p. 125-126)

L'atopie est donc ici la « vision suspensive du temps » (*NN*, p. 251). Et le fantasme porté à sa limite accède à cette structure manifestée selon laquelle l'irrepérable Féminité devient le Nom où advenir. Ainsi est assumée *à mort* l'impuissance du sujet dont le sacrifice réel n'est jamais que différé par l'écriture qui l'annonce et le prophétise... pour les autres.

Le Nom-d'Auteur

Si le roman d'Aquin raconte la venue épiphanique du sujet dans la Loi et donne ainsi à lire la limite du fantasme, Ducharme, quant à lui, ne cesse de suspendre et de différer l'interprétation du Nom par des noms « déjà interprétés ». La lecture est ainsi constamment déjouée par la narration — les noms-de-la-mère —, ramenée sur la scène littérale et rivée d'emblée à la logique du vrai et du faux dont on a précédemment reconnu la condition d'affirmation dans le postulat de l'arbitraire et de l'autorité du sens.

Le roman met donc en place une véritable « esthétique de la dénégation[31] » où l'« Autre incastrable » — la Mère inentamable — est invoqué. La lecture, on va le voir, est alors désirée sous la forme d'un déjà-lu parodique, l'Autre devenant la figure d'empêchement instaurant la dualité indépassable de l'avalement et du rejet. L'interprétation est ici, et de façon ostentatoire, refus d'interprétation.

---

31. Laplanche et Pontalis : « Procédé par lequel un sujet, tout en formulant un de ses désirs, pensées, sentiments jusqu'ici refoulés, continue de s'en défendre en niant qu'ils lui appartiennent » (*op. cit.*). Il s'agit bien là du registre romanesque ducharmien qui ne cesse d'affirmer son écriture en la niant.

Le lecteur interpellé oblitère le désir de lecture et la langue se trouve prise dans une narration qui prétend ressaisir ce qui a été « perdu » pour le constituer en temps perdu, en passé, en enfance. Quand le roman s'écrit pour refuser sa Loi, il vient à la rencontre d'un Autre transfiguré en objet de dévoration. Maria Torok[32] souligne la fonction compensatoire et fantasmatique de l'avalement dont le but est d'empêcher ou d'interrompre la symbolisation.

> C'est bien ce mécanisme [de compensation] qui suppose, pour entrer en action, la perte d'un objet et cela, avant même que les désirs la concernant aient été libérés. La perte, quelle qu'en soit la forme, agissant toujours comme interdit, constituera pour l'introjection un obstacle insurmonté. En compensation du plaisir perdu et de l'introjection manquée, on réalisera l'installation de l'objet prohibé à l'intérieur de soi. C'est là l'incorporation proprement dite.

> Elle peut s'opérer sur le mode de la représentation, de l'affect ou de quelque état du corps, ou en utilisant deux ou trois modes simultanément[33].

Cette structure symptomale et subjective est transposée dans la structure romanesque de Ducharme en système temporel dans lequel un « appel du Nom » — une appellation qui l'anticipe et l'interdit — met la langue en arrêt et l'oblige à tourner en rond et à s'abîmer dans la figure objectale de l'affect qu'est l'abjection. L'abject, l'immonde, la haine, la poisse, sont les traits de la signature du roman. Celui-ci joue constamment à l'envers du sens pour recouvrir l'entre-deux de l'écriture. Les noms-de-la-mère installent la confusion entre narrant et narré, nommant et nommé, ce qui oblige l'énonciation à digresser constamment pour se maintenir. La digression semble bien être, chez Ducharme, le mode insistant de la parole parodiquement saisie par la langue *maternelle*.

L'acte de foi devient le point focal de l'énonciation où un Autre imaginaire — auteur-lecteur — régit le sens. Il s'agit de (se) faire croire que le sens ou la Loi est *détenue* par l'Autre. L'Autre, désir du texte, surgit tel un « être » dont l'énonciation doit se défaire, se « dépêtrer » ou se « dévader ». Dans un tel retournement, l'interprétation n'est plus la place dérobée du texte mais son enfermement et sa clôture puisqu'elle se présente sous forme de signifiés. Le sujet ne croira alors pouvoir parler en son nom que s'il produit du non-sens.

---

32. Nicolas Abraham et Maria Torok, *L'Écorce et le Noyau*, Paris, Aubier-Flammarion, 1978. Voir aussi la réflexion qu'en tire Jean Larose au sujet de l'écriture d'Émile Nelligan dans *Le Mythe de Nelligan*, Montréal, Quinze, 1981 p. 32 et s.
33. *L'Écorce et le Noyau*, p. 237.

Ce non-sens sera *son* sens, son sens unique, dans le fantasme de faire achopper toute interprétation.

Pour celui qui écrit au nom de la Mère, l'interprétation doit devenir le propre du sujet d'énonciation, allant jusqu'à réduire la lecture à ce qu'elle a d'immanquablement inadéquat, pour la tourner en ridicule et s'assurer de son abjection. Une telle suture de l'interprétation dans l'écrit, dans la mesure où elle suppose l'Autre détenteur et dictateur du sens, ne va pas sans l'entrée en scène de l'Auteur. L'insupportable hétérogénéité revient dans l'écrit sous le signe du « Nom-d'Auteur ».

Tous les textes de Ducharme sont marqués par ce retour du nom propre qui fixe en le désamorçant le temps de la nomination. C'est en cela qu'on peut dire de ses romans qu'ils restent sous l'effet de l'horreur du roman. Le temps s'y trouve bloqué, arrêté et voué à se manifester sous la forme d'une répétition symptomatique inscrivant en tout temps la même heure.

Le symptôme d'ailleurs n'est pas autre chose qu'une inscription du temps. Il représente toujours un compromis, une confusion entre deux temps: celui, chronologique, de l'histoire du sujet et celui, préhistorique, du refoulement originaire, cochant ainsi sur le corps le trait de ce qui n'a pas encore eu lieu. Le symptôme fait signe et se substitue au signifiant resté sans écho. Freud le présente semblable à une métaphore dont un des signifiants de la condensation est oublié. Le symptôme est l'effet d'un processus au cours duquel un signifiant s'étant vu refuser le passage de la symbolisation revient au lieu même de ce refoulement mais sous une forme altérée, négatrice ou mensongère. Le symptôme, somme toute, signe et signifie l'impasse; il est le champ, révélé en négatif, du désir et marque une certaine fixation du temps, sa butée et son arrêt de mort [34].

Le temps advient au sujet lorsqu'il *passe* de la Demande insatisfaite et impossible à satisfaire au registre du désir. Le roman de Ducharme raconte ce passage du temps comme celui d'une perte dont le deuil est inabordable; perte de la pureté, par exemple, inlassablement reprise sous la forme d'une défaite aux mains de l'Autre. L'Autre qui désire l'écriture et l'appelle à venir dans un double temps où son dérobement est assuré par l'écriture même, revient sous la figure menaçante de l'horreur et de l'agression. Ainsi la fiction se dispose-t-elle à recevoir une lecture « récupératrice » et indésirable.

---

34. « Le symptôme serait le signe et le substitut d'une satisfaction pulsionnelle qui n'a pas eu lieu; il serait un résultat du processus de refoulement. [...] [Les symptômes] sont, si l'on peut dire, des postes frontières occupés à la fois par les deux pays [du moi et de l'inconscient]. » (Sigmund Freud, *Inhibition, symptôme, angoisse*, Paris, PUF, 1986, p. 1 et 15)

L'effet est pris pour la chose et l'Autre, imaginairement investi d'un pouvoir absolu, est pris à la lettre et à la langue dont il n'est que la retombée.

Le fantasme projette donc la Loi dans les représentations, non pas comme un effet de la langue mais comme le détenteur originaire de celle-ci. La reconnaissance de la castration pose structurellement, c'est-à-dire temporellement, l'interdit de l'inceste, dans la mesure où la Mère s'y trouve renvoyée à son statut de signifiant hors jeu, nominal, axiomatique. Lorsque l'Autre est ramené dans le signifiant linguistique, lorsqu'il est pris à sa lettre, le rapport incestueux est réinjecté dans l'énonciation du sujet qui s'enferre fatalement dans une régression temporelle.

Chez Ducharme, la langue est le point de suture à partir duquel la parole ne peut plus venir qu'entre l'agression et la digression. Temps du symptôme par excellence où le vrai et le faux règlent l'horlogerie de la compulsion selon une symétrie parfaite qui oscille de la violence — révolte contre l'agression — au dégoût, de la haine à l'abjection, du non-sens au sur-sens, du bérénicien à l'enfanthomophonie. Le bord que tracent le vrai et le faux, véritable enfermement linguistique du signifiant nominal, donne au texte la logique symptomale d'une confusion des temps. Vrai et faux se rencontrent au même lieu: celui, tordu, du déni[35].

> Il y a le vrai et le faux. Le vrai est ce qui me donne envie de rire, le faux est ce qui me donne envie de vomir. L'amour est faux. La haine est vraie. Les animaux sont vrais. Les hommes sont faux. (*AA*, p. 176)

> Ici, tout a été empoisonné par l'âme de plusieurs autres. Ici, pour ne pas manger ce qui a été empoisonné, il faut créer à mesure ce qu'on mange. L'air et l'eau, ce qu'on appelle le réel, le vrai, sont viciés, sont pleins de fumée d'automobiles et de cigarettes, de jus de baignoires et de chaises percées. Il reste le faux: regarder un chou et s'imaginer que lorsqu'il sera mûr chacune de ses feuilles s'arrachera toute seule et se mettra à voler, à chanter, à être un chardonneret. (*O*, p. 112)

La croyance en l'Autre interdit toute intériorisation de sa Loi et voue le narrateur à interpeller ce qu'il croit déjà constitué hors du champ de son écriture. Contrairement au récit de la fictionnalisation

---

35. « L'opposition entre vrai et faux n'est donc plus ultime. Car l'affirmation dite vraie et l'affirmation dite mensongère sont l'une et l'autre clivées par la coupure entre vérité refoulée et illusion qui ne les distingue que pour les faire jouer au même lieu. » (Louis Bernaert, *Aux frontières de l'acte analytique*, Paris, Seuil, 1987, p. 41-42)

qui rejoue d'une certaine façon l'effraction du Nom au risque — et à la condition — de se prendre pour la vérité de la Loi, la récitation du vrai et du faux met en place des catégories solidaires d'une même fonction d'aveuglement qui consiste à recouvrir le Nom par sa renommée.

La langue de Ducharme, confondant à plaisir les registres, érotise à outrance sa lettre. D'où l'effet de vérité. Une telle dérision du roman donne, en effet, la tonalité singulière de la narration ducharmienne. Son refus de la fiction s'offre à désirer comme un véritable principe d'a-fictionnalisation. Les instances de l'auteur et du lecteur y sont dérisoirement nommées « pornographes ». Le roman s'invente donc dans et par ce principe dans la mesure où l'Autre, foyer d'une lecture inversée, fait systématiquement obstruction au Nom. L'indécidable de la fiction est saisi, en même temps que neutralisé, par le Nom-d'Auteur. La Loi du genre, la doublure, se retourne ainsi sur elle-même et devient *aversion* du roman. Mais la fiction déniée insiste dans les figures et les noms de l'abjection.

Le Nom-d'Auteur marque l'entrée, dans le texte même du roman, du signifiant « public » qui supporte le livre. Signifiant pluriel puisqu'il est aussi bien le nom en toutes lettres RÉJEAN DUCHARME, sa réduction aux initiales R.D., la lettre A, désignant l'auteur dans son intervention en marge (N.D.A.), que la lettre E mise pour « éditeur », doublure du masque impératif. Mais surtout, ce nom inscrit l'instance autoritaire qui objectalise le lieu de l'énonciation afin de faire exister l'Autre à la place illusoire et dérisoire qui lui est assignée: l'ob-scène. L'hors-scène de la signature se trouve renversé, perverti en obscénité. La place du dérobement est ressaisie par le négatif de l'ignorance, de la « niaiserie » et de l'incompétence. L'intervention du Nom-d'Auteur haussera donc l'arbitraire et la basse condescendance au statut d'une interprétation dérisoirement littérale et disposée en notes infra-paginales.

Le temps du roman est repérable dans ces traces déposées ponctuellement comme les traits même d'un symptôme: dans *L'Avalée des avalés*, la séquence 63 est immédiatement suivie de la séquence 65 avec un renvoi numéroté placé au bas de la page: « Il n'y a pas de 64 (N.D.A.) ». Les romans sont envahis par ce genre d'interventions, et il suffit d'en souligner quelques-unes pour donner le ton général de la narration:

En allemand pour que personne ne comprenne, j'ai ajouté un S.O.S. « Viens ici. J'ai besoin de toi. Viens vite, si tu ne veux pas que je meure » *

* Traduit par un grand traducteur (N.D.E.) (*NV*, p. 17)

On a mis du lest.

80

Il faut dire également
Que sous les flots il n'y a pas de gracladrest *

* Ça n'existe pas (N.D.A.) (*FCC*, p. 73)

Le chant précédent semble très réactionnaire. Ceux qui m'ont engagé vont être contents (N. de l'A.) (*FCC*, p. 91)

Sans compter les très nombreuses notes qui traduisent les énoncés « en anglais dans le texte » :

[note pour « burning the midnight oil »] : Brûlant l'huile de minuit, c'est-à-dire veillant tard (R.D.) (*E*, p. 213)

La voix de l'interprétation, visiblement ironique, a donc pour fonction de réduire au signifié la place ou s'aménage son désir, le ramenant au non-sens et rétablissant ainsi l'équivalence entre sens et non-sens pour suspendre le dérobement. On verra par ailleurs que cette fonction utopique[36] de l'interprétation détermine la zone de fusion entre le narrateur et l'auteur[37]. La synchronie illusoire mais consistante entre le procès de l'écriture et l'écriture constitue le procédé d'a-fictionnalisation au sens où l'énonciation vise à devancer le surgissement de la Loi du genre pour nommer la faille du texte et en voiler la vérité topologique.

D'où vient le roman ducharmien ? Du nom même de son auteur, dirais-je, dans la mesure où il s'immisce dans le texte sous le masque d'une figure d'autorité afin de faire croire à l'existence de l'Autre en recouvrant le signifiant de la Loi par des débris de signifiants linguistiques dont la langue finit par être entièrement envahie[38]. Étrangement, le nom de l'auteur — Réjean Ducharme — est d'une certaine façon particulièrement « ducharmien » puisqu'il signifie littéralement — suivant le principe de l'homophonie — le sujet de la maîtrise et de la séduction, le régent du charme, de l'illusion et de l'enchantement.

---

36. Utopique parce que toujours resituée dans le registre littéral, à la place où s'épellent les noms-de-la-mère.
37. L'adresse au lecteur et les traductions à son intention ne sauraient mieux révéler cette fusion affichée entre narrateur et auteur : « Blubber ! Hundreds of pounds of blubber. De la poix ! Des centaines de livres de poix ! (R.D.) » (*E*, p. 88) ; « [...] que les gars dans le bois arrêtent les chain-saws. Tronçonneuse à gazoline ; Guillaume se vantait d'avoir été le premier à les introduire dans la province de Québec (V.F. [pour Vincent Falardeau]) » (*E*, p. 247) ; « Trouver lieu assez bon / Pour tendre ses filets * *C'est très joli ça (N. de l'É) » (*FCC*, p. 45) ; « Janis Joplin chante *Me and Bobby MacGee*. " Feeling good was good enough for me and Bobby MacGee... " Se sentir bien c'était bien assez pour moi et pour Bobby MacGee. » (*HF*, p. 212). Les notes non signées deviennent, à travers le réseau des textes, des notes doublement signées.
38. *Les Enfantômes* cède presque totalement à l'homophonie, celle-ci venant au texte non plus comme tentation et résistance (*AA, O, NV*), mais comme fascination et envoûtement. La langue de *Dévadé* déplace cette fracture de la langue dans la rime.

Nom par avance offert comme une proie à la dévoration du roman. Il y a en fait une double étrangeté du Nom-d'Auteur. À l'instar des noms-de-la-mère, ce nom devient le signifié du symptôme en même temps que le symptôme lui-même. Obéissant à la loi homophonique du découpage en bouts de langue, il préside à l'érotisation du roman. Le roman ne cesse plus d'osciller entre le trop-plein — jusqu'au dégoût, au vomissement — et le vide — la vacuité du sujet renommé par l'insignifiant qui rejoue la fracture sur le mode imaginaire de la représentation. D'où viennent ces romans? De l'horreur du Nom, du déni qui passe dans le texte sous les traits d'un fantasme de destruction et d'anéantissement. Le roman se désire pour arrêter le roman... au nom de l'auteur [39].

> L'un des murs de la chambre abandonnée par Ina est une sorte de mosaïque dont le motif, une *reine-marguerite*, est constitué d'azulejos. [...] Soudain, je décide que nos stations devant cette fleur sont ridicules et ont suffisamment duRÉ. J'EN ai assez DU CHARME *tout-puissant* que ce pan de beauté exerce sur moi, de cela qu'il me fait qui est *aussi néfaste qu'irrésistible,* qui rend encore plus trouble le trouble de mon âme et encore plus immense son *immense vide.* J'en ai assez de me laisser prendre par la fascination comme une alouette, un papillon. Et en cela, *la seule façon de vaincre est de détruire. Détruisons.* (O, p. 113, je souligne) [40]

Le nom « détruit » surgit pour bloquer la transmission, pour empêcher le retrait que l'écriture ne cesse d'exiger. Le Nom-d'Auteur, Réjean Ducharme, se fond ici littéralement à la langue du roman, et ce nom pris à la lettre de la narration et de l'énonciation — « j'en ai assez du charme » — marque, dans le récit, le retournement de la femme-fleur en femme détruite.

La nomination qui fait horreur revient donc dans la narration sous les traits mêmes de cette horreur: dégoût, ordure, dictat, maîtrise. Au fond, les romans de Ducharme s'écrivent tous à partir « du charme » et de la fascination qu'injecte la langue dans le Nom. Les signifiés linguistiques se multiplient pour nier l'interdit de l'inceste en rétablissant par inversion la séduction *dans* la langue — ou de la langue. La langue devient ainsi le lieu même de la destruction. La compulsion s'installe dans le retour incessant, à la même place, de la lutte indépassable du sujet contre la dévoration de la langue — le génitif marquant ici l'impasse du temps: véritable symétrie où la dévoration par la langue du sujet d'énonciation et la dévoration de la

---

39. L'arrêter, c'est-à-dire en bloquer la transmission dans la maîtrise.
40. L'anagramme du nom de l'auteur a été relevé par André Gervais dans « Morceaux de littoral détruit », *Études françaises*, vol. XI, n° 3-4, octobre 1975, p. 295.

langue par le sujet pulsent et compulsent le trait d'esprit. La synchronie permet l'attente indéfinie de la castration, entre l'agression et la digression. La digression étant d'ailleurs une incessante agression contre la langue et contre le lecteur. *La Fille de Christophe Colomb* trace la limite de cette posture, le roman-épopée n'étant lui-même qu'un sursis pour le narrateur.

> Alors ? Mes métaphores ? On déteste ? On n'a qu'à s'en aller.
> D'ailleurs, mes sémaphores sont encore pires. [...]
> J'ai la bouche fermée dur de ne pouvoir croquer ton visage,
> Moi qui deviens fou en t'attendant. [...]
> Chers lecteurs, n'oubliez pas dans vos prières
> Que je vous raconte la belle histoire de Colombe Colomb.
> [...] Si j'étais moins écœuré de la vie,
> Je te raconterais sans doute mieux cette belle histoire.
> Quand on a envie de se suicider, mon amie,
> Les vers qu'on fait on les brise à mesure. [...]
> Je suis en train de faire un gâchis de cette belle histoire.
> Donnez-moi mon cercueil que je m'en aille. Il est tard. [...]
> Il y a quantité de mots qui n'ont aucun sens,
> De monosyllabes facilement prononçables non usitées.
> Mon histoire aurait bien plus l'air de ce que je pense
> Si je pouvais remplacer ce PRONONÇABLES
> par un MLÉ.
> (*FCC*, p. 182, 194,195, 216)[41]

Le sujet est en attente d'énonciation, coincé dans le non-sens d'une parole vide dont il s'autorise à travers l'ironie et le sarcasme. Là, s'entend le déni insistant qui, en passant par le Nom-d'Auteur et le NON de l'auteur — « je ne suis pas un homme de lettres » — exige impérativement le rire du lecteur[42] dont toute supposée lecture sera taxée de perversion, de voyeurisme et de pornographie. À se prendre pour la langue, l'auteur se prend — et s'en prend — à sa renommée pour différer et repousser la Loi au-devant de laquelle il vient, pourtant, par l'écriture. L'impératif du Nom-d'Auteur sous-entend un « ne me lis

---

41. La digression et le remplissage de l'attente travaille toute la narration. Ce sont par exemple les nombreux énoncés du genre : « Je ne suis rien du tout. Je suis, tout au plus, la victime veule et bavarde du hortensesturbisme. Allez le répéter à tout le monde. Je m'en fiche bien. Allez vite le dire aux possesseurs d'allumettes, aux professeurs d'allumettes, aux régisseurs d'allumettes, aux bâtisseurs d'allumettes, aux confiseurs d'allumettes, aux ingénieurs d'allumettes, aux producteurs d'allumettes, aux réalisateurs d'allumettes [...], aux pompiers d'allumettes, aux skieurs d'allumettes, aux possesseurs d'allumettes qui skient [...] » (*NV*, p. 127)
42. « Ne me prenez pas au sérieux / Je fais du comique non de l'épique / Riez ! Riez ! Quoi ? je fais de mon mieux ! / D'ailleurs, le Syndicat des tordeurs de rire / A voté une loi obligeant, veux veux pas, / Les spectateurs à manifester du plaisir / Même si c'est ennuyant. Fais ce qui dit le S.T.R. Au pas ! » (*FCC*, p. 102)

pas » et dès lors toute lecture est reçue comme une agression, une intrusion directe dans le coït incestueux de l'énonciation avec la langue. Digresser revient somme toute à déjouer pour la rendre nulle l'interprétation [43]. D'où la double dégradation du lecteur et de l'auteur.

Le temps du symptôme destine le roman à la déchéance et au rebut. *La Fille de Christophe Colomb*, on s'en souvient, se dispose ainsi à la lecture : « Mon but, c'est d'aller loin dans la niaiserie (N. de l'A.) » (p. 48). Reste à dire en quoi le symptôme fait rire et plus précisément en quoi il recouvre la fonction de l'écriture et le temps de l'énonciation. La question la plus importante est peut-être finalement de savoir *qui* rit.

La doublure narrative, incessamment suturée par l'abjection des noms-de-la-mère établit une synchronie qui diffère indéfiniment la rencontre avec la Loi. Le Nom-d'Auteur occupe le même statut que le narrateur, forçant la répétition à revenir toujours au même point. En recourant au Nom-d'Auteur pour différer la violence du Nom, le roman de Ducharme s'invente pour nier la fiction.

Ce qui est nié — l'indécidable, le sans corps de la Loi — revient alors dans le réel des signifiants linguistiques, désarticulant constamment la matière même de l'écrit. Mais ce système romanesque, dans sa façon de renommer l'auteur à l'égal des narrateurs, révèle encore, en le conjurant, le procès de fictionnalisation du Nom qu'est le roman. En s'identifiant à la langue, en n'aménageant dans le texte aucun « plan projectif » autre que ceux que lui confère le démembrement verbal ou récitatif, le roman fait dérailler la fiction vers une autofictionnalisation illusoire. En d'autres termes, parce qu'il cherche à s'autonommer, le roman de Ducharme entre dans un délire qui prend l'allure d'un théorème, au sens où le définit Bérénice.

Le théorème dont les romans sont la démonstration — délirante — pourrait se formuler en un énoncé du genre : « Je suis ce que je ne suis pas ». L'inverse — « Je ne suis pas ce que je suis » — supposerait la fuite infinie de l'être. L'énoncé théorématique ducharmien inscrit, au contraire, de l'être là où la fiction produit de la vérité, affirmant l'abject là où *il y aurait* de l'interprétation. Le théorème des romans de Ducharme met en place un recouvrement incessant du vide supposé du signifiant. Il s'agit d'affirmer éperdument l'être du non-être.

> Il se peut que l'adhésion d'imagination et de volonté donnée aux apparences de la vie devienne délirante, devienne du délire [...]. Et cette possibilité est féconde, très féconde [...]: elle offre mille solutions à la solitude et à la peur. Quand

---

43. Toute intervention en ce sens peut alors être considérée comme une digression, un éloignement, un différé de lecture.

j'admets qu'un et un font deux, il n'y a pas de délire. Quand un théorème m'est démontré, il peut y avoir un certain délire. J'ai remarqué que plus un théorème est difficile à comprendre plus il y a de délire à le comprendre, que plus un théorème provoque ma volonté et mon imagination plus il provoque de délire. [...] Je donne *arbitrairement* une autre forme à toute chose qui, par son manque de consistance ou par son immensité, est impossible à saisir... *et à la faveur de cette autre forme, je saisis la chose*, je la prends dans mes mains, dans mes bras, mais surtout, dans ma tête. Pour parer à l'insuffisance qui ne me permet pas d'agir sur les choses et les activités indéfinissables de la vie, je les définis noir sur blanc sur une feuille de papier [...]. (*AA*, p. 205-206, je souligne)

La fin de la citation ne saurait mieux rappeler la fonction de l'écrit. Le non-être doit être pour que l'Autre existe, puisse être nommé et maîtrisé. Si je dis: «Je suis ce que je ne suis pas», c'est qu'il y a quelque part un savoir «en trop» qui s'autorise de mon propre nom.

Parce qu'il écrit l'horreur du Nom, le texte fait symptôme mais c'est aussi là, précisément, qu'il est porteur d'une vérité. L'horreur du roman ne fait que mettre en forme son procès de fictionnalisation. Le savoir en trop auquel accède l'autonomination est aussi un savoir en trop sur le roman parce que la vérité du roman — sa Loi — n'est pas de l'ordre du savoir. Elle n'est peut-être pas autre chose que le discernement du foyer d'où un Nom me revient. Ducharme «érige» la fiction en savoir sur la fiction. Et ce savoir sera toujours en excès sur lui-même parce qu'il vient *à la place* de la vérité.

Entre les deux voix de l'écriture et de la lecture se dresse une «érection» pornographique de l'Autre. Et la doublure narrative est signée par cette suture de l'abjection.

Deuxième partie

Les figures du Temps

Chapitre IV

Le temps de l'horreur et l'horreur du temps

L'auteur: un déchu; son roman: un déchet

Le symptôme — sinthome ou *sun pipteîn*: « qui tombe avec » — est, littéralement, une coïncidence, une rencontre inattendue là où aucune ne devait avoir lieu. C'est bien en cela, d'ailleurs, que le symptôme prend le temps au corps. Il est comme l'horlogerie régulatrice qui ferait arriver en même temps ce qui n'était pas fait pour se rencontrer, ce qui était même fait pour ne jamais se rencontrer.

Voilà entre autres comment le symptôme insiste pour réfuter l'impossible, pour l'*ignorer*. En cela, il déplace la vérité dans le registre d'un savoir négatif ou négateur. La vérité de la Loi, de son retrait, de son dérobement à l'incarnation, cette vérité de son impossible rencontre, est remplacée par un non-savoir — le sujet n'en veut rien savoir — qui vient dans le corps sous les traits d'une inscription littérale à déchiffrer, ou dans la langue sous les signes négatifs du nonsens, de l'impuissance, de l'ignorance, qui procèdent d'une identification du sujet au ratage de la rencontre. Le symptôme ne cesse enfin de rappeler l'horreur, à l'instant, d'une perte qui a eu lieu depuis toujours dans la langue de maintenant. Il n'est jamais que cette « horreur » qui fait chuter le Nom dans le temps de la lettre.

Pour Ducharme, le Nom se pare donc des signes de l'insignifiance et de la « niaiserie ». La langue *est* elle-même l'horreur du sujet livré à la coïncidence d'un passé et d'un avenir, qui sature le présent de son énonciation. Le présent ne cesse plus alors d'actualiser la déchéance qui l'a fait sujet et qu'il maintient à tout prix pour s'en renommer — en faire sa renommée.

La fiction — le roman — a pour effet, on l'a dit, de porter au registre du lisible — et parfois du risible — le nœud de cette coïncidence. La scansion de la Loi dans le texte ce sont les ouvertures ou les sutures qu'y aménage le désir de lecture et d'interprétation. Et le présent de l'écriture ne peut pas ne pas opérer un point de fuite ou un point de frayage entre synchronie et diachronie. L'écriture est ainsi l'avènement dans l'écrit d'une brèche entre le symptôme et l'histoire, c'est-à-dire entre les deux signes qui représentent ces deux nouages du temps.

Le travail de la fiction tire le sujet de l'écriture vers l'ouverture qui l'a engendré. Ouverture d'une interprétation ou d'une symbolisation qui lui reste malgré tout étrangère ou inapprochable parce qu'elle n'est pas *une* mais clivée, parce qu'elle redispose deux temps en une sorte de «battement simultané». La symbolisation ne «guérit» pas le sujet de la blessure qui le pousse à écrire. Elle n'est jamais que sa figure de la Loi. Le symptôme et son histoire — histoire racontée par le sujet comme un récit légitimant ou réparateur — ou, si l'on veut, le corps et le discours de l'écrivain sont deux modes immanquablement assujettis à l'insupportable de ce clivage. Ils reviennent signer dans l'écriture la résistance que le fantasme récite. Le corps et la parole de l'écrivain sont traversés, rompus par le procès fictionnel dont ils s'arrangent. Chez Ducharme, un corps littéral colmate le temps de l'écriture, et le récit — la voix — le porte à distance dans un espacement d'où il n'a plus cours qu'à l'intérieur de cette récitation.

Qu'en est-il, dès lors, de ce texte qui vise à l'étalement du temps, au remplissage de l'énonciation, au point où le regard virtuel du lecteur est constamment voilé par une adresse impérative ? Que peut-on dire de ce « temps du symptôme » dont Ducharme ponctue son écriture ?

Une distinction s'impose, bien sûr, entre le texte-symptôme qui rate l'écriture parce qu'il ne peut s'arracher au moi — texte-babil, ainsi que le nomme Barthes [1] — et le texte du symptôme qui met en scène le ratage de l'écriture pour s'en autoriser et s'y renommer « raté ». La distinction, peut-être mince et certainement risquée, permet de marquer la différence entre le roman d'un désir d'écrire dont tout l'intérêt se constituerait pour le seul sujet qui s'y trouve enfermé, et le roman de la mise en forme de cet interdit d'interprétation. Ducharme organise, au-delà d'une simple demande de lecture,

---

1. « Texte-babil », dont l'adresse au lecteur n'est qu'une simple expansion du moi : « On me présente un texte. Ce texte m'ennuie. On dirait qu'il babille. Le babil du texte, c'est seulement cette écume de langage qui se forme sous l'effet d'un simple besoin d'écriture. On n'est pas ici dans la perversion, mais dans la demande. [...] Vous vous adressez à moi pour que je vous lise, mais je ne suis rien d'autre pour vous que cette adresse ; je ne suis à vos yeux le substitut de rien, je n'ai aucune figure (à peine celle de la Mère) ; je ne suis pour vous ni un corps, ni même un objet [...], mais seulement un champ, un vase d'expansion. On peut dire que finalement ce texte, vous l'avez écrit hors de toute jouissance ; et ce texte-babil est en somme un texte frigide, comme l'est toute demande avant que ne s'y forme le désir [...]. » (Roland Barthes, *Le Plaisir du texte*, Paris, Seuil, 1973, p. 12)

une perversion du roman offerte comme une esthétique de la dégradation et de la négation de la lecture.

Cette négation est à l'œuvre dans l'écriture qui dispose en un seul présent d'énonciation, l'auteur, le narrateur et le lecteur. Façon de suturer l'écriture en bloquant le clivage du texte par les *signes* de l'entre-deux. La place où l'Autre arrive au texte entre le lecteur et l'auteur est dénoncée dans le roman ducharmien par cet entre-deux qu'est l'abjection. La doublure de l'écriture se trouve ainsi suturée par la *représentation* du clivage et ramenée à une opposition duelle.

L'abjection, figuration ambivalente entre l'affect et la langue, représente dans le système des signes le pôle « inférieur » d'un paradigme qui l'oppose à la pureté, au sublime ou à la beauté. L'abjection est déjà une façon de couvrir avec la langue — les noms — l'innommable ou l'irregardable. L'abject, par son statut de *signe*, signe de l'indifférencié, appartient au registre de la nomination. Il est le nommé qui permet au sujet de se raconter le désaisissement, le désastre ou l'immédiateté du corps qui l'a mis au monde. Ainsi, l'abject est déjà un entre-deux: celui, ambigu, qui vient entre le « je » et l'Autre, entre l'intérieur et l'extérieur, entre l'absorption et le rejet, entre l'endroit et l'envers. Il est là où *il y a* de l'« être », lui rappelant le néant et sa menace d'y retourner.

L'ambivalence et l'indifférencié constituent le champ dans lequel le Nom vient défaire les mailles d'une relation duelle tissée à même la menace d'engloutissement, et ouvrent la brèche d'où un sujet doit commencer à parler. Le Nom repousse ainsi l'impropre à la limite du sujet, mais c'est pour le laisser resurgir à la moindre défaillance symbolique. Dans le passage à vide de la naissance du sujet, dans le dérobement du signifiant à nommer le « propre » du Nom, l'abjection apparaît comme le sursaut d'horreur empruntant sa figurabilité à ce qui justement la provoque: le signifiant dérobé. Elle est signe de l'effraction, retour, dans le sens, de l'immonde qui le borde.

> Frontière sans doute, l'abjection est surtout ambiguïté. Parce que, tout en démarquant, elle ne détache pas radicalement le sujet de ce qui le menace — au contraire elle l'avoue en perpétuel danger. Mais aussi parce que l'abjection elle-même est un mixte de jugement et d'affect, de condamnation et d'effusion, de signes et de pulsions. [...]
>
> L'abject est la violence du deuil d'un « objet » toujours déjà perdu. [...] Il ressource le moi aux limites abominables dont, pour être, le moi s'est détaché — il le ressource au non-moi, à la pulsion, à la mort [2].

---

2. Julia Kristeva, *Pouvoir de l'horreur*, Paris, Seuil, coll. « Points », 1975, p. 17, 22.

L'abjection est le symptôme du sujet qui, pris d'angoisse devant la Loi qui l'arrache à la consistance de l'Autre, tente de la rétablir sur son envers: l'inconsistance, là où il peut aussi ramener son Nom. Or, le sujet du roman vient justement à la rencontre de l'Autre et de l'immonde qui le pousse à parler depuis un lieu inhabitable. L'esthétique de Ducharme ressemble donc au désir de reporter ce lieu de la Loi — lieu de sa douleur, de son horreur — dans le registre de l'énoncé pour en désamorcer l'effet en se l'appropriant par la voix de l'affect dont le dégoût, la dérision, le déchet, la haine, le massacre sont les figures. La narration s'invente ainsi dans le rejet du roman en entier, rejet du genre et de sa Loi, toutes les instances concernées, de l'auteur, du narrateur et du lecteur étant impitoyablement tournées en ridicule. Le roman raconte le symptôme du roman en bloquant la fiction dans un temps sans mesure, dilaté.

L'abject et la dérision viennent chez Ducharme faire taire la Loi. On assiste au circuit labile — et habile — d'une parole dont le foyer d'énonciation trouve sa distinction et son nom dans la crasse, la puanteur, la laideur, ou l'insignifiance. Repoussants, ridicules, dégoûtants, sales, les narrateurs recomposent la figure d'un deuil interminable de l'objet supposé perdu: le temps lui-même. L'objet-temps accède au corps du sujet tel un fantasme de sa déchéance.

> J'ai le visage tissé de boutons. Je suis laide comme un cendrier rempli de restes de cigares et de cigarettes. [...] Bérénice Einberg, toute hideuse qu'elle soit... (*AA*, p. 21, 76)

> L'âme de mes livres m'est repoussante comme ma présence. (*O*, p. 17)

> Mille Milles est tout sale. Il pue. Il est épuisé. [...] Il est méprisé par lui-même. Le mépris de soi-même justifié est une maladie dont personne ne se relève. [...]

> Hier soir, au lieu de cracher par terre, j'ai craché sur moi. (*NV*, p. 14, 17)

> Je suis bouffi et boutonneux, du nez, des joues, des fesses, tout partout. (*HF*, p. 95)

> Tout ce que je touche je gâche. (*FCC*, p. 195)

> J'ai la face affaissée et rôtie, la moitié des cheveux gris, l'autre moitié partie, j'ai vieilli vingt ans plus vite que moi. Il était temps que j'aie un accident. Je resterai écrabouillé ici, fixé dans mon âge d'or. (*D*, p. 31)

Le signifiant demeure lettre morte, débris de langue, morceau recraché, « tartelu », enfantôme ou même cadavre: identifié au narrateur déchu et déçu[3]. Le temps de l'énonciation s'abîme dans l'ennui: temps endeuillé de la mort du temps où la perte « en substance » est ressentie *ad nauseam*. Ce ressentiment reconduit chaque fois la narration au point fixe de sa lettre dérobée.

Le temps ici est mort-né. Il scelle fantasmatiquement l'écriture par le Nom-d'Auteur. Le roman s'écrit alors pour nier la fiction de la Loi. Signataire de l'insipide, l'auteur occupe son Nom jusqu'à en faire le signifiant même du texte. La signature paraphe l'acte de maîtrise qui repousse le lecteur à la limite de l'écrit, devant le fait accompli et sans appel d'un « régisseur » central affirmant dans un jeu outrancier et ironique sa figure nominale dont la lettre semble investie à l'excès[4].

L'intervention insistante de l'« interprété », qui va jusqu'à prendre la forme complaisante et comique d'une traduction littérale de l'anglais et du joual, prend bien sûr une fonction dérisoire. Les langues s'échangent en des jeux de signifiants purement parodiques appuyant au passage pour la ridiculiser « l'édification » du lecteur[5].

Quelle que soit la forme de l'intervention du Nom-d'Auteur, elle vient toujours cautionner la dérision de sa place et, par le fait même, du livre qui s'en constitue. Elle vient finalement suturer l'identité narrative de l'auteur à celle du narrateur. *L'Hiver de force*, en laissant dans l'anonymat l'intervention infrapaginale, in-définit la prise en charge —

---

3. « Mes bras demeureraient immobiles si je n'écrivais pas, parce que mon cerveau ne leur dit rien, parce que mon âme a perdu la voix. Je suis en état aigu de mort. Je suis un mort qui participe à son état de mort avec tout son sang. Mon histoire est très gaie, très mouvementée, très peu cimetière. Ces lignes que j'écris, je les écris à mon corps défendant. Il faut qu'un cadavre se force pour écrire. » (*NV*, p. 59)

4. Le « régent du charme » déjà suggéré.

5. Édification elle-même annoncée et redéfinie dans la langue de Mille Milles comme la chose qui lui fait tant horreur et qu'il ne cesse pourtant de faire subir à la langue, à savoir l'« érection » : « Glané au hasard de leurs œuvres pour l'édification (érection) des races (d'Érasme). » (*NV*, p. 7) L'édification des races est, bien sûr, la fonction affichée qui justifie l'identification auteur-narrateur-lecteur. Cette identification peut aller jusqu'à donner la parole au lecteur mais pour l'interrompre aussitôt et le remettre en face d'une édification à l'envers: « [...] plus rien que la honte de n'avoir pas la langue assez longue pour toucher le fond des déchets d'un écœuré écœuré. Vous allez me dire, patient confident: " Ah Maître, ne vous lai... ", je vous interromps tout de suite. Vous avez trop de bonté, peu me chaut, il vous en cuira, j'espère, moi c'est les rnaou-waou longs et plaintifs des ruts contrariés cruels qui m'intéressent, comme tout le monde. [...] Quand j'y pense, même si le but de ces Mémoires est surtout, peut-être, d'édifier, j'ai envie de manger la bougie qui m'éclaire et de boire la bouteille d'encre. [...] Qu'est-ce qu'on a d'édifiant ? Peut-être qu'on a rien et que c'est ça qui est édifiant, *comme ces romans de docteurs et d'infirmière vendus usagés aux kiosques de la rue Sainte-Catherine.* Faites-moi terminer, patient confident, encouragez-moi à descendre jusqu'au bout de ma corde. » (*E*, p. 266-268, je souligne)

est-ce l'auteur comme dans les autres romans ? ou le narrateur ? Ainsi est établie, et de façon délibérée, la suture de l'énonciation [6].

Si le Nom-d'Auteur recouvre utopiquement la place de l'Autre, c'est dans la mesure où il fait de l'écrivain un objet nommé et maniable, un signe qui, du même coup, objectalise le roman. Le Nom-d'Auteur est du même ordre que les noms-de-la-mère. Il pointe vers le sujet écrivain qui supporte les figures de son désir, mais pour le réduire à sa fonction de locuteur ou de transmetteur, fonction somme toute commerciale qui referme le roman sur sa mort propre. Dans ce registre, écrire revient à se faire porter mort, à faire *le* mort — fantôme ou cadavre —, c'est-à-dire à se prendre pour un objet *nommément* mort. Le roman de Ducharme, dans sa dénégation — « ce roman n'est pas un roman » — prétend se faire passer pour un déchet, un « vendu usagé » (*E*, p. 268) entièrement destiné à l'échange entre l'auteur et le lecteur, eux-mêmes signifiés par cet échange.

Le signifiant « Réjean Ducharme » — ou ses initiales — illustre le fantasme d'un procès de fictionnalisation où le Nom tiendrait dans la lettre déchue, déjà lue, c'est-à-dire prise pour la chose d'un sujet entièrement livré à sa récitation imaginaire. On accède là, à mon avis, au statut du roman tel que le système économique et l'institution, qui se chargent de le faire entrer dans les réseaux de l'échange, le proposent [7]. Le roman, objet-livre, ne peut être échangé que si on le suppose lisible, c'est-à-dire visé par un processus de saturation du sens — qui peut bien rester inachevé ou impossible mais demeure supposé.

Le Nom-d'Auteur occupe structuralement chez Ducharme la même place fétiche qu'il a dans le domaine social: celle de la renommée à laquelle on s'attache sur le mode, double, de la reconnaissance. Même place, à ceci près qu'elle apparaît sous sa forme inversée *dans* le texte, et déjà retournée sur sa vérité « poubellique ». Le Nom-d'Auteur se constitue ici comme un savoir sur la circulation du roman dans une lecture dont les signes ne seraient qu'échange et communication.

---

6. D'autant plus que la traduction est alternativement assumée par le récit (André) et par sa marge (note): « Le gars dit: "It's the same difference." — C'est la même différence » (*HF*, p. 135); « I don't see your point ! (Je ne vois pas votre point !) It's totally irrelevant ! (Ce n'est totalement pas révélateur !) — I feel bad, that's all ! (Je sens mauvais, c'est tout !) » (*HF*, p. 256) Le caractère évidemment dérisoire de la traduction est d'ailleurs, comme on verra, directement lié à cette identité narrative.

7. C'est d'ailleurs en cela que l'Autre est voilé par le circuit de l'échange. En ce sens aussi que la lecture y est toujours supposée achevée. Publier consiste à faire en sorte que l'écrit (et l'écrivain) changent de mort, qu'ils s'immortalisent dans la mort de l'objet. L'ordure n'est que la figure inversée de la renommée.

Le déni de la fiction — déni du Nom par lequel un sujet s'arrache au fantasme d'auto-énonciation — est joué comme un dénigrement affecté du roman, de son auteur et de son lecteur. Le Nom-d'Auteur signant de sa déchéance l'écriture peut aussi être la signature inversée et le symptôme de l'institution et du lien social. Le roman n'existe qu'en se livrant à la publication — « poubellication », disait Lacan[8] —, et avec elle, son auteur devient figure et nom publics. Cet auteur mort-né, qui n'est jamais le sujet de l'écriture mais son versant imaginaire, n'est rien d'autre que l'effet d'un lecteur mort-né, d'un lecteur formellement dispensé de lire dans la mesure où l'échange du livre est aussi l'échange d'un livre déjà lu puisque vendu selon le principe même de la momification[9]. Ce lecteur imaginaire rejeté hors de l'écriture du roman, ne peut rentrer dans l'écrit que sous la forme d'un repoussoir, véritable foyer de la déchéance, non pas intériorisé mais interpellé, maintenu qu'il est dans sa condition supposée de pourvoyeur du sens. C'est à ce titre qu'il est aussi « pur voyeur » puisqu'il ne cesse de remplir la béance du voir par du « tout vu » qui érotise la langue.

> Le lecteur adulte est un hortensesturbateur [...]. Les Américains vont droit au but: sex. [...] Ainsi, les hortensesturbateurs les moins au courant, les moins instruits, savent à quoi s'en tenir, aussitôt. Cela saute au visage; c'est un bon roman [...]. (NV, p. 46, 48)

> Bande de ronge-génie! Ouvreux de fermeture Éclair!
> Quoi! Vous n'avez jamais vu ça, un pornographe?
> D'où sortez-vous? Arrivez en ville, sacrament!
> Vous ne connaissez même pas le pornographe du
>   phonographe?
> Réveillez-vous! C'est la civilisation maintenant!
> (FCC, p. 33-34)

Le pornographe, producteur de récits pour lecteurs assoiffés est le roman même devenu objet de civilisation, objet d'échange social. Le roman de Ducharme confère à l'Autre une existence tangible et impose par le fait même la scène duelle d'un avalement où le lecteur est à la fois le pôle menaçant et l'objet imaginaire du désir. L'écriture ne cesse de produire une vérité qui est savoir sur la déchéance de l'écrit. En cela, elle est le symptôme du roman puisqu'en faisant mine d'écrire contre lui, elle assume sa position imaginaire.

---

8. *Séminaire XX*, p. 29.
9. Georges Bataille le soulignait quelque part en disant: « La survie de la chose écrite est celle de la momie. » Voir aussi à ce sujet André Beaudet, *Littérature l'imposture*, Montréal, Les Herbes rouges, 1984.

Dans cette entreprise de dénégation on retrouve la logique des noms-de-la-mère par laquelle le sujet rejeté s'autorise du rejet. Le colmatage du temps clivé se fait avec *de* l'« auteur-lecteur » nommé par la narration qui feint une sortie de l'écriture. La douleur du Nom force le sujet à méconnaître la Loi qui lui fait horreur et l'oblige à devenir lui-même le signe de cette horreur. La doublure narrative double alors explicitement l'institution du roman qui méconnaît le temps de l'écriture. Car le roman est toujours cette chose ambivalente à la frontière de l'œuvre finie et d'un infini inassignable.

Le travail du Nom-d'Auteur et celui des noms-de-la-mère déportent indéfiniment cette frontière dans le récitatif du livre. En intervenant pour nier le dérobement du Nom auquel tout écrivain est appelé à répondre *en son nom*, le roman de Ducharme met en représentation le déni qui fait passer le Nom pour toujours déjà advenu, tombé, chu dans et avec la langue. On assiste à la mise en scène d'une logique contradictoire selon laquelle être un déchet signifie choir hors de la fiction en s'autorisant, par le fait même, de l'immortalité de la renommée. Il s'agit donc d'être un homme de lettres dans l'affirmation de son non-être — « je suis ce que je ne suis pas ». Ainsi, le roman diffère la mort symbolique en lui substituant une immortalité imaginaire.

Un ciel de lit regarda un ciel et lui dit:

— Je ne suis pas un ciel de lit. Je suis un ciel.

Un ciel, qui ne voulait pas être pris pour un ciel de lit par les autres ciels, regarda les autres ciels et leur dit:

— Je suis un ciel. Je ne suis pas un ciel de lit. Je ne suis pas un homme de lettres. Je suis un homme. (*NV*, p. 8)

AU JEUNE HOMME DE LETTRES

N'attends pas après les lecteurs, les critiques et le prix Nobel pour te prendre pour un génie, pour un immortel. N'attends pas. Vas-y! Profites-en! Prends-toi tout de suite pour un génie, pour un immortel. (*FCC*, p. 7)

Cette logique en est une d'inversion, sinon de perversion puisque la mort ou la chute de l'écriture dans l'institution dont témoignerait le fait de « se prendre pour un génie » se donne ici pour la condition même du génie. L'immortalité s'atteint par appropriation de la déchéance et de la mort. Se prendre pour un génie revient à foncer droit dans la représentation de l'auteur *en dépit* de l'écriture. Logique imaginaire qui passe par une identification à l'impuissance de l'Autre, celle du lecteur à lire — « n'attends pas après les lecteurs » — et exige une double reconnaissance, du raté et du génie, à l'intérieur d'un seul et même mouvement d'énonciation. Dès lors, le sujet de l'écrit passera sans se contredire de la sollicitation d'indulgence au mépris radical et au renvoi réitéré du lecteur. Cette position d'énonciation souligne le statut imaginaire de l'auteur comme l'indique l'équivalence établie, au début du *Nez qui voque*, entre l'« Auteur imaginaire » et les auteurs célèbres, réduits d'ailleurs ici à l'autorité pure de leur nom par l'insignifiance et l'inassignable de ce qu'ils signent :

> « Ah ! » (Colette)
> « Je me !... » (Barrès)
> « Oh ! » (Kierkegaard)
> « Ah » (Platon) [...]
> « Ah » (George Sand)
> « Les messieurs de vos a semblez... » (Iberville) [...]
> « L'auteur sollicité l'indulgence pour la qualité de cette production ». (Léandre Ducharme)
> « Le beau n'est pas nécessaire. Le beau n'est pas. Le beau nez ! »
> (Auteur imaginaire). (*NV*, p. 7)

Cet assemblage « glané au hasard pour l'érection des races » fait de la dérision un acte de duplicité et de dénégation. L'auteur y est d'emblée un nom édifiant et masturbatoire annihilant le lecteur à l'avance ridicule de survenir là où il est évident qu'il n'y a rien à lire. Dans l'arbitraire le plus affiché se glisse pourtant un certain Léandre Ducharme [10] qui parle justement au nom de l'auteur, au nom de cet « Auteur imaginaire » qui se fait l'écho anticipé de la voix narratrice (Mille Milles). La synchronie entre l'auteur, le narrateur et les noms de l'Histoire s'effectue dans la dérision et la niaiserie pour concrétiser l'impuissance ou l'intransigeance du lecteur.

> De peur d'être traité d'idiot, de sot, d'imbécile,
> J'ai envie de passer sous silence cette péripétie effroyable.
> Sollicitant l'indulgence du lecteur, l'auteur poursuit.
> (*FCC*, p. 175)

> Quelle sorte de littérature fais-je Elphège ? Est-ce de la littérature surréaliste, surrectionnelle ou surrénale ? N'ajustez pas votre appareil. Cassez-lui la gueule. Laissez-le faire et allez-vous-en. (*NV*, p. 133)

---

10. Nom qui sert ici de signifiant à l'identification du sujet au temps perdu et à l'Histoire qui soutient tout le roman. Le Nom de cet « exilé politique aux terres australes » (titre de son *Journal* paru aux Éditions du Jour en 1974) se fait le double représentant de l'histoire et du symptôme (Nom-d'Auteur). C'est d'ailleurs de ce nom que semble provenir celui de Mille Milles en tant que syntagme essentiellement québécois, historique et géographique, et en tant que parcours et exil lointain. Mille Milles, c'est justement l'équivoque entre les « tâches historiques » : la production d'une œuvre, et l'histoire qui fait tache, qui colle à la peau : « Ils sont en train de restaurer les lucarnes de la maison de Papineau. Ils ont des tâches historiques. Sans accent circonflexe, nous obtiendrons : ils ont des taches historiques. C'est une équivoque. C'est un nez qui voque [...]. Je suis un nez qui voque. » (*NV*, p. 10)

Et si vous ne comprenez pas ce que cela veut dire, vous êtes
bête comme vos pieds ! [...]
Allez-vous-en, si vous n'êtes pas content.
(O, p. 128,117)

Le lecteur du roman ducharmien passe constamment par le signe
du narrataire à travers l'interpellation. Mais, selon la logique du déni,
ce narrataire apparaît lui aussi clivé, divisé comme la Mère, sublime
et abjecte, et comme l'auteur, génie et raté. La division niée fait retour
dans l'imaginaire et le narrataire se trouve aux deux pôles de l'altérité.
Lecteur interpellé et dégradé, il se double presque toujours d'une
« lectrice » — la « chère amie » ou la sœur —, figure de l'inceste
devenue suspension du regard ou encore promesse d'une lecture « au-
delà » de l'acte de lecture. Le roman oscillera donc constamment entre
la tentation pornographique et la sortie radicale du sexe. Le « vous »
du lecteur et le « tu » adressé à la sœur constituent les deux versants
de l'utopie. Chateaugué, Constance Chlore-Exangue, Asie Azothe,
Tite Feuille sont les doubles inversés du narrateur ou de la narratrice,
et c'est dans cette mesure seulement qu'elles demeurent aussi les
destinataires de la narration [11].

Le rapport qui existe entre le narrateur et la narrataire-sœur est de la
même nature que celui qui lie le Nom-d'Auteur au lecteur: un rapport
d'identification à la demande de l'Autre accomplissant la suture de
l'interprétation. Suture qui amène parfois l'énonciation à passer par le
« on », comme dans *L'Hiver de force*, et à confondre « je » et « tu »,
même si l'alternance que suppose la forme dialoguée est maintenue. Le
narrataire est toujours en ce cas une figure de l'inceste en cours dans la
langue. Figure fantomatique, spectrale, indifférenciée; « île imma-
térielle » (*E*) dont le signifiant linguistique ne cesse de ramener l'attente
au présent [12].

---

11. « J'en dis. Je vous en fais accroire. L'encre est à bon marché. La salive ne coûte rien.
Les femmes courent après des généraux imaginaires. Chacune d'elles veut son petit
maréchal imaginaire. Chateaugué, ma sœur, je ne suis pas un général. [...] Ne te
donne pas à moi; ne me charge pas les bras. Contente-toi d'être ma sœur [...]. »
(*NV*, p. 130-131) Le mode verbal de *L'Avalée des avalés* et de *L'Océantume*
actualise à plusieurs reprises la narrataire comme interlocuteur-personnage. Dans
La Fille de Christophe Colomb, c'est l'alternance entre « vous » (dégradé) et « tu »
(aimée) qui ponctue l'interpellation: « Colombe Colomb, fille de Christophe
Colomb, ma chère » (p. 13); « En Bulgarie, douce amie, tout est différent » (p. 61);
« Pendant que toi, tu digères mal ces pages[...] / J'ai la bouche fermée dur de ne
pouvoir croquer ton visage, / Moi qui deviens fou en t'attendant [...]. Quand on a
envie de se suicider mon amie. » (p. 194-195) « Elle n'est pas stupide, elle, imbécile
comme vous ! [...] Ok, Maryse ? / si tu n'as pas saisi ça [...] » (p. 201), etc.
12. La langue des Ferron, comme le soulignait André Vachon (*Études françaises*, vol.
XI, n° 3-4, octobre 1975) est à la fois datée et indatable, parlée et imparlable, codée
(artiste, avant-garde, joual) et pourtant indécodable, fausse, figée. Comme si la
synchronie des temps arrivait à créer l'illusion de la présence, mais l'illusion

Écrire contre le roman suspend en la nommant la différence sexuelle. Le roman nié se fantasme tel une chose éjectée du désir, tel un déchet « qui n'a pas de place assignée dans la ronde des désirs[13] ». Et lorsque le rejeté revient au désir — désir d'écriture — pour le contaminer et s'en faire l'objet, il n'arrive qu'à le tourner en dérision, autant dire à le nommer encore d'un autre nom. Le roman, travesti en objection au roman et en abjection du roman, n'écrit plus que l'interruption de la fuite du désir, inversant l'érotisme — de la Loi — en instance magistrale et pornographique; quitte, d'ailleurs, à ne faire de la pornographie qu'un repoussoir ou un reposoir au dégoût.

Les romans de Ducharme n'ont rien de pornographique, mais ils ne cessent d'y confiner « l'autre-roman », soutenant ainsi sa dénégation et son aversion pour le temps. Le repoussoir pornographique demeure la bordure d'une énonciation qui vient à sa place pour *tuer le temps*. Le blocage temporel s'inscrit logiquement à travers l'identification de la langue à l'objet perdu: Nom et Loi. Le roman nouera ainsi l'écriture à son histoire, mais à une histoire des temps morts, une histoire telle que l'institution peut en suturer le temps. Le roman s'approprie le passé, l'objet chu du temps [14] et désire ramener tout à la présence, à l'être du non-être, à la substance de l'Autre, vérité perdue.

> Je ne suis pas présent; c'est le passé qui est présent: c'est la présence devant moi de l'absent, de mes absents. Je ne suis rien. Je ne suis même pas vrai. Je ne fais que L'être vrai, le L apostrophe est mis pour « le passé ». C'est profond cela, L'être vrai. [...] Ce n'est rien: je pourrais continuer ainsi pendant des centaines de pages. C'est faire des phrases. Des phrases, ce n'est rien. (*NV*, p. 80)

Il n'y a jamais ici qu'à tuer le temps, c'est-à-dire à produire du rien, du déjà-mort, du pornographique au sens où la pornographie suppose l'érotisme dans le sexe, dans la représentation, le dévoilé,

---

seulement. La langue de Vincent et de Fériée est elle aussi indatable et pourtant elle ne cesse de dire la retombée en enfance.

13. Jacques Lacan, *Télévision*, Paris, Seuil, 1974, p. 28.

14. Ainsi, dans le *Le Nez qui voque*, Chateaugué est le pôle identificatoire du passé aussi bien historique (frère d'Iberville et explorateur) que personnel: « J'ai le même passé que Chateaugué, ou à peu près. Les citoyens s'offusquaient de nous voir jouer ensemble » (*NV*, p.138); « Restons en arrière, avec Crémazie, avec Marie-Victorin, avec Marie de l'Incarnation, avec Félix Leclerc, avec Jacques Cartier, avec Iberville et ses frères héroïques. Restons en arrière. [...] Le temps passe: restons » (*NV*, p. 29); « Je partirai à la reconquête du Maine et du Labrador. [...] Arrive, Chateaugué ma sœur! Viens m'aider à incendier Millinocket» (*NV*, p. 19); «Aujourd'hui, j'ai dévasté en 1696 avec Iberville toute la presqu'île Avalon, cela à la bibliothèque Saint-Sulpice en pensant à Chateaugué, ma sœur » (*NV*, p. 18).

l'incarné, la présence. L'antipornographie ducharmienne est le double inversé de la pornographie, puisque l'abjection qu'elle déploie fait de la positivité du sexe une carapace au désir. D'où l'identification de ce roman avec l'abject dont il ne cesse pourtant de repousser les représentations. L'abject selon Ducharme n'est plus dans les « scènes », mais dans la langue même et le déni qui livrent le temps à la dérive d'une digression parvenant ultimement à bloquer l'énonciation sur l'arête d'*un* sens en état de répétition compulsive.

> Lorsque chez un être humain, l'angoisse atteint une certaine intensité, on assiste à une diarrhée de mots. On peut le remarquer chez le pornographe, appelé aussi écrivain, auteur, romancier et poète. (*AA*, p. 288)

Ce sens unique est celui des noms-de-la-mère: il dégrade et rend dérisoire la langue qui ne parvient pas à nommer le sujet. Il s'agit ni plus ni moins d'un sens scellé par le « cadavre » du Nom-d'Auteur [15]. On peut lire comment P. Lafond (plafond), surnommé Bottom, reprend « à fond » cette esthétique du sursis:

> J'étais décidé à foncer dans le parapet du pont de la rivière des Prairies puis je me suis donné un sursis jusqu'au pont des Mille-Îles, mais j'avais trop de trafic dans la tête, quand j'y ai repensé il était passé [...] À part mourir, qui n'est pas dans mes prix, c'est tout ce que je peux m'offrir... Tu l'as dit, débouffi. (*D*, p. 30-31)

Le roman-déchet ou l'antiroman s'écrit — et s'écrie — contre l'érotisme en évacuant sa négativité ou sa vérité « soustractive » par le dégoût, la niaiserie, l'ennui, retournant le rien sur lui-même pour le renommer. Il s'offre à désirer comme s'il fonctionnait à l'instar de la parole vide de Blasey Blasey: pure affirmation contradictoire de la consistance imaginaire de ce qui n'est pas [16].

Chez Ducharme, l'identité auteur-narrateur devient la fonction essentielle de l'a-fictionnalisation. Une fonction extrêmement travaillée qui donne au roman sa logique de symptôme. Et si le roman

---

15. Cadavre que les narrateurs ne cessent d'agiter. Chat Mort, Ina Ssouvie sont des mortes vivantes, Colombe est un déchet, un magma de débris, de bouts de corps recollés, elle est comme Mille Milles un cadavre vivant, tout comme Vincent et André arrêtés à l'heure de la mort de la mère. « Nous avons traversé l'épreuve de la mort sans nous perdre; nous sommes intacts: vifs et jeunes comme avant, et pour aussi longtemps que la mort dure » (*NV*, p. 22); « J'ai envie[...] que Asie Azothe meure. J'imagine son cadavre et je le trouve souhaitable.[...] Son cadavre est d'avance mon acte. [...] Je suis plus forte que la mort, je l'ai vaincue, je prends sa place, je jouis de sa puissance. » (*O*, p. 104-105)
16. « Il ne s'arrête pas de parler. Il ne s'interrompt même pas pour me laisser le temps de dire oui. [...] — Je suis un papa surdévoué et un célibataire surendurci, tout ce qu'il y a de plus carré. » (*AA*, p. 284)

n'est pas pornographique, la figuration sexuelle y semble pourtant constamment cernée, contournée, insistante. Dans *Dévadé*, la langue ne cesse plus de tourner autour de cette figuration qui a fini par se prendre aux mots pour livrer enfin le fantasme mortel de son statut.

> Elle s'abandonnait à mes transports qui comptaient sur ses compétences. Je la renversais sur le plancher, dans les saletés. [...] Je l'ai rattrapée et coincée contre la table, où elle s'est aussitôt répandue [...]. Elle n'a pas de secret. Pas une ombre sur la rose [...] où mes palpes plongent encore, chassés encore. Elle a hâte que ça commence ou que ça finisse. On ne voit plus trop où on va dans son cinéma. [...] La vie s'arrête, elle est finie. On n'a plus à chercher, on est logé, à mort, comme si la mort était chaude, était faite de tout ce qu'on souhaite au lieu de tout ce qu'on craint. [...] [Nicole] remue pour me faire faire quelque chose, mais il n'y a rien à faire. Parce qu'il n'y a rien à changer. C'est si fragile, tiens-toi un peu tranquille que ça tienne, que ça prenne, que je m'enracine, je veux rester planté là jusqu'à ce que je pourrisse. [...] Il n'y a pas moyen d'en sortir, on fait tout à sa ressemblance. Et ce n'est pas pour me vanter mais je ne me suis pas raté comme ressemblance. Plus ressemblant on bouffe sa merde. (*D*, p. 146-147).

Chaque narrateur parle ou écrit contre le temps. Chaque narrateur prend la parole pour éviter d'être pris par elle, avalé, noyé dans la « Milliarde » ou dans la « vacherie ». Bérénice parle pour affirmer le pouvoir de l'imaginaire; Mille Milles écrit pour tenir les hommes à distance pour *être* le passé; André Ferron note l'ennui pour nommer le néant [17]; Vincent Falardeau rédige ses mémoires « tartelues » pour rappeler le passé et tenter « d'échapper au dégoût général ». *La Fille de Christophe Colomb* et *L'Océantume* retombent dans l'enfance du roman en tournant l'écrit en épopée bidon ou en semblant de roman de chevalerie. Écrire contre le roman consiste à écrire « à rebours », pour que le temps ne « passe » pas, et ne finisse pas.

> — Aie pas peur va, tu vas voir, on va tous les enterrer! Eux autres comme les autres!...
>
> C'est parti tout seul. À quoi ça ressemble encore?... Ça ressemble à moi, tiens. Il n'y a pas de quoi fouetter un rat mort, quoi. Tout est bien qui ne finit pas, va. (*D*, p. 257)

---

17. « [...] on mène une vie platte. Comment ça se fait? Un problème bien posé est à moitié résolu [...]. On va se regarder faire puis je vais tout noter avec ma belle écriture. » (*HF*, p. 15)

Chacun des récits s'achève sur le triomphe du désespoir, de l'horreur, de l'ennui, de l'amertume, c'est-à-dire sur la victoire du déjà-mort comme évidement symbolique. Le livre s'achève là où « l'autre roman » — abjecté, refoulé — commencerait. L'auteur imaginaire s'adressant au lecteur imaginaire ramène non pas le temps perdu mais le perdu, le déchu du temps. Il fera donc forcément de la « mauvaise littérature », car écrire un roman consiste avant tout, pour lui, à se prendre pour un écrivain dans le but de se déprendre de l'écriture.

> Aux Îles, au printemps, quand l'eau de crue s'était retirée [...] Hostie ! tout cela, maintenant, c'est de la mauvaise littérature, des réminiscences, du non-sens, du passé, du dépassé, du trépassé, du déclassé, du crétacé, du miel à mouches, de la rhubarbe à cochon. C'est fini maintenant. Pas de revenez-y. Qu'est-ce que le présent ? [...] Le présent ne se conjugue avec nous qu'au passé. [...] Quand le présent est passé, on peut le regretter amèrement. Il n'y a que cela, l'amertume [...]. Cela est très profond, mais cela ne veut rien dire [...]. Je fais mon petit Jean Racine, mon petit La Rochefoucauld, mon petit Lafontaine, mon petit hostie de comique. (*NV*, p. 79)

Le littoral de l'amer

> Un littoral est-il interrompu ou ininterrompu ?
> Pue-t-il ? (*O*, p. 61)

> Un examen [...] s'impose de ce qui du langage appelle le littoral au littéral [18].

Cultiver l'amertume et le dégoût reste la seule échappatoire à l'ennui du sujet de l'abjection. Il s'agit pour lui d'effectuer un freinage du temps, de le lancer à rebours selon une pratique qui consiste à devenir le passé, comme pour stopper l'écoulement dans l'épandu et dans l'étale. Écrire revient à remplir la page de paroles « vides » dans la feinte de parvenir au recouvrement de l'absence ou du silence que ne cesse de creuser l'écriture [19].

Il n'est pas étonnant alors de voir la langue envahie par toutes sortes d'éléments étrangers, au point de se prendre elle-même pour

---

18. Jacques Lacan, « Lituraterre », *Littérature*, n° 3, octobre 1971, p. 5.
19. Jusqu'à donner un nom propre au silence : « Nous avons donné un nom au silence que nous nous sommes juré de garder au sujet du mystère des gaurs. C'est : Nabuchodonosor 466 [...]. Je ne dis rien. [...] Nabuchodonosor 466 ! Au fond, Nabuchodonosor 466 a le sens de "ne rien donner". » (*O*, p. 75, 88)

cette étrangeté. Comme si couvrir l'absence ou remplir le silence finissait par remplir la langue de silences en train de parler. Cela donne des effets particuliers. La langue tourne au délire ou à une sorte de non-sens que Ducharme n'hésite pas à taxer de « chinois ». Les narrateurs ducharmiens sont donc tous plus ou moins voués à « parler chinois dans [leur] propre langue [20] », c'est-à-dire à « étranger » la langue maternelle.

> Tu chinoises en silence? Chinoisons ensemble. [...] Je vais parler tant et tant que tu n'auras même pas le temps de ne pas répondre. Est-ce qu'on parle en silence? Certes, puisqu'on peut chinoiser en silence et que parler est chinoiser. (O, p. 89)

La logique du roman est basée ici sur un travail littéral qui fait bord ou *littoral* au Nom. Le littoral est une frontière « réelle », une frontière qui ne sépare pas deux espaces homogènes, mais qui juxtapose deux espaces radicalement hétérogènes de façon telle que c'est l'un qui fait frontière à l'autre [21]. La fiction fait de la lettre un contour, une forme, celle du sujet et du Nom infigurables au roman.

Ducharme, on l'a vu, place les noms-de-la-mère — qui sont aussi les noms de l'amer— là où la langue s'ouvre au temps de la nomination. Le récit du roman vient prendre la narration à l'imaginaire de son fantasme et ne cesse plus d'inoculer du Nom-d'Auteur et du lecteur. Le lecteur, apostrophé, n'arrive plus au texte qu'à titre de figurant — d'« appelé » — auquel la langue tente de donner consistance. L'Autre nommément interpellé, sommé de consister dans la lettre du roman, devient un autre, une présence qui fait causer mais qui donne à la causerie la résonance de tout ce qui recouvre le vide: une résonance creuse:

> Si je voulais continuer ainsi pendant des centaines de pages, je ne me gênerais pas [...] Des phrases ce n'est rien. Des mots, c'est à peine si cela se voit. [...] Chateaugué: voilà quelque chose. Quelque chose... c'est quoi? [...] Chateaugué est une action sur moi. Chateaugué n'est pas un mot mais une action. [...] Quelque chose! Causerie! Creuserie! Causerie vient de *caux* et creuserie vient de *creux*.[...] Dehors, je suis dans le vide. Et le vide prend, saisit, aspire. Dans les yeux de Chateaugué, c'est pire que dehors. [...] les essences du néant et des ténèbres y sont concentrées. [...] le vide force, me force [...]. Le sculpteur [...] est l'image parfaite de l'homme qui fait

20. Réjean Ducharme, *HA ha!...*, Paris, Gallimard, 1982.
21. « La lettre n'est-elle pas... littorale plus proprement, soit figurant qu'un domaine tout entier fait pour l'autre frontière, de ce qu'ils sont étrangers, jusqu'à n'être pas réciproques. » (Jacques Lacan, *op. cit.*, p. 5)

sortir l'âme qu'il veut du vide courant [...], de la nuit puissante qu'est la vie. Creuserie! Causerie! Conférence! Circonférence! Cercle vicieux! Cercle viciant! (*NV*, p. 80-83)

Le littoral ducharmien n'est pas le trait laissé par le retrait de l'objet — Mère ou mer — mais bien plutôt la ligne d'avalement par le trait, le trajet, le parcours: l'avalement du trait lui-même. Tracer le littoral, le suivre, ce sera l'effacer. Tout le projet que raconte *L'Océantume* représente ce désir d'avalement qui vise à réduire l'autre — les autres — à néant [22]. Mais une telle annihilation fantasme l'être de l'Autre et tend donc désespérément à le faire consister pour le dissoudre. La causerie devient cette matière du néant, la chose vide de l'Autre; et si elle tourne sur elle-même tel un cercle vicieux, c'est pour mieux ignorer qu'*il y a* dans l'écriture la faille insuturable où le sujet s'engouffre et se perd.

Un littoral n'est donc pas une séparation entre deux choses de même nature mais l'hétérogénéité de la séparation. Pourtant, dans l'imaginaire du roman, le littoral se fait jonction, ralliement, suture et englobement. Il est une sorte de retournement du monde sur lui-même. Comme si parcourir le littoral revenait à suivre la couture d'un gant jusqu'à lui faire absorber sa propre matière, jusqu'à ce que l'extérieur se retrouve à l'intérieur et vice versa. Un tel retournement exige la complète réversibilité des matières qui se jouxtent, leur complète réciprocité. Si bien que longer le littoral revient à déclencher un immense raz de marée, un engloutissement tellement radical qu'il finit par renverser l'absorbant en absorbé et l'absorbé en absorbant. Le littoral ducharmien participe d'une véritable fantasmatique de la fusion:

Nous nous répandrons sur tout l'azur, comme le vent et la lumière du soleil. Nous nous mêlerons au monde comme une goutte d'encre à l'eau d'un verre [...]. Nous nous diluerons en lui jusqu'à ce qu'il ne reste plus rien de nous que lui. Nous nous laisserons absorber par la création tellement qu'à la fin ce sera nous qui aurons absorbé. [...] Un jour, [...] nous couvrirons tout. Ils fuiront devant nous noyés jusqu'aux cuisses. Leurs oh et leurs ah épouvantables finiront en glou glou sous notre poussée continentale. (*O*, p. 48-50)

---

22. « Nous entraînerons lacs et fleuves, un peu comme la goutte de pluie, dans sa glissade sur la vitre, grossit en agglutinant les autres. Notre crue sera leur deuxième déluge. Abandonnant feux et lieux, les survivants se grouperont en une masse compacte que nous pousserons au plus haut sommet [...]. Ils ne pourront plus alors que s'entremanger » (*O*, p. 50); « Nous marcherons sur le bord de l'océan, vers le sud. Nous suivrons le littoral jusqu'à ce qu'il n'en reste plus. » (*O*, p. 55)

Pas étonnant qu'une telle logique de l'avalement de la mer — avalement de tout par la mer et avalement de la mer par « nous » — débouche sur un envahissement irrépressible de l'amer. La « goutte d'encre dans l'eau d'un verre » est aussi la lettre advenant à la place de la mère, la lettre de la mère, celle qui la nomme, finit par l'englober et la faire tenir dans le semblant de l'être. L'avalement ne peut s'effectuer qu'au prix d'une assimilation, d'une identification déjà accomplie où l'Autre est pris pour ce qu'il n'est pas, ramené au négatif d'où sa violence s'institue. De là, le « nous » clivé en un « je » impur et un « tu » épuré, par lequel l'Autre est rappelé à sa double promesse incestueuse d'un futur attendu et d'un perdu retrouvé. L'utopie du littoral que l'« océantume » ne cesse de ramener au littéral, fait ainsi se jouxter l'abject et le sublime comme les deux masques d'une même présence.

Océantume est le signifiant littéral de la place du littoral ducharmien. Le jeu de mot prend le Nom dans la matière linguistique et le triture jusqu'à ce qu'il rende la vérité de son impasse. *L'océan tu me, la mère tue me* n'en finissent pas de cracher dans la lettre ce qui justement y est interdit. Le roman se met alors à multiplier les effets littéraux jusqu'à produire encore du littéral là où la lettre se retire.

Dans une telle disposition de la lettre se lit encore la rature du Nom par la renommée, le détournement de la Loi vers le pouvoir absolu et, finalement, l'acte de foi en « la supériorité de ce qui est sur ce qui n'est pas » (*O*, p. 92). Problématique qui ramène en permanence le théorème de l'être et consiste à raturer l'absence, à produire du « raté » et à jouir de ses ratées, obéissant ainsi à l'impératif d'une langue en morceaux. La jouissance vient au fantasme en termes de plénitude irrémédiablement perdue qu'il faut pourtant retrouver au prix de la jouissance elle-même. Ce paradoxe fait de l'avalement un jouir de l'horreur, un affrontement de la maîtrise via l'autonomination [23].

Avaler l'Autre, le noyer, indique la volonté d'échapper à l'empire du sens en lui supposant un « au-delà », une issue qui serait fusion, présence, immédiateté. L'avalement sature la langue qui se met à vomir du « vide ». Le littoral devient cette lisière du « for intérieur », véritable tracé dont toute l'écriture est envahie [24]. Le littoral se fait

---

23. « [...] les dévots de l'abject n'arrêtent pas de chercher, dans ce qui fait du "for intérieur" de l'autre, le dedans désirable et terrifiant, nourricier et meurtrier, fascinant et abject du corps maternel. Car dans le ratage d'identification avec la mère comme avec le père, qu'est-ce qui leur reste pour se maintenir dans l'Autre ? Sinon d'incorporer une mère dévorante, faute d'avoir pu l'introjecter [...]. Mise en scène d'un avortement, d'un auto-accouchement toujours raté et à recommencer sans cesse. » (Julia Kristeva, *op. cit.*, p. 66)

24. « Maman a tellement vomi dans sa chambre que l'odeur y est trop forte pour qu'elle puisse se rendormir. [...] Sa chemise de nuit était gluante de glaire [...]. Elle a rendu

écriture « vomitive » qui ne cesse de ramener la mère dans le littéral de l'amer[25].

Dans le récit, ce qui transfigure le littoral rêvé en frange de puanteur insoutenable, c'est la présence maternelle — Ina, Faire Faire — qui, en tant que présence indésirable, ne peut jamais exister autrement que sous la forme de l'égout. À vomir le littéral, il finit par vous revenir comme un raz de marée d'ordures. L'idéal de puissance s'effondre et se renverse en l'impératif d'un pur être-là depuis toujours empêché[26].

Le nom de la mère (Ina), qui structure le texte de part en part[27], ravale le désir de l'Autre au champ du Même[28]. C'est la méconnaissance de la quête et sa négation qui conduisent le désir — désir du littoral tel que le raconte explicitement *L'Océantume* — à se refermer sur soi. Rejeter la mère dans l'abjection travestit pour ne plus le reconnaître le désir de l'atteindre. Le « nous » renommé Cherchell, dit clairement que le « graal » de cette volonté de puissance absolue est encore et toujours elle, la mère[29].

---

sur moi tout ce qui lui restait d'immondices et d'entrailles [...]. » (*O*, p. 21-22); « Asie Azothe, rose parlante, je te vomis de ma vie, de toute la force de ce vide immense que tu laisses immensément vide. » (*O*, p. 53); « C'est à celui qui vomira le premier : en guise de récompense il pourra vomir sur les autres. » (*HF*, p. 273); «Je pourrais continuer ainsi pendant deux sang pages. N'est-ce pas assez pour vomir, pour roter, pour éprouver des malaises ? » (*NV*, p. 126); «J'avais peur que ça tourne en vraie maladie, comme aux premiers temps de la mort de Man Falardeau [...]. Après le cœur m'a levé et j'ai vomi, à moitié sur elle [Fériée] je crois, comme un chaos. Puis ça a été son tour. » (*E*, p. 120-121); « Je n'ai rien à dire. Tout ce qui me vient, je le vomis à mesure. Tout ce qui me vient se vomit à mesure. » (*NV*, p. 247)

25. Logique même du Nom-d'Auteur qui vient en toutes lettres prendre la place de ce qui a chuté : « [...] il y a du corps perdu, tout ou partie, et de la parole vide ou évidée, dans ce qui touche à l'autorité, à l'auteur [...]. Du reste l'autoriser, en grec, c'est non seulement accroître mais aussi accroître en paroles, enfler, exalter, glorifier, c'est-à-dire au fond, apprivoiser un certain vide dans la parole, un vide qui tient lieu de cette parcelle perdue du corps qui fait l'objet du désir. Ce vide [...] résonne — se donne " raison " — dans la croyance qu'il y a du corps réel dans ce vide, dans ce trou. » (Daniel Sibony, *Le Groupe inconscient. Le lien et la peur*, Paris, Christian Bourgois, 1980, p. 17) Là s'entend la parole de tous les narrateurs : « Le vide force, me force; la force du vide me pousse à la violence, à la révolte »; « Moi, je me bats contre le vide, contre cela même que j'ai vidé pour ne plus avoir à me battre pour rien. » (*NV*, p. 82, 43)

26. « [...] je suis frappée comme par une révélation par la présence à nos côtés de Faire Faire et Ina. [...] L'ombre qu'elles projettent déjà sur le littoral détruit toute l'envie que j'en avais et fait pousser à sa place un mépris et un désespoir tels que jamais je n'en ai connu [...]. Adieu salut ! adieu rédemption ! [...] Nous sommes assis devant l'océan. Il pue à s'en boucher le nez. Il étend jusqu'à nos pieds une nappe transparente pleine de morceaux de poissons pourris qu'il ravale aussitôt. — Nous y sommes. Soyons-y ! » (*O*, p. 190)

27. Voir André Gervais, « Morceaux de littoral détruit », *Études françaises*, vol. XI, n°ᵒˢ 3-4, octobre 1975.

28. Ombre du maternel qui plane aussi sur le nom de la narratrice comme une odeur d'Iode indélébile, indétachable.

29. Le « nous y sommes. Soyons-y ! » annonce bien, par ailleurs, le ton des deux prochains romans (*HF* et *E*) qui, tout en conservant le même imaginaire de la

Le littoral vient au littéral quand l'écrit borde l'effet de son ravinement et rompt le leurre de la représentation en même temps qu'il le dispose au regard. L'écriture de Ducharme s'épand et se dilate, elle parcourt, comme les personnages de *L'Océantume*, un littoral ininterrompu[30]. Elle prend à la lettre de son fantasme l'ininterruption de l'être. N'est-ce pas par exemple ce qui résonne dans l'étrange préface au *Nez qui voque* où le pronom démonstratif de l'innommé est dérisoirement suspendu à lui-même dans un tour où la langue est, si l'on peut dire, bouclée?

Quel est celui de ces deux pronoms démonstratifs qui est le meilleur: cela, ça? Si c'est ça ce n'est pas cela et si c'est cela ce n'est pas ça. (*NV*, p. 8)

L'ininterruption de la lettre, sa primauté dans l'effet de sens, est aussi, on le voit, le facteur d'une récitation bloquée, d'une énonciation de tout temps interrompue s'offrant ultimement comme « solution de continuité ». Ainsi se donne à lire l'impasse du Nom dans tous les effets secondaires de découpages et de recollements: mot valise et logique débridée qui se déploient par l'absurde en provoquant un court-circuit à la place où rien ne peut être insufflé[31].

Le découpage et le recollement de la lettre agissent dans l'impératif « forcé » qui feint la maîtrise du rejet et de la déchéance pour se jouer, dans la langue, de l'assujettissement qui en est l'effet. On

---

langue, installent les protagonistes du côté du désespoir. Désespoir qui ne détruit en rien les fondements de l'espoir (d'une rédemption par la violence et par l'avalement totalitaire), mais les déporte simplement plus loin, dans un au-delà impossible et inaccessible qu'il ne sert à rien d'espérer. Désespoir qui n'est qu'une démission dont l'ennui envahissant — la « guété doll » (*E*, p. 77), « le fun c'est platte » (*HF*) — indique la soumission au temps de l'amer, de la mère authentique et inaccessible. C'est ce que la langue, elle, ne cesse d'affirmer dans sa fixation maternelle. Si « ça ne vaut plus la peine » c'est qu'on y est déjà: « Je me suis demandé comment je me sentirais si ce n'était pas moi qui avais fait ce trottoir, ce vent, ce journal, ces passants, et je me suis répondu que je ne sentirais pas grandchose, et que ça ne vaudrait pas la peine que je me sois créé moi-même. » (*E*, p. 77)

30. « Vous voulez savoir si un littoral est interrompu ou non... Je vais vous le dire [...] Tout est relatif. [...] pour un être qui est assez grand, qui a les jambes assez longues, aucune rimaye n'est assez large ou assez haute pour briser l'uniformité de quoi que ce soit! [...] Pour des géants de notre acabit, aucun estuaire, aucun delta, aucun golf n'est assez profond pour que nous ne puissions le traverser à gué! » (*O*, p. 63); « Étant donné que l'océan Atlantique s'étend d'une façon ininterrompue [...]; par conséquent, nous devrions pouvoir suivre celui-ci sans difficultés, sans rencontrer de solution de continuité [...]» (*O*, p. 61)

31. Pratique chère aux narrateurs qui affichent tous et de façon répétée un non-savoir, se réappropriant ainsi ce qui a lieu aux limites du savoir. Façon comme une autre de noyer le littoral: (*cf. Le Nez qui voque*, p. 43-45, 84). Il va sans dire que le nonsens ducharmien a une fonction humoristique aussi bien que tragique, et il est toujours significatif de la douleur et de l'angoisse dans lesquelles l'impensable plonge les narrateurs. Humour dont il sera question un peu plus loin.

reconnaît là le statut du « nous y sommes, soyons-y ! » énoncé à la fin de *L'Océantume* et qui trouve son écho un peu partout dans les autres romans sous la forme d'une injonction ou d'une loi inversée.

> Mais puisque c'est ça qui est ça, comme disait ma sœur, envoyons ! Hardi petit gars ! La langue sortie, les dents jaunies, fonçons, et ne laissons nos estomacs rien perdre de ce que ces armes dérisoires pourront soumettre. [...] Mettons qu'il y a des êtres [...] dont le programme génétique est de s'avilir, d'en souffrir, puis de tomber malade et mourir. Qu'est-ce que vous pourriez leur dire, ne serait-ce qu'au nom de l'Écologie, sinon : « Avilissez-vous, souffrez-en, puis devenez malades et mourez. » (*E*, p. 16,17)[32]

L'impératif de l'amer est soutenu par la question qui structure *L'Océantume* et traverse implicitement les autres romans : « Un littoral est-il interrom*pu* ou ininterrom*pu* ? Pue-t-il ? » La question révèle d'ailleurs, on ne peut plus explicitement, que si le littoral pue c'est d'abord de se faire débris du littéral. La continuité (ou non) de son tracé interroge le fantasme d'un englobement total et, par conséquent, le désir de la mer (Mère). C'est parce qu'il suppose l'immersion du littoral que le projet de son parcours et de l'écrit trouve sa « solution de continuité ».

Le désir de détruire le littoral déclenche la crue irrépressible de la mer et l'homogénéité liquide du globe. Ce travail d'immersion occupe toute la langue de Ducharme. L'identification du signe à la béance incomblable de la mère provoque une crue du littéral, une inflation de la lettre qui voudrait recouvrir définitivement la cassure d'un désir insatiable. Mais la fracture littorale niée fait retour sous la forme de la fraction, de la fragmentation, du déchet recraché par la matière immergeante[33]. Tout le romanesque ducharmien s'écrit pour nier la condition littorale de la lettre, ce qui a pour effet de la faire advenir à la place de la mer, charroyant les débris du corps — du sujet — submergé.

L'incorporation de la mère dévorante dans la langue et son enfermement dans la lettre contaminent le symbolique et empestent

---

32. Relire aussi les propos de Mille Milles : « Pourquoi m'obstiner à appeler déchéance cela dont à grands cris mon âme réclame sa délivrance ? [...] Pour mon âme, déchéance ne veut pas dire déchéance mais rédemption. [...] Vive la déchéance ! puisque mon âme d'avance en fait sa joie. » (*NV*, p. 178)

33. À l'instar de ce minahouet onirique : déchet auquel Iode se compare, qui, craché par la mer, est menacé d'être repris par elle, cette mer déjà contaminée par les débris qui la hantent : « Tu es plus sale qu'un égout ! » (*O*, p. 148) André Gervais, *loc. cit.*, a d'ailleurs souligné la teneur littérale de cet objet. « Ce minahouet est un déchet (litter) que le texte, littéralement, abandonne ici, sur cette page. [...] *mina* houet, débris d'un nom qui l'imbibe. » (p. 287)

jusqu'à la puanteur le littoral. La puanteur est ici celle du temps stagnant de l'osmose et de l'inceste, celle du temps empesté par le verrouillage de la Loi contre laquelle la jouissance et la naissance cherchent à se ressaisir dans une autonomination. L'avortement constitue alors la scène fondatrice de cet auto-accouchement triomphant. La mère, prise dans la langue, se retourne comme un gant pour offrir son versant informe, son intérieur à vif « grazéviskeux ».

Les romans, parsemés de ces scènes d'horreur, fonctionnent tels des fantasmes où la langue accéderait à ce qu'elle croit avoir perdu : le « maternel ».

> Quand Man Falardeau est morte, ça a été trop [...]. On est restés petits [...]. Assez petits [...] pour rentrer dans son ventre, ouvert jusqu'au cou comme une truie qu'on débite. [...] On est sortis tout gluants d'un ventre exaspéré, on est nés pour n'avoir que ce qu'on ne veut pas. [...] (E, p. 10, 16)

> Ma mise à vie s'est effectuée [...] à hâter une gestation difficile, douloureuse, impossible. [...] [Ina] attrape par un pied le fœtus agité, l'arrache d'un coup de son ventre, l'emballe dans un drap et le laisse là. Je suis née; j'ai les membres brisés. (O, p. 33, 35)

Les romans procèdent de la dilatation, du gonflement et de l'expansion de cette naissance avortée. Véritable récitation du temps qui cherche son commencement. Le temps mort trouve son éternité dans la saturation délibérée du verbe, dans l'enflure de son texte bouclé sur lui-même, dans l'immersion totale de l'amer[34]. Tous les romans s'achèvent tels qu'ils avaient commencé : dans la collusion des corps avec la langue, dans le tragique assumé de l'interminable fin. L'interruption du flot n'est pas vraiment une fin puisque l'identification accomplie du narrateur avec la mort — le corps mort de la langue — est là de tout temps. La mort suspendue à la langue fait du narrateur, littéralement, un suicidé. La condition d'interruption se trouve dans l'ininterruption que produit l'affirmation finale qui consiste à « céder à soi » pour revenir au Même[35]. En s'inventant à partir

---

34. « Pour nos corps, ça a fini là, ils se sont figés net, toutes glandes en panne. Sur nos mains et visage le temps passe sans laisser de traces [...]. On est restés petits comme on était quand on s'est vus debout dans le sang de Man Falardeau » (E, p. 10); « L'éternité est une sorte d'heure qui n'en finit pas. Je refuse de mourir. Si je me cramponne à ce morceau de temps pendant lequel je croyais à Constance Exangue et à Christian, je ne serai jamais vieille que d'une heure et ne mourrai pas. Il faut s'arrêter là dans le temps où l'on a souhaité que les choses stoppent. [...] Nier l'évidence. » (AA, p. 333-334)

35. « Puis demain, 21 juin 1971, l'hiver va commencer, une dernière fois, une fois pour toutes, l'hiver de force (comme la camisole), la saison où on reste enfermé [...] parce qu'on a peur d'attraper du mal dehors et qu'on sait qu'on ne peut rien

d'une énonciation de suicidé — *sui cedere* —, le texte trouve sa fin dans la réitération de ce qui l'a soutenu depuis la première phrase. Il commence déjà mort, il finit en affirmant sa mort. La fin était déjà au commencement. C'est là aussi la signature du héros ou de l'héroïne ducharmiens, lisible dans les derniers mots de *L'Avalée des avalés*.

En fait, on assiste là, pourrait-on dire, à la négation du temps romanesque. Si pour Aquin « le commencement n'est le commencement qu'à la fin », selon l'expression de Schiller, pour Ducharme, la fin est de tout temps au commencement puisque le continuum du littéral a pour condition une interruption originaire qui ne fera plus que produire du temps cumulatif. L'accumulation du temps mort serait alors la réponse nihiliste à l'horreur de la séparation.

Le blocage du temps est clairement élaboré par *L'Hiver de force*. Dans ce roman, le mal ouvre et clôt l'énonciation. Il s'agit d'un mal étrange, inscrit d'emblée dans la langue et que l'expression « dire du mal » place d'entrée de jeu dans l'espace de la narration. Statut d'un dire où le désir est déjà inversé:

> Comme malgré nous (personne n'aime ça être méchant, amer, réactionnaire), nous passons notre temps à dire du mal. (*HF*, p. 13)

Voilà donc la première phrase du roman. La dénégation surgit dans l'écart d'une parenthèse où l'on reconnaît le parti pris des personnages ducharmiens qui choisissent précisément d'être ce qu'ils n'aiment pas. Dire du mal de tout, c'est rester suspendu à la question de l'identité en se déplaçant sans fin dans la langue, quitte à ne trouver ses identifications que dans les rejets qu'elle opère.

> [...] nous n'avons pour nous défendre que les moyens donnés aux solitaires, médiocres, malsains et malpropres: l'anathème [...]. Car nous voulons absolument nous posséder nous-

---

attraper du tout dehors, mais ça revient au même. » (*HF*, p. 283) Le suicide du narrateur est toujours porté à la limite du texte dans l'identification qui a lieu depuis le début entre le narrateur et ses semblables (sœur, Auteur, mer/mère). Suicide en suspens, inaccompli dans l'histoire, toujours déjà réalisé dans la langue : « L'odeur âcre du sang m'a pris à la gorge, comme quand on passe près d'un abattoir. J'ai comme envie de rire. Je suis fatigué comme une hostie de comique » (*NV*, p. 275); « Gloria est enterrée mardi. [...] Je leur ai raconté que Gloria s'était d'elle-même constituée mon bouclier vivant. Si vous ne me croyez pas, demandez à tous quelle paire d'amies nous étions. Ils m'ont crue. Justement, ils avaient besoin d'héroïnes » (*AA*, p. 579); « Vincent Falardeau écrivait ses Mémoires tartelus dans son grenier [...]. Quand il a mis le point final à ses Mémoires, il avait rendu compte de dix-huit des vingt-six années qu'ils devaient couvrir. (R.D.) » (*E*, p. 285) *La Fille de Christophe Colomb* s'achève dans l'apocalypse d'une osmose (entre Manne-terre et Manne-eau). Fin des temps dans la fin des rimes, fin du littoral dans le littéral.

mêmes tout seuls, garder ce que nous avons [...] dont le plus apparent est justement notre haine pour tout ce qui veut nous faire vouloir comme des dépossédés. (*HF*, p. 14)

Le mal désigne finalement le rien dont l'équivalence est posée à la dernière phrase du roman où il est dit qu'« attraper du mal » ou « attraper rien du tout » revient au même. Attraper du mal et attraper *rien* s'équivalent puisque l'énonciation advient en rejetant systématiquement tout discours et que la seule appropriation consentie est celle du rien qui est le mal dont souffre le sujet — « notre bag, man, c'est un bag vide ». Dire du mal — ou dire *rien* — n'est qu'une façon de faire agir le vide dans la lettre pour ne pas être agi par lui. Tout le texte est alors à reprendre depuis les premiers mots qui le disposent dans le registre du semblant et du semblable: «Comme malgré nous...» La mimétique du rejet répond au sentiment violent d'être soi-même l'objet du rejet dans la relation amoureuse figurée ici par l'inaccessible Catherine Reine des Tounes. Et la fin du roman en est la relancée.

Le vide dont les Ferron ont fait une catégorie de leur existence met en scène la logique de tous les autres romans. Ainsi, « passer son temps à dire du mal » est bien ce que font tous les narrateurs au point où leur temps se coince dans ce dire, dans ce mal qui se dit et où aucun temps ne passe parce qu'il est toujours déjà passé. Si « tout revient au même », si le 21 juin est le début de l'hiver c'est que le temps est bloqué, arrêté quelque part, retenu de force, parce qu'on le sait perdu. Mais l'immobilité qui consiste à remplir le vide, à prendre son mal, appartient à la logique du « comme » où le semblable se fait souverain.

Dire du mal s'accomplit « comme malgré nous ». Ce qu'il faut entendre là, c'est une voix narratrice qui avoue la supercherie de son aliénation et le déni de son énonciation. Tous les romans de Ducharme n'ont-ils pas cette prétention de s'écrire comme malgré eux ?

Les Enfantômes donne aussi sa portée signifiante à l'ensemble de l'œuvre. L'« enfantôme », signifiant du temps arrêté quelque part dans l'enfance, vient hanter la voix absorbée par ses mémoires, tellement absorbée d'ailleurs que, par un étrange effet de dilatation du texte, les repères chronologiques — pourtant toujours affirmés — deviennent absolument insaisissables. Le temps des mémoires est un temps qui reste « sur place », un temps cumulatif qui saisit la langue et l'étend dans tous les sens, jusqu'à la prise en charge ultime par R.D. qui signe en quelque sorte l'arrêt de mort de la narration. Les premières phrases de *Dévadé* jouent aussi de cette posture:

Ce n'est pas pour me vanter mais ce n'est pas une vie. Mais ce n'est pas de ma faute, je fais de mon mieux, le plus mal possible, goguenard et égrillard. Mais la patronne a beau dire, elle ne casse rien non plus dans son fauteuil roulant. J'aime que ça cesse quand c'est fini. Quand ça recommence ça me scie. (*D*, p. 9)

Ainsi, le littoral noyé laisse toute la place à l'amer ou à l'ennui comme alternative à la mort. Fausse alternative que celle de « niaiser ou mourir » (*AA*, p. 129) puisque niaiser c'est encore perdre son temps, se perdre *dans le temps* et y rester. Mort du temps, dirai-je, où le sujet nihiliste se prend à faire le mort.

Le rapport de Ducharme au nihilisme a déjà été soulevé, mais dans une réflexion qui ne me semble pas préoccupée par la logique du roman [36]. En fait, l'écriture — toute écriture — œuvre par avance dans le négatif. Il y a donc, dans l'acte même d'écrire, une tentation nihiliste ou, pour le dire autrement, l'écriture force celui qui s'y livre à rencontrer le dérobement de sa positivité. Le nihilisme pour sa part, est certainement un concept foisonnant, polymorphe et difficile à réduire. Toutefois, on peut essayer de cerner ce qui, dans l'écriture de Ducharme, en ressort.

Ce qui participe du nihilisme contemporain reste sans doute — et chez Ducharme plus qu'ailleurs — tributaire de l'analyse de Nietzsche. Analyse complexe et lourde de conséquences puisque le nihilisme n'y est pas pensé comme un moment dans l'histoire mais comme le moteur de l'histoire de l'homme en tant qu'histoire universelle. La problématique du néant, de la mort ou du vide y est indissociable d'une généalogie de la morale où la volonté de puissance se fonde sur une négation dont l'enjeu en est toujours un d'évaluation.

Comme le souligne Deleuze,

> *nihil* dans nihilisme signifie la négation comme qualité de la volonté de puissance. Dans son premier sens et dans son fondement, le nihilisme signifie donc valeur de néant prise sur la vie, fiction des valeurs supérieures qui lui donnent cette valeur de néant [37].

Il y a par ailleurs une acception plus répandue du terme qui désigne une réaction contre les valeurs supérieures. Il ne s'agit alors ni d'une valeur de néant prise sur la vie ni non plus d'un néant de volonté comme signe d'une volonté de néant, mais d'un néant des valeurs et d'une véritable négation de toute volonté. On se souvient

---

36. Renée Leduc-Park, *Réjean Ducharme, Nietzsche et Dionysos*, Québec, PUL, 1982.
37. Gilles Deleuze, *Nietzsche et la philosophie*, Paris, PUF, 1962, p. 169-170.

que Nietzsche arrive à penser l'histoire comme le passage continu du nihilisme négatif — fiction, leurre, religion — au nihilisme réactif puis au nihilisme passif. Jusqu'où ira l'homme dans cette voie? Jusqu'au grand dégoût[38].

Le nihilisme comme *ratio cognoscendi*, après la mort de Dieu — mais justement, sa mort n'est-elle pas ce qui fonde le savoir et la connaissance? — est bien ce nihilisme réactif de l'homme moderne s'efforçant de sécréter ses propres valeurs — progrès, santé, bonheur des masses, consommation, moralité de l'homme social. Ce nihilisme réactif dont la positivité apparemment contradictoire trouve sa formulation dans le triomphe des sociétés occidentales modernes — « Nous avons inventé le bonheur[39] » — n'est, selon Nietzsche, que la vie et la pensée réduites à leur forme réactive. « Le plus hideux des hommes » est aussi l'homme supérieur qui s'est mis à la place de Dieu et se révèle plein de mauvaise conscience et de ressentiment.

Le but de l'« humain trop humain », celui qu'atteint l'homme supérieur — qui n'est pas le surhomme, au sens de Nietzsche, mais l'essence de l'homme — est un but raté puisque ce qui le motive est un « devenir-réactif », le devenir d'une négation comme négation de toute volonté. L'homme supérieur nietzschéen est celui qui assume, accepte de porter le poids, la lourdeur de ce savoir sur le négatif de sa voie. Dans cette optique, le nihilisme réactif, qui permute les valeurs et affirme sans réserve la vie et le bien, n'est que le versant positif de la *ratio cognoscendi* qui reconnaît le *nihil* au fondement de la positivité du réel et se charge d'en éprouver la douleur et le mal.

Être nihiliste pourrait se définir ici comme la tendance à ramener le vide et le manque dans la balance des valeurs pour leur faire subir l'épreuve de la vérité et agréer au désert dont la croissance est à l'avance marquée par le temps humain. Ducharme, par sa prise en charge de la destruction-restauration de l'Autre dans la langue, apparaît, à l'instar de l'âne nietzschéen, comme la caricature de l'affirmation qui dit oui à tout, même au non, qui fait ainsi être le non-être et rend présente l'absence. Partant, le nihilisme intervient dans le roman chaque fois que la langue se prend au différentiel continu propre au signifiant linguistique, chaque fois que l'acte de négation se réduit à une réaction, à une positivité inversée. En fait, l'enjeu principal du nihilisme se trouve dans le système des représentations, à l'endroit précis — et illocalisable — où fait incise l'énigme du sens et

---

38. « Tout est vide, tout est égal, tout est révolu! [...] Toutes les sources sont taries pour nous et la mer s'est retirée. Tout le sol se dérobe mais l'abîme ne peut pas nous engloutir. Hélas! où y a-t-il encore une mer où l'on puisse se noyer? » (Friedrich Nietzsche, *Ainsi parlait Zarathoustra*, Paris, Gallimard, 1971)
39. *Ibid.*

du non-sens. Ducharme est nihiliste lorsqu'à la place de cette incise il injecte de la langue, même si — et plutôt *parce que* — cette langue entre en délire de se mesurer à l'énigme du Nom.

Il n'existe pas pour Nietzsche de véritable antonyme au nihilisme puisque le renversement est encore positivité inversée et donc nihiliste. La question nietzschéenne étant « comment vaincre le nihilisme ? », il s'agit d'envisager son achèvement plutôt que son renversement.

Le nihilisme, on le voit, est directement lié au temps, c'est-à-dire à une certaine façon d'occuper et de travailler la langue. Il dérive aussi directement d'une certaine croyance en l'authenticité — dont l'athéisme ou la dérision *est* le ressentiment —, et vise l'énoncé d'une vérité puisqu'il consiste à s'y opposer en prônant l'absence de toute vérité et de toute loi. S'opposer à l'authenticité, c'est encore continuer de la supposer — ne serait-ce que parce que ce concept cerne un lieu d'existence imaginaire, et qu'il est déjà valeur. Le nihilisme, pourrait-on dire encore, ramène le néant, sa vérité, dans l'ordre du savoir sous la forme de l'arbitraire et du non-sens. Dans cette optique, il apparaît que le roman comme genre ne cesse de questionner cette position et d'y répondre en organisant la transmission d'une vérité hors sens. La fictionnalisation, en intériorisant la fracture de l'Autre, la découpe de la lecture, en recomposant l'imaginaire du lien pour y aménager la fuite du Nom, fait advenir un temps qui est, en tant que tel, vérité du dérobement ou encore acte de *néantisation*.

Il ressort de cette logique que la topologie du roman ducharmien laisse irrésolu le problème du nihilisme puisqu'elle paralyse la lecture dans une pratique « édificatrice » qui feint l'interprétation en l'offrant, pour rire, en exemple. La posture nihiliste est d'ailleurs celle que privilégie l'humour de ce roman. Et l'on reconnaît encore cette posture, illustrée par le poète Adé, dans *Dévadé* :

> Quand ce n'est pas trop démoralisant c'est trop enthousiasmant. On se ramasse de toute manière avec des quantités excédentaires dont le poids menace notre équilibre. [...] Le poète Adé, qui ne se soumettait à aucune loi, s'appliquait à outrepasser ce signal de danger [...]. Il voulait faire peser la masse d'horreur jusqu'à ce que le ressort qui ramène la ligne de repère à l'horizontale se casse. (*D*, p. 59)

Le renversement de l'édification du roman en enseignement du rien, en exemplarité de l'ennui, du vide, de la niaiserie, même s'il rejette le critère d'authenticité des valeurs, restaure ce même critère dans le ridicule et la dérision. Toutefois, et c'est là le travail d'une topologie de la suture, le nihilisme du roman est chez Ducharme mis au carré, dans la mesure où l'écriture non seulement refuse l'existence d'une vérité, mais écrit la *forme* de ce refus. En d'autres termes, dans son insistance à dé-fictionnaliser le procès narratif, c'est un savoir en trop sur le *nihil* qu'il ne cesse de produire au lieu même de la vérité.

L'amer est ici l'effet du littoral submergé par la crue inflationnaire du littéral. Moment où l'écriture se fait solipsisme — *solus ipse*, solitude du même, du moi-même[40]. Le roman ducharmien porte le nihilisme au statut de vérité du roman. C'est en cela qu'il met le symptôme dans l'écrit, c'est-à-dire qu'il réussit à écrire le ratage sur lequel l'imaginaire du lien social bute et s'aveugle. Le réel du littoral qu'est la lecture passe au littéral d'une écriture en arrêt. Ducharme fait donc du roman la métaphore du lien en en haussant la logique au second degré, construisant une topologie particulièrement signifiante. D'autant plus que l'impasse de son registre apocalyptique est l'objet premier du rire, celui du narrateur mais aussi celui, appelé, désiré, du lecteur. La dérision est alors ce moment particulier qui suspend son équilibre là où l'amer nous ferait « marrer ».

Rire du roman

> Le rire n'est qu'une expression, un symptôme, un diagnostic. Symptôme de quoi ? Voilà la question. La joie est une. Le rire est l'expression d'un sentiment double, ou contradictoire ; et c'est pour cela qu'il y a convulsion[41].
>
> Il faut rire ! Le rire est le contraire de l'amour, de la foi et de l'espoir. Comme tu es sérieux, océan ! (*O*, p. 160)

Le roman de Ducharme se fait l'objet du rire. Il ne s'assume, semble-t-il, que s'il vient à l'écriture *pour rire*. La question reste donc en suspens, de savoir qui rit dans le roman, du roman et avec le roman. On n'aurait qu'à reprendre les titres de Ducharme pour voir à

---

40. « Bérénice Einberg, toute hideuse qu'elle soit commande à toute la création » (*AA*, p. 75), « Je me suis érigée en république autocratique. Je ne reconnais à personne le droit de me faire la loi, de me taner, de m'assigner à un pays et de m'interdire les autres. Je suis celle par laquelle aucun grand vizir n'échappera à la défenestration » (*O*, p. 91) ; « [...] et puis ne quittez pas vos pères et mères, mettez-les dehors, dehors les maîtres creux et leurs maîtresses creusées, dehors les autorités fourbes et floues, dehors femmes, femmilles, sociétés qui se laissent à qui miam-miam fourber, flouer, fourrer, chassez-les tous et prenez la place, toute ta place, la place de l'amour, si salopée. » (*E*, p. 256)
41. Charles Baudelaire, « De l'essence du rire et généralement du comique dans les arts plastiques », *Œuvres complètes*, Paris, Gallimard, « Bibliothèque de la Pléiade », 1951, p. 984.

quel titre, justement, ses romans s'insèrent dans l'ensemble de la production romanesque. Le jeu de mot s'y donne par avance pour le maître de la narration. Il s'agit de séduire d'emblée par le court-circuit du sens. Le lecteur est prévenu: ceci n'est pas un roman... comme les autres. Ceci est *d'abord* un bon mot. L'humour, déjà dans la lettre, prend de vitesse le sens en cours de constitution ou de destruction.

Le comique affiché est particulier, rapide, littéral. Il n'a nul besoin de l'anecdote, du contexte ou de l'image. Il vient à l'écrit en toutes lettres et n'est souvent que l'effet d'un lambeau de phrase — « ma gueule d'évadé »; « je suis un nez qui voque ». Le rire désiré est déjà dans la langue. Toute la logique du roman, la topologie de son désir de suture, se justifie — souvent impérativement — par le rire. Le lecteur est prié de s'en tenir à cette règle, sinon il sera sommé de « s'en aller ». Le roman sera donc « risible », au double sens de comique et de ridicule car le rire y occupe un double statut: à la fois narrativisé et littéralement porté au dehors.

Le rire est double, dit Baudelaire, il est même contradictoire. Si le rire rejoue à sa façon, dans son spasme — sa « convulsion » —, l'arrachement du sujet à lui-même et au Même, témoignant ainsi d'une irruption de l'Autre soudainement rappelé à la saccade de son apparition-disparition [42], l'humour de Ducharme n'est pas indépendant de la fonction du Nom qui travaille ses romans. Bergson, dans sa contribution assez substantielle à l'élaboration d'une théorie du rire et à l'analyse formelle de l'humour, avance ceci qui me paraît important:

> Ce qu'il y a de risible [...] c'est une certaine raideur mécanique là où l'on voudrait trouver la souplesse attentive et la vivante flexibilité d'une personne. [...] Un personnage comique est généralement comique dans l'exacte mesure où il s'ignore lui-même. Le comique est inconscient [43].

Le rire est provoqué par l'irruption de quelque chose qui échappe brusquement aux domaines de la maîtrise et de l'attendu. Une telle échappée suppose un aménagement où elle puisse avoir lieu, un certain ordre, un certain désir de maîtrise sur fond duquel va surgir l'acte manqué, l'inattendue ratée qui fait rire.

---

42. C'est ce que Baudelaire affirme mais aussi Sigmund Freud, *Le Mot d'esprit et ses rapports avec l'inconscient*, Paris, Gallimard, coll. « Idées », 1971, et Daniel Sibony, « Le rire », *L'Infini*, n° 10, printemps 1985, p. 88-107.

43. Henri Bergson, *Le Rire. Essai sur la signification du comique*, Paris, PUF, coll. « Quadrige », 1985, p. 8 et 13. Ce qui rejoint Baudelaire : « [...] l'essence de ce comique [celui d'Hoffman] est de paraître s'ignorer lui-même et de développer chez le spectateur, ou plutôt chez le lecteur, la joie de sa propre supériorité [...]. Le comique absolu est de s'ignorer lui-même. » (*op. cit.*, p. 993)

Une scène de Chaplin illustre à merveille cet aspect du comique. Charlot, debout au coin d'une rue, pousse subrepticement du bout de sa canne un vieux papier dans le grillage d'une bouche d'égout. L'activité de la rue sollicite constamment l'attention du personnage qui reste pour l'instant inaperçu des promeneurs. Son geste discret, fait à l'insu de la foule, entre graduellement dans le champ de visibilité des « autres » en devenant la proie d'une répétition incontrôlable fondée sur une réversibilité du temps qui déjoue les lois de la causalité: chaque fois que le regard de Charlot quitte la grille, le papier revient.

Tout l'humour de la scène est construit sur ce retour du papier, exigeant chaque fois une technique de rejet de plus en plus complexe et violente. Le papier, jeté à l'égout, en ressort comme pour ponctuer le relâchement de l'attention. C'est l'égout qui devient sujet de la scène et devance brusquement le geste calculé de Charlot. L'effet comique est d'autant plus fort qu'il vise la dissimulation et la maîtrise d'un geste dont l'effort d'invisibilité devient de plus en plus acrobatique et ostentatoire, provoquant finalement un attroupement. La visée du regard des autres n'a alors plus d'autre objet que le geste gesticulé de Charlot. Le regard porte uniquement sur l'effet — le symptôme — coupé de sa cause: la rage de Charlot ponctuée de faux sourires innocents et dissimulateurs. Le papier semble en effet demeurer invisible pour le « troupeau ». Le rire du spectateur porte ainsi doublement sur la mécanique de l'objet, réglée par un automatisme, et sur le personnage symptomatisé par le regard des « censeurs [44] ».

Cette scène de l'ordure qui revient, du déchet injetable, est très proche de l'humour que l'on rencontre chez Ducharme. Si, comme le dit Bergson, on rit lorsqu'à la place du vivant surgit l'automate, Ducharme suscite le rire en ramenant la langue à la mécanique du papier jeté revenant au jeteur tel un signifiant indétachable — à la fin de la scène de Chaplin, Charlot devient lui-même le déchet, rejeté par la collectivité qui condamne la folie de son comportement.

L'effet comique chez Ducharme est toujours un effet de langage. L'humour vient d'une pratique qui consiste à s'autoriser du sens — du savoir, de la lettre — au point d'en exclure la loi, refoulant le silence et l'énigme par l'affirmation péremptoire de la maîtrise dans laquelle est appelée, bien sûr, à se produire l'irruption ou le retour du rejeté — le hors-sens, l'Autre. Ce retour prend la forme d'un non-sens

---

44. On rit de ce que l'irruption de l'inconscient, le retour du refoulé provoque la rage de la victime et l'étonnement horrifié des badauds qui prennent pour fou celui qui se livre à la dénégation spectaculaire et évidente de l'évidence.

qui surgit selon une accélération qui prend la langue de vitesse pour la livrer à l'automatisme de la lettre[45].

Le dérobement du sens, exclu du désir de l'écriture, revient sous la forme d'un dérapage « automatisé[46] ». La verve des narrateurs prend presque toujours l'aspect d'un circuit qui a pour fonction de lancer l'affirmation littérale de l'être — « je suis ce que je dis » — dans l'automatisme de la lettre. L'absurde se fait ainsi le signifié même du sujet de la maîtrise. En jetant l'Autre à l'égout, le sujet se fait maître du savoir, auteur absolu et unique du sens. Mais c'est pour retrouver l'Autre dans l'irruption d'un savoir sans auteur, fonctionnant à vide. L'absurde surgit là où le trou du savoir se transforme en déchet. Il ne reste alors qu'à donner à plein dans la déroute de la lettre, qu'à se faire auteur pour s'autoriser d'une langue autonome. C'est ce que fait Mille Milles qui n'en finit pas de se laisser prendre à tous les calembours. C'est ce que font tous les narrateurs désespérés devant leur impuissance.

L'affectation du non-sens dressée tel le nom propre du sujet de l'énonciation prétend d'autant plus au comique qu'elle ne cesse de produire du sens. Tant qu'on laissera courir la lettre sur son aire, elle produira du sens. L'ironie, c'est qu'il n'y a pas de non-sens à l'opposé du sens et que le « non-sens » est encore significatif. La doublure réversible de l'autorité — maîtrise du tout rejouée en maîtrise du rien — enferme l'auteur de la parole dans un totalitarisme qui organise toute la scène du roman.

Il y a quelque chose d'irrésistible dans cette irruption incontrôlée du littéral. Ducharme cultive l'humour au lieu symptomal de la langue. Le rire est désiré là où le trait du désir — le Nom — dénié n'est pas attendu, à savoir dans la lettre[47]. On peut rire aussi de

---

45. Henri Bergson : « Ce n'est [...] pas [un] changement brusque d'attitude qui fait rire, c'est ce qu'il y a d'involontaire dans le changement, c'est la maladresse. [...] *un effet de raideur ou de vitesse acquise* [...]. » (*op. cit.*, p. 7)

46. « Comme tous les êtres humains fuient, ceux qui sont à l'avant-garde sont ceux qui fuient le plus vite. Mais cette vérité n'est pas une vérité contrôlée. C'est donc une vérité incontrôlable. Cette vérité n'est donc rien que quelque chose que je n'ai pu m'empêcher de dire, qu'une vérité humaine. [...] J'entends par vérité humaine, une vérité qui n'est vérité que pour celui qui parle. Je fais mon petit Camus. » (*NV*, p. 66-67)

47. C'est là tout le comique du lapsus et du Witz dans lesquels le sens est pris de vitesse par la lettre : « La plupart du temps, il m'ignore. Espèce d'ignorant ! » (*AA*, p. 25) ; « Elle ferait aussi bien de continuer à s'asseoir sur la chaise de l'évêque erroné, de l'évêque péroné, de l'évêque tibia » (*AA*, p. 96) ; « [...] elle m'appelle maintenant petit singe. Ti-Hibou. Ti-Singe. Titanique. » (*AA*, p. 137) Mille Milles, en bon philosophe, cultive ses lapsus affirmant ainsi la primauté de la lettre qui ne souffre aucune rature : « J'aime mieux dire dollar que piastre, à cause de Dollard Saint-Laurent... Dollard des Ormeaux » (*NV*, p. 12) ; « Je fais comme Maurice Bourassa, Maurice Duplessis plutôt » (*NV*, p. 25) ; « Il y a beaucoup de Chinois sur la tête, sur la terre. Excusez, la langue m'a fourché. » (*NV*, p. 133)

l'effet dramatique latent ou manifeste que suscite une telle irruption. Les narrateurs, eux, sont aux prises avec la langue comme Charlot l'est avec son bout de papier. Ils n'ont pas envie de rire. Ils doivent plutôt récupérer l'échappée par un rire simulé, un semblant de rire déjà viré au jaune ou au noir. L'envie de rire est différée par la nécessité d'une feinte qui simule pour dissimuler l'assujettissement: « J'ai *comme* envie de rire. » (*NV*, p. 275)

Si le comique est d'autant plus grand qu'il s'ignore, Ducharme en augmente les effets en ponctuant le surgissement imprévu par des jurons ou des insultes adressées au lecteur, concentrant ainsi la narration sur les ratées du narrateur. Le lecteur interpellé et renvoyé à « ses oignons » occupe la même fonction que le troupeau des passants dans la scène de Chaplin: il transfère au « jeteur » le statut du déchet[48]. L'humour aménage une place à l'Autre, hors texte, place où le rire borde les effets de délire dont la langue est la proie[49].

Le roman de Ducharme donne au rire un double statut. Le rire narrativisé — celui des narrateurs — est grinçant, c'est un rire jaune que désigne bien l'expression « hostie de comique ». C'est aussi un rire faux, celui du masque qui suspend la vérité à cette place où elle vient juste « pour rire ». Ce rire impératif et forcé devant l'ordure qui revient de plein fouet fonctionne comme exorcisme à l'angoisse de l'avalement. C'est encore le rire de l'Auteur qui tourne son Nom en dérision pour se mettre du côté des censeurs[50]. Le nommé, ici, se rit du Nom.

> Comme il m'est agréable de sombrer, molle, les yeux ouverts dans le noir, jusqu'à la dissolution totale de mon déguisement et, rendue là, de me reprendre, d'embrasser telle qu'elle est (nauséabonde) Iode Chérie. [...] je me prends [...] dans mes bras: c'est cela, rire. Être moi: être seule avec moi et bien: n'y avoir que moi. L'amer a sûri, tourné; l'amer s'est changé en hilare. (*O*, p. 75-76)

L'autre statut du rire est soutenu par la forme de l'écriture. C'est un rire projeté dans la lecture. Ce rire a pour objet l'amertume ou le

---

48. « J'aime mieux l'inconséquence et l'inconsistance; après tout. Laissez venir à moi les grosses adultes et les gros adultes. Quand cesserai-je d'ergoter et de raciociner ? Va voir ailleurs, si tu n'aimes pas cela. Essaie une autre adresse. L'annuaire du téléphone est plein d'adresses. Quand t'en iras-tu, face terne ? » (*NV*, p. 169)

49. « On sait que le délire n'est pas tant de sortir des rails, mais de continuer, comme s'il y avait des rails, là où il n'y en a plus: le train entre en gare et continue comme sur des rails à déambuler dans la ville. » (Daniel Sibony, *loc. cit.*, p. 97)

50. Censeurs que Mille Milles appelle, par inversion ironique, les « humoristes »: « Il y a toujours, où qu'elle soit, un humoriste pour lui prouver qu'elle a raison, que c'est vrai qu'elle gêne, que c'est vrai qu'elle est indigne et maladroite. » (*NV*, p. 226-227)

déchet pris dans le tissu littéral lorsqu'il rouvre le texte à l'émergence de l'automatisme inconscient. La narration est alors secouée par l'inconscient de la langue. Ce faisant, le rire hors texte, celui présumé du lecteur, répète celui de la langue dont il est la visée irrepérable[51]. Ducharme fait rire le roman aux dépens du lecteur qui, s'il rit, s'en console en esquivant le *propre* de sa lecture. Car le rire signale, lorsqu'il se communique dans la collectivité[52], le voilement avec lequel chacun esquive la brèche de son désir en la reconnaissant.

Le rire est temporel, pulsatif; un temps spasmé qui à la fois sépare et lie aussi bien l'objet du rire — l'automate traversant brusquement l'autonomie — que le rieur devant, pour rire, se reconnaître dans l'objet et s'en distancer. Rire suppose un dédoublement, et le rieur est un sujet secoué par l'aller-retour d'une identification et d'une désidentification. C'est ainsi que se manifeste, dans le sujet, une reconnaissance de l'Autre. Mais cette reconnaissance, par ailleurs presque toujours douloureuse, est ici consolée par la secousse qui fait alterner rapidement les deux temps de l'amour et de la haine au point de les réduire à une pure scansion. Actualisant l'Autre pour l'expulser, le rire est en quelque sorte le temps de la consolation. La coupure active — dans le souffle qui rebondit en saccades — est soudain une coupure dont on prend plaisir à répéter l'effacement. La supériorité du rire dont parle Baudelaire est toute dans cette consolation rythmée du sujet dont l'objet de la risée est séparé, entièrement saisi par l'Autre qui le submerge.

> — Rire c'est se prendre pour un autre [...] et se retrouver dans son « soi-même ». Le premier aspect [...] est lié à l'angoisse, virtuelle ou diffuse dans le rire; et le second [...] est lié à la complaisance évidente que le rire affiche[53].

Le rire apparaît donc « triple », le tiers étant la secousse que déclenche le clivage brusquement actualisé; sans compter qu'il réclame aussi trois « personnes » : le rieur, l'autre dont il rit et le groupe qui supporte son rire. Rire revient toujours un peu à se lier au groupe des rieurs — présent ou potentiel — aux dépens d'un autre. Le lien se fait par propagation d'une coupure ouverte-fermée. D'une certaine façon, on rit toujours de sa castration, d'elle et à partir d'elle (en elle). Mais cette consolation fait symptôme (Baudelaire) dans la mesure où la pulsation du rire vient *en deçà* de l'interprétation et

---

51. « L'humour c'est faire rire la langue à nos dépens, et s'en consoler. » (Daniel Sibony, *loc. cit.*, p. 95)
52. Bergson encore : « Notre rire est toujours le rire d'un groupe. [...] Pour comprendre le rire, il faut le replacer dans son milieu naturel, qui est la société; il faut surtout en déterminer la fonction utile, qui est la fonction sociale. » (*op. cit.*, p. 5-6)
53. Daniel Sibony, *loc. cit.*, p. 89.

peut-être à la place de l'interprétation; à la fois du même ordre et d'un autre ordre.

L'interprétation, telle qu'elle se donne à penser dans l'acte de lecture, est le tracé du désir de l'Autre passant dans l'écrit pour y produire des transformations de structure, renommant ainsi à l'infini la narration. De plus, l'intériorisation, par le roman, de cette interprétation, qui n'est pas autre chose que la disposition d'un désir à son fantasme, supporte, on l'a vu, la fictionnalisation. Or, le rire, quant à lui, semble suspendre la narration. Lié à la castration, il découle aussi de l'entrée dans le temps humain — celui de la faute, celui du Mal et de la douleur —, mais il procède du Nom tel un baume sur la douleur dont il est l'effet, « car les phénomènes engendrés par la chute deviendront les moyens du rachat[54] » (Baudelaire).

Chez Ducharme, le rire est parfois représenté sous des traits diaboliques. Il traverse alors tous les registres de la férocité et survient souvent pour conjurer la peur. Quelle peur? La peur de l'Autre évidemment. La peur d'être repris par l'Autre au moment où le sujet tente de se refaire lui-même, au moment où il entreprend de se renommer. En ce cas, le rire permet encore d'adhérer à soi, de toutes ses forces, de faire comme si le retour de l'Autre était voulu. Le sujet, alors, ne rit qu'à moitié, il force la secousse et fait du spasme un rejet. Le registre du rire jaune chez Ducharme va de l'affirmation simple de l'identité entre soi et soi — « C'est cela, rire. Être moi. » — au rire violent qu'accompagne le désir d'abolir tout ce qui n'est pas moi[55]. Entre ces deux pôles, le rire passe par la dérision selon laquelle le sujet s'affirme dans une identification au déchet[56]. La dérision est impérative puisqu'elle arrache aux autres l'initiative de la moquerie. Chez Ducharme, elle est aussi bien dans la dénégation de l'auteur que dans l'apostrophe au lecteur, qui l'intime à rire « veut veut pas! »

---

54. Charles Baudelaire, *loc. cit.*, p. 978.
55. « L'odeur âcre du sang m'a pris à la gorge. [...] J'ai comme envie de rire. » (*NV*, p. 275); « Je n'ai qu'un visage et je n'ai pas fait ce visage, mais j'ai le choix entre trente grimaces. Quelle grimace choisirai-je? [...] Je choisis le rire. Le rire! Le rire est le signe de la lumière. Quand, soudain, la lumière se répand dans les ténèbres où il a peur, l'enfant éclate de rire. J'ai le goût d'arracher des ongles avec des tenailles, de scier des oreilles avec un rasoir, de tuer des êtres humains et de pendre leurs cadavres aux cimaises [...]. Je ferai tout ça pour rire. Rire! Rire à mort. » (*AA*, p. 193)
56. « Pour tout dire, c'est les zéros qui sont les vrais héros. (Farce platte.) [...] Et Roger, qui a toujours le dernier mot pour rire, d'ajouter : « Il avait rien qu'à la casser plus souvent, ça lui fera les pieds... » (quelque chose comme ça, mais mieux tourné; on est poète ou bien on ne l'est pas). » (*HF*, p. 98, 106) Retour dans le rire du temps dilué, de l'ennui : « Le fun c'est platte et j'ai vu tous les films de Jerry Lewis. » (*HF*) Le rire narrativisé est celui de la rétention, du temps immobilisé, bloqué dans son éclatement même. L'alternative « niaiser ou mourir » se recompose en l'espèce du rire.

Ne me prenez pas au sérieux.
Je fais du comique non de l'épique.
Riez ! Riez ! Quoi ? je fais de mon mieux !
D'ailleurs, le Syndicat des tordeurs de rire
A voté une loi obligeant, veux veux pas,
Les spectateurs à manifester du plaisir
Même si c'est ennuyant. Fais ce que dit le S.T.R. Au pas !
(*FCC*, p. 102)

Mille Milles le « joyeux luron » (*NV*, p. 199), l'« hostie de comique », choisit le rire contre la mort, le rire *devant* la mort, la gaieté comme exorcisme au dégoût. Mais ce rire vise directement son statut de sujet d'abjection. Rire de soi l'oblige ainsi à se faire dérisoire selon une prise de possession où, ne s'autorisant que de lui-même, il tient l'Autre à distance. La dérision du narrateur reste tributaire de la douleur du Nom. Elle est une manière de prendre le Nom à revers, de le renommer, c'est-à-dire de le tordre pour en empêcher la fuite et ramener l'Autre à soi dans cette torsion même. Si le narrateur rit de lui-même, c'est pour narguer l'Autre et nier sa Loi. Il s'agit en fait de « rire le dernier », c'est-à-dire de se faire soi-même le rieur et la risée. L'humour de Ducharme provient de ce déni de l'Autre par lequel une figure autoritaire fait tout à coup mine de se prendre à la lettre de son savoir.

Bien qu'ayant les os assez fêlés [...]. Les zostérées sont un groupe de plantes dont la zostère est le type, et la zostère est un genre de naïadacées marines. (*O*, p. 30)

L'homophonie, la traduction « mécanique » et la rime sont les techniques privilégiées par le comique ducharmien[57]. Techniques qui consistent à afficher l'arbitraire du sens et de la lettre, c'est-à-dire, pour Ducharme, l'autorité du nommé contre la Loi du Nom. Les composantes de l'humour servent de support au désir d'a-fictionnalisation. La parodie de l'auteur par le Nom-d'Auteur, la parodie de la Mère par les « noms-de-l'amer », toute cette *invention parodique de l'Autre* tire le roman vers le symptôme du roman. L'Autre parodique demeure

___

57. Le mécanisme aveugle de la traduction devient un effet parodique qui prend le « non-sens » au mot : «With lovely Grace Kelly herself to play the part of screenstar daughter of an american Bricklayer [...]. Ce qui veut dire avec l'aimable Grace Kelly elle-même pour jouer la partie de la fille-étoile-de-l'écran d'un étendeur de briques américain... Ceux qui ne comprennent pas l'anglais, phalloir qui se privent de toute l'huronie que j'ai mise dans cette traduction littérale instant, je les plains, ils vont croire que ce n'est que complaisance tartelue et ils vont aller dire du mal de moi sur les toits... » (*E*, p. 213-214) La « complaisance tartelue » est celle-là même qui caractérise les interventions en bas de pages signées du Nom-d'Auteur. D'où le fait que le lecteur s'incarne immanquablement dans ce « dire du mal ».

l'élément central de cette élaboration humoristique, transférant le désir d'écrire dans le désir de rire[58].

L'effet comique de la parodie vient toujours du fait qu'elle se présente comme une identification — imitation —, non pas tant à l'être de la chose imitée, mais à son « désêtre », ou à ce qui excède l'intention dans laquelle cette chose se transmet. Parodier un style, un genre, une signature, c'est reproduire l'autre dans ses automatismes et ses effets inconscients. La parodie a pour fonction non pas d'imiter les symptômes, mais de faire du parodié un symptôme, de le figer dans ses propres traits, excédés. La parodie installe l'autre dans « une raideur mécanique », elle lui donne le coup d'accélération nécessaire à cette impression de « vitesse acquise ». D'où l'effet comique. En ce sens, la parodie procède d'une identification au manquement de l'autre. Le parodiant fige l'autre dont il se moque en répétant, pour se l'approprier, l'acte pulsatif de ses répétitions signifiantes. Ce faisant, il transforme l'irrépétable — la signature — en butée compulsive et mécanique. La logique parodique vise à ramener dans sa lettre le trait de l'inconscient d'un autre texte.

Chez Ducharme, l'auteur, le roman, le lecteur sont des instances parodiques qui incarnent l'envers littéral du Nom. La Loi du genre tourne à l'insignifiant et à l'arbitraire. L'Auteur surgit à la place où habituellement il s'efface, dérisoirement identifié à sa propre disparition. L'identification au manquement — du sujet — prend la forme d'une incarnation du rien, de l'impuissance, de l'inconsistance et de la nullité.

La parodie est le principe de cette incarnation inversée. L'humour de langue découle donc directement du fait que la langue du roman demeure entièrement déterminée par ce lieu parodique d'énonciation.

---

58. La notion de parodie est prise ici au sens de Linda Hutcheon qui tend à lui donner une définition « plus neutre » (« My attempt to find a more neutral definition... ») ou disons, plus générale : « [...] para in Greek can also mean "beside", and therefore there is a suggestion of an accord or intimacy instead of a contrast [...]. Again, my definition of parody as imitation with critical difference [...] allows agreement with the general idea of parody as the inscription of continuity and contrast. » (A theory of parody, New York / Londres, Methuen, 1985, p. 32, 36) Hutcheon cherche à faire de la parodie une véritable pratique du second degré non limitée par l'effet comique. Sa réflexion permet toutefois de penser la constitution parodique dans un certain rapport avec la répétition. Dans la lignée de Margaret Rose (Parody / Metafiction, London, 1979) et de Gérard Genette (Palimpseste, Paris, Seuil, 1982), la parodie, en tant que technique et pragmatique, implique une conception du texte qui méconnaît la topologie mœbienne d'une répétition en acte et suppose l'objectalité du discours littéraire ou fictif. L'analyse de Hutcheon est significative dans la mesure où elle permet de révéler, au fond de toute démarche parodique formalisée et délibérée, une conception du texte similaire à celle des théoriciens. En parodiant la narrativisation, Ducharme se situe exactement dans ce rapport d'objet avec l'écriture.

La Loi de l'écriture prend corps dans les figures de l'Auteur et du lecteur et assujettit le roman à un Autre masqué par les automatismes du signifiant linguistique[59].

L'invention parodique de l'Autre produit des effets humoristiques entièrement déterminés par les retours du refoulé dans la lettre, et finit par mettre en scène le symptôme. Elle fait bord au champ de l'Autre dans la mesure où le comique s'accomplit en présence du lecteur. Le rieur, lui-même symptomatique, apparaît alors tel un autre pulsatif, ni dénié ni assumé, mais clignotant au bord du texte, à la fois injecté dans l'écrit et éjecté hors de l'écriture. La symptomatisation du roman produit un champ particulier de lecture, « en transfert » d'un versant à l'autre de la narration. L'écriture devient, si l'on veut, transmission du symptôme pour autant que le temps du symptôme devient l'occasion sinon l'objet du rire. Voilà peut-être ce que l'écrivain symbolise ici pour les autres: une lecture en arrêt.

De quoi rit-on en lisant Ducharme? De la langue en proie aux noms-de-la-mère ou de l'interdit de lecture qui dilate la langue dans tous les sens. La dérision de l'Autre le constitue en objet d'humour qui permet, ainsi corporalisé dans l'abject, de s'en dessaisir et de le faire clignoter au-devant d'une lecture qui en reprend le surgissement et la disparition.

Le Nom est ainsi reconnu et pourtant maintenu à distance puisque l'humour en tient lieu. Les jeux de mots et la vitesse de la lettre, saturant le texte selon une prolifération des découpages, se jouent de la nomination, la rappelant pour la suspendre et en rythmer l'interruption. L'effet comique est tout entier dans le retour fulgurant et saccadé de l'Autre, actualisé par une langue en proie à sa propre dérision. L'ambivalence d'un tel rire vient du fait qu'il maintient en tout temps un rapport à l'insupportable — l'insuturable.

La composition parodique du roman est dirigée vers un « tiers » supposé lire et rire de se croire au-delà, à distance, dans le leurre de sa supériorité[60]. Par ailleurs, chez Ducharme, la « supériorité » du rire,

---

59. Par exemple, la comparaison employée à profusion n'est plus ouverture sur une densité symbolique mais l'occasion d'un surgissement incontrôlable du signifiant linguistique dont la rime authentifie la loi codée: « J'aime cela quand cela rime. J'aime à commettre des crimes » (*NV*, p. 26); « Elle pleure comme une cleure, hurle et se débat comme un clébat » (*O*, p. 15). La rime traverse le roman ducharmien comme le trait du déni de la fonction symbolique. Déni qui renvoie toute entreprise d'écriture à son impuissance fondamentale. Les poèmes de Mille Milles et l'épopée de Colombe Colomb poussent à la limite l'automatisme du signifiant. La mécanique de la rime affiche l'autodestruction comme auto-engendrement. *Dévadé* reprend encore dans toute sa virtuosité cette esthétique.

60. La parodie a lieu à la seule condition d'être reconnue: « La création d'une parodie présuppose, par exemple, une certaine compétence chez l'artiste — à savoir la

qui découle du fait que la parodie s'autorise d'un savoir, est précisément la risée du roman. Le rieur peut donc s'illusionner sur son savoir mais, riant, il rejoue dans son corps la pulsation fixe dont il se croit sauf. Rire de l'interdit de lecture ce pourrait être encore une façon de s'interdire la lecture, le rire venant bien à la place de l'interprétation. Le rire désiré du roman est celui qui reconnaît le symptôme tout en continuant de l'ignorer souverainement. Mais il y a tout de même dans ce roman un temps qui passe, un temps en transmission.

Le rire du lecteur est divisé entre le surgissement comique du débris littéral et le sérieux de la logique imparable du livre qui retire au bon mot son effet de gratuité. En d'autres termes, il y a, me semble-t-il, un effet de transmission qui, lui, n'est pas risible et maintient le rire entre le symptôme et l'interprétation. Le roman symptomal trouve son efficace dans un travail de la forme où le sujet-temps du symptôme se donne à lire. Le temps bloqué dans sa digression permanente érige la fiction en figure de haine du roman et, par là même, le transmet dans son inversion.

Le roman de Ducharme « fait passer » le symptôme du roman, *il transmet une censure*. Or, dans le temps de la transmission qui se joue à la limite du texte, le Nom advient comme son propre empêchement. Transmettre la censure, c'est faire du temps d'interruption — interruption de la lecture — un temps encore à lire.

Le temps du rire scande le texte comme le négatif d'une lecture à venir, expulsée. Le seul signifiant transmis est celui-là même de cet appel. Le rire du roman vise le roman en le conformant à l'imaginaire du lien qui en fait son objet et le met en circulation, mort-né [61]. Le roman qui rit du Nom et de l'Autre désire le symptôme de sa vérité. Ce désir est la signature de Réjean Ducharme.

---

compétence ou la capacité de reprendre, dans le texte à parodier, certains traits pour les retravailler et les intégrer à un nouveau texte, à savoir le texte parodiant. La deuxième compétence qui doit faire partie d'une théorie de la parodie est celle du lecteur. Pour qu'il y ait parodie, il faut, dit-on, que la parodie soit reconnue. » (Clive Thomson, « Problèmes théoriques de la parodie », *Études littéraires*, vol. XIX, n° 1, printemps-été 1986, numéro spécial, *La Parodie: théorie et lecture*, p. 15)

61. « Le rire est une transmission de rien, où [...] entre inconscient et lien social passe une vibration. » (Daniel Sibony, *loc. cit.*, p. 105)

Chapitre V

Théologique du crime parfait

Traiter le mal par le mal

> Il suffit de rappeler les premiers chapitres de la Bible, [...] où le Paradis, gâté d'interdictions provocatrices, contaminé par la présence d'une bête infernale, est, avant même la faute et le châtiment, un paradis perdu, cependant que l'homme et la femme, désaccordés, exilés de l'unité humaine avant d'être chassés de l'Éden, ne sont capables de désobéir, d'être séduits, de se séduire l'un l'autre que parce que le mal est déjà là, énigmatiquement antérieur à son propre commencement, irréparablement mêlé aux choses telles qu'elles sont, au point que l'humanité ne peut acquérir la connaissance, travailler, se multiplier [...] qu'après avoir rompu avec l'innocence [...] et commis une faute [...] en elle-même irreprésentable, inconceptualisable [...][1].
>
> Le mal, la souillure sont immanquablement portés au compte des femmes. (*A*, p. 163)

La culpabilité, ou l'attestation de la faute commise, est au centre du roman d'Aquin, générant une autobiographie de type confessionnel. Le foyer du roman est toujours un crime — terrorisme, meurtre, viol perpétré ou subi — qui, par son statut inénarrable, scandaleux ou improbable, relance continuellement la narration vers sa propre genèse. Ainsi s'instaure une double circularité qui projette l'histoire en creux.

Cette éclipse de la narration a l'effet d'un « plan projectif » qui ferait se recouper la faute et sa confession, l'inavouable et l'aveu,

---

1. Étienne Borne, « Le Mal », *Encyclopædia Universalis*, 1984.

l'impossible à dire et la diction de cet impossible, soulignant en cela que le texte se compose explicitement à partir d'un élément inénarrable qu'il met en procès dans le but affirmé de dire la vérité indicible[2].

La narration ne peut alors s'effectuer qu'à travers une surcharge interprétative qui devient le principe opératoire d'un processus d'écriture essentiellement temporel. Celui-ci, en visant la continuité entre l'irreprésentable et la représentation, produit un parcours inattendu selon lequel le nommé est subitement frappé, imprimé, in-formé par l'innommable. « Toute représentation de l'irreprésentable est forcément sujette à des coups de théâtre improvisés » (*NN*, p. 85). Le foyer narratif qui pointe dans la direction du sujet de la confession — le nom du scripteur — est ainsi brutalement mis en perte, « abymé », déformé, rendu irreparable par l'écriture, elle-même dirigée depuis un autre foyer: celui d'une lecture. Le second foyer, d'abord insaisissable, est pourtant lui aussi originaire, étant toujours déjà nommé par le récit bien qu'il reste encore à reconnaître dans l'anamnèse formelle de la narration. Le scripteur se double toujours d'un lecteur, superposant au nom qui écrit le nom de celui qui lit. Le double foyer nominal déclenche une prolifération selon laquelle un nom vient en nommer un autre, effectuant de ce fait des sauts qui coupent et recoupent la narration, et poussent le récit vers une intrication de plus en plus infigurable[3].

Partant d'une nomination impossible de l'Autre, c'est-à-dire de la faute inavouable, l'autobiographie est livrée à l'imprévisible dans un temps clivé, à la fois intransitif et générateur d'autres temps. Ce « temps immanent » (*NN*, p. 94) devient le statut que l'imprévisible confère à l'innommable et s'apparente au « tempus continuatus » mœbien, scandé par une répétition. Le temps de la faute tel que le roman aquinien le construit est ainsi une sorte d'infini actuel, « en

---

2. « Ah ! vraiment, vous ne saurez jamais: ou plutôt, c'est moi qui ne saurai jamais vous dire [...] car je sais trop bien que mon récit ne signifie pas grand-chose, sinon rien ! Pourtant, ce n'est pas une fable... Hélas — devrais-je dire — ce n'est pas une fable: c'est l'abominable et stricte vérité » (*A*, p. 68 et 203); « Tout cela ressemble à une formidable tricherie, y compris le mal que je ressens à l'avouer. [...] La vérité désormais ne tolère plus que je l'ensemence d'une forêt de calices. Dévoilée une fois pour toutes, ma face me terrorise » (*PÉ*, p. 16); « [...] la présente confession calme mon staccato chimique et me ramène dans la voie de la vérité. Finalement, j'ai raison parce que je raconte tout, quasiment par principe... Oui, j'ai raison d'imprimer [...] la motivation cristalline du meurtre de Joan » (*TM*, p. 52).
3. Dans *Prochain Épisode*, le nom de K est producteur du cryptogramme de l'Hôtel de la Paix, de même que de tous les dédales nominaux mystifiants entourant celui-là même que le roman poursuit à rebours. L'ex-libris ramène le Nom à un « chiffre hermétique » (*PÉ*, p. 131) dont seule K, l'innommée, possède la clé (*PÉ*, p. 170-171). De même, le nom de Joan apparaît comme un hiéroglyphe proliférant. Et Jean-William Forestier est le nom du foyer épileptique d'où s'engendrent tous les noms du roman. Sylvie est le nom de l'invisibilité portée au centre du film de Nicolas, principe d'où tous les autres personnages seront renommés.

proie à la finition ». La faute y est toujours nommée depuis une extériorité interne: le roman policier de *Prochain Épisode*, le travail d'édition de *Trou de mémoire*, l'exégèse du journal et sa transcription dans *L'Antiphonaire* ou encore, le commentaire du scénario de *Neige noire*.

> Le tempus continuatus transmue le temps transitif en un temps immanent [...]. Le film se déroule hors de toute fatalité: c'est un système imprévisible qu'il serait futile de tenter de prévoir puisque ces tentatives de prévision impliqueraient que les phases ultérieures du film ne sont pas un passé à venir. [...] La forme formante du film rebondit selon ses propres agencements, et non par le déroulement extérieur dont elle est la représentation. [...] La directionnalité de cette glose est, contre toutes apparences, continue [...]. (*NN*, p. 94, 196)

> Le temps s'allonge indéfiniment et m'instaure majestueusement dans sa propre immobilité. La drogue savamment dosée m'induit dans une existence intransitive qui me comble [...] je suis moi plus que tout, fini, absolument fini, en proie à cette obsession de la finition irrémédiable. (*TM*, p. 47)

L'innommable est toujours fonction d'une re-nommée, c'est-à-dire d'une répétition qui disfocalise l'énonciation du scripteur et l'oriente vers un autre nom. Le « tempus continuatus » procède d'une répétition « originaire » — à l'origine du roman, dès la première page — imposée par l'innommable venant à la représentation sous la forme d'une faute, d'un crime ou d'une crise.

Le sentiment de la faute déclenche chaque fois le parcours de son expiation à travers une écriture confessionnelle « strictement autobiographique » (*TM*, p. 20). Et le débordement expiatoire vise à consumer dans l'écrit le crime lui-même. Chaque narrateur commence son autobiographie en bordant la scène d'un crime inavouable, et le fantasme de produire la nomination attendue projette l'énonciation hors d'elle-même. L'écriture se déploie pour nommer le mal. S'expulsant vers un second centre, l'énonciation ne peut advenir que « possédée », déflagrée par le nom du mal qui ne cesse de la rappeler à sa propre dépossession.

Chez Aquin, il s'agit de nommer ce qui cause l'écriture, ce qui revient à se mettre à la place du Nom. Le travail de réflexivité marque l'écriture du sceau d'un désir de nomination sanctionné — et sanctifié — par la violence. Chaque scripteur est ainsi d'emblée expulsé de son nom et renommé par un foyer de lecture qui, dans le continuum du roman, lui revient comme son point de disparition. Entre les deux: le mal qui cause la re-nommée — le pseudonyme ou le dédoublement — et qui est le point d'engendrement du texte; mal toujours nommé du nom de celle qui en porte la charge: K, RR-Joan,

Christine-Renata, Sylvie. On pourrait illustrer ainsi le parcours narratif de *Prochain Épisode* :

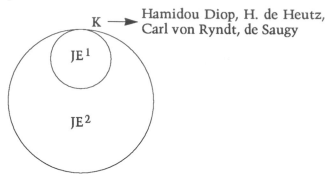

Dans les autres romans, ce tracé mœbien est en fait travaillé par un espace projectif. Autrement dit, le parcours narratif est traversé, comme on va le voir, par sa propre surface, Joan-RR, Christine-Jean-William-Renata et Sylvie devenant les noms propres de cette traversée de la double énonciation.

> Je préfère penser en termes d'extension spatiale et de temps, plutôt que de prêter au sous-sol plus de valeur significative du seul fait qu'il supporte d'autres couches, moins denses, du réel... Au cinéma, on procède d'emblée avec une réalité innommée ; on l'épuise en surface, on la parcourt, on la survole, on l'explore sans descendre jamais sous la ligne de l'horizon [...]. J'incline de plus en plus à penser que la réalité nominale est un monde fini. (*NN*, p. 56)

> La prose du récit est sans profondeur mais non sans pli. (*TM*, p. 145)

Les substitutions en série qui projettent le plan projectif de la narration et aménagent le second foyer narratif, permettent de doubler la confession autocritique d'une critique géométralement décentrée, en continuité avec la première[4]. L'inénarrable est ainsi doublé par l'énonciation d'une lecture, elle-même doublée d'une écriture qui la met en scène.

---

4. L'autobiographie du narrateur de *Prochain Épisode* est projetée dans une apparence de roman policier qui déplace constamment l'auto-énonciation vers une énonciation qui interprète la première ; Pierre X. Magnant se dédouble en éditeur « posthume » de ses propres confessions, elles-mêmes recoupées par celles de RR ; Christine interrompt constamment son récit par celui, autobiographique, de Leonico Chigi ; enfin, l'autobiographie scénarisée de Nicolas ne s'écrit qu'en se lisant au fur et à mesure, les commentaires cinématographiques projetant continuellement le scénario hors de lui-même, dans la scénarisation.

Chaque auto-énonciation est analysée par une autre qui l'« édite » — au sens d'*editio* qui veut dire « mise au jour, enfantement, action de faire jouer »; issu du verbe *edere*, « mettre au monde, enfanter, proférer, faire connaître, désigner, mais surtout NOMMER[5] ». Le double foyer de l'énonciation met en place une temporalité à la fois continue et discontinue. Le mal ou la faute se trouvent engagés dans un circuit par avance répété. Et chaque fois, l'analyse — éditoriale, esthétique, biographique — de l'aveu tronqué ou truqué finit par accomplir la répétition de la faute[6].

Le roman s'avance ainsi masqué d'une confession qui donne forme à la faute irreprésentable qu'il désire nommer. Selon cette logique, le mal est toujours l'effet de la double énonciation qui vise à dérober la scène du crime pour la redisposer au fondement d'une nouvelle légitimité. C'est ainsi que le « double tour » de la narration fait advenir le plan projectif de l'interprétation tel un trou dans la confession[7]. L'effet de retour et le verrouillage de l'aveu rompt avec la logique de l'antécédence et de la succession. RR, par exemple, n'apparaît pas dans la successivité du texte. Elle est d'emblée, superposée à la temporalité du scripteur dédoublé. Son acte d'interprétation provient d'abord d'un lieu irrepérable et anamorphotique d'où l'énonciation sera entièrement décomposée et recomposée.

Ainsi, le mal ne trouve pas dans l'écriture le salut que serait sa résolution. La confession n'a pas pour effet une libération ni une rédemption de la faute. Au contraire, le mal y est infiniment redoublé, démultiplié, au point où le scripteur se trouve arraché à sa propre parole confessionnelle par la violence qui lui arrive d'un lieu excentré. Tous les romans d'Aquin reprennent la même structure du désir. Ils débutent sur une double énonciation traversée par un facteur d'indiscernabilité, progressant selon une perspective où les superpositions s'apparentent au tableau des *Ambassadeurs*.

La lecture agit à l'instar de la Loi, indiscernant le foyer de la narration pour le renommer. Comme le crâne anamorphosé, reconnu, réintègre la scène et la renomme de la place où elle semble à présent

---

5. Henri Gœtzer, *Dictionnaire latin-français*, Paris, Garnier-Flammarion, 1966.

6. La fiction policière révèle la défection, le ratage qui la génère; la confession apocryphe (Magnant/Mullahy) aboutit à la répétition de la faute originaire (viol, violence et mort). Le manuscrit de Christine devient la cause de son suicide et de celui de Franconni de même qu'il est entièrement agi par les lectures qui le traversent. Enfin, le scénario de Nicolas se présente soudainement comme la réitération incontournable du crime.

7. Ce qu'Albert Chesneau appelle à juste titre, à propos de *L'Antiphonaire*, « la lecture qui tue » (« Déchiffrons *L'Antiphonaire* », *Voix & Images*, vol. I, n° 1, 1975, p. 28). Cet effet du plan est aussi ce dont *Neige Noire* fait son récit: « Aussitôt dit, les deux images se décollent l'une de l'autre et instaurent, de ce fait une défocalisation psychologique [...]. » (*NN*, p. 15)

surgir, le second foyer « perfore » la confession pour en changer le signe et la signature et faire du crime et de la culpabilité les figures-temps du sujet :

[RR] a donc réussi, car je n'ose plus enlever ces pages qu'elle a rajoutées au dossier. Je les relis et je n'en reviens pas. (*TM*, p. 145)

Cela finalement rejaillit sur moi, m'influence en retour comme une sorte de ressac violent qui me brise les reins ! [...] le langage ampoulé qui me servait de radeau au début se dégonfle et coule étrangement avec moi [...]. (*A*, p. 214)

Étrangement, la confession semble devancer le mal survenant dans l'après-coup de l'acte scripturaire. Comme si le signifiant de la faute venait, non pas représenter une réalité factuelle ayant déjà eu lieu et devant, par lui, être expiée, mais tel qu'en lui-même il serait la vérité première. Les effets réels de cette vérité du signifiant ne peuvent qu'être toujours déjà « édités », ce que l'obsession du plagiat raconte encore sur le mode de la blessure narcissique. L'écriture aquinienne s'apparente, dans cette perspective, à un « traitement du mal par le mal » formalisant en cela la logique de la Rédemption catholique [8].

Selon cette logique, la faute est transmise au sujet par le sacrement du baptême — manifestation réelle du Nom — qui, tout en prononçant l'effacement du péché originel, en souligne le trait, nommant le sujet dans la filiation du premier Adam et de son double, le Christ. Le baptême marque en raccourci l'événement de la Rédemption advenue mais encore à venir. Événement qui raconte le « rachat », via l'Incarnation, de la faute originelle par le sacrifice de la croix. La Rédemption catholique n'est pensable qu'à travers une répétition de la faute, et inscrit symboliquement la nécessité d'une telle répétition. Le crime « commis en commun » de la crucifixion est en effet rendu infini par cette répétition selon laquelle le sacrifice devient la « forme comme donner forme » au mal. La faute d'Adam passe au rang de Loi symbolique et s'impose comme la condition du salut. Ce traitement théologique de la Genèse et de l'Incarnation déclenche la « seconde chaîne de dérivés » (*TM*, p. 82) que sont les dogmes. La transsubstantiation n'est pas autre chose que la réitération actuelle du sacrifice.

Manifeste dans l'abolition des espèces du pain et du vin, la présence réelle du Seigneur n'apparaît elle-même que dans la séparation de son corps et de son sang; c'est sous la figure de

---

8. *Cf.* Anne Élaine Cliche, « L'hérétique du prochain », *Religiologiques*, n° 5, printemps 1992.

sa mort que le Seigneur est réellement présent. Le dogme catholique de la transsubstantiation démontre ainsi comment le sacrifice de la croix, accompli une fois pour toutes, n'en est pas moins présent dans le temps et peut être réitéré en tant que *sacrifice actuel* [9].

On a tort d'enseigner l'histoire de la littérature selon une chronologie douteuse: elle commence au crime parfait [...]. On invertit les séquences d'un film linéaire dont le centre repose dans le crime, acte central qui paradoxalement, une fois perpétré, agit sur une seconde chaîne de dérivés. Chimie du second degré, l'obsession du crime est un transcendantal: *ce qui est fini transforme et le cadavre, impliqué dans le processus mortuaire, devient le stupéfiant qui permet l'idéation euphorique.* (*TM*, p. 82, je souligne)

Dans les romans d'Aquin, un crime cause le procès narrativif. Ce n'est qu'en se constituant pour nommer cette faute, que le sujet reçoit en retour son Nom. L'énonciation rend présent à l'écrit quelque chose comme une faute en transmission, à la fois anamnèse et projection, sorte de retour dans le corps du scripteur d'un « processus mortuaire » qui effracte son récit. Chaque narrateur désire et accomplit le sacrement du baptême en doublant son histoire d'un signifiant nominal second.

Ainsi, Pierre X. Magnant, renommé Charles-Édouard Mullahy dédouble son écriture en prétendant y combler le « nombre aberrant d'ellipses et d'omissions toutes inexplicables » (*TM*, p. 79). Mais il se trouve aussitôt repris par la Loi de la répétition dont il est lui-même le sujet, et à laquelle il est aussi sujet, comme tous les narrateurs aquiniens. Dès lors, « recouvrir le corps de Joan », tenter doublement d'en réciter la mort (désir de Magnant) et d'en expliciter la cause (prétention de Mullahy), au lieu d'éclaircer et de discerner l'incernable, ne cesse d'augmenter le mystère et de dévoiler le parcours mystifiant de l'aveu.

Le dédoublement est compliqué par des brouillages de pistes — doute de l'éditeur sur l'authenticité de l'écrit de Magnant dont il est le signataire — qui visent à produire de plus en plus lisiblement la « frange labyrinthique » (*TM*, p. 121) mœbienne [10]. Car la stratégie de

---

9. Pierre Klossowski, « La messe de Georges Bataille », *Un destin si funeste*, Paris, Gallimard, 1963, p. 128.
10. On peut noter en passant la représentation du littoral aquinien. Éminemment distinct du littoral ducharmien, il est en parfaite conjonction avec la logique mœbienne des romans: « [...] je m'emprisonne dans le tracé du littoral et dans les calligrammes deltaïques du rivage [...] ruban magnétique à double trame qu'on a débobiné en frises perforées [...], lagune disloquée qui forme une bande

la doublure comme solution à la culpabilité et à l'infondé du sujet exige ici de passer par ce système de simulation. La roman aquinien réinvente chaque fois une configuration au principe de laquelle se trouve un désir de rachat. La « première » écriture borde la place d'un regard tiers, inclus depuis le commencement, hors du temps narratif et pourtant superposé à lui. Ce tiers est nommé : RR, Albert / Suzanne Franconi, le « spectateur », etc.

Dans *Trou de mémoire*, il survient, au centre du roman, en tant que signataire du double récit autobiographique Magnant / Mullahy. Ce nouveau nom excentré du récit devient pour un temps une projection « fictive » dont la prise en charge de la faute — le viol inénarrable et à jamais improuvable — et la réintégration dans la suite de l'histoire défont, déforment et tuent l'écrivain-éditeur mystificateur mystifié. Cette étrange répétition « incomptable » — ayant eu lieu elle ne compte pourtant pas puisqu'elle est « fausse » — tourne la faute en jouissance. La mort de Joan passe dans la jouissance de RR selon un dispositif scopique que le roman met en place et que Ghezzo Quenum s'approprie en écrivant son journal « sur une table surmontée d'un miroir qui [lui] renvoie [ses] mots à l'envers » (*TM*, p. 175). Cette *compositio* permet à RR, lectrice de la double autobiographie, de devenir elle-même l'effet de sa lecture en feignant d'en être l'auteur. De là, l'autobiographie s'inverse en fiction et le récit de RR, en vérité. Car la prétendue autobiographie de la *Semi-finale* opère dans la construction de Mullahy une rupture irréversible.

L'imposture de RR devient la figure axiomatique de la faute inavouable. En ce sens, RR ramène dans les dédales de la confession le « foyer invérifiable » (*TM*, p. 143) qu'est le corps de Joan pour en faire le corps générique du roman. RR-Joan est le double nom de l'incernable temps dérobé à la représentation [11]. Il est le double nom d'un corps anamorphotique revenant dans le roman pour l'ouvrir, le couper de son propre baptême. Cette « projection invisible » est, par définition, le crime parfait :

> Cette forme [l'os de seiche dans la toile d'Holbein] est le centre secret de cette grande composition, un peu comme le meurtre de Joan est le socle sombre du roman. [...] L'ombre contredit les lois fondamentales de la lumière, répétant par sa projection invisible un crime parfait ! (*TM*, p. 143)

---

ininterrompue entre le socle même du continent africain et le Golfe de Guinée » (*TM*, p. 98, 102) ; « La mer de Barents, doublement épicontinentale car elle borde un continent et semble en avoir engendré un autre. » (*NN*, p. 83)

11. Deux « lapsus calami » court-circuitent d'ailleurs les noms de Joan et de RR (*TM*, p. 158 et 187).

Mais le baptême est aussi chez Aquin le moment mortel où le sujet vient à la place de la Loi, entre dans la Loi en obéissant au fantasme de son acte révolutionnaire. Le discours de Magnant ne laisse aucun doute quant à la filiation catholique d'un tel fantasme de rédemption:

> Oui, les mots que j'ai lancés au public m'ont enfanté. Je suis né à la révolution en prononçant les paroles sacramentelles qui, de fait, ont engendré plus de réalité que jamais mes entreprises ne l'avaient fait. Ma naissance seconde a suivi ce baptême improvisé, de la même façon qu'une confirmation brûlante a succédé, ce jour-là, à notre premier sacrilège. Lancé comme je l'étais sur le corps vivace de Joan, j'aurais pu, ma foi, pousser le blasphème jusqu'à [...] lui administrer l'extrême-onction [...]. (*TM*, p. 46-47)

Selon la logique aquinienne, le crime parfait serait l'accession de la faute au rang de Loi, ce qui rejoint, dans la logique catholique le dogme de la transsubstantiation qui affirme la *présence réelle* du corps christique dans les espèces du corps eucharistique. La perfection du crime provient, chez Aquin, du retour effractant d'un corps fictif au cœur de la réalité autobiographique. D'où l'effet de scandale.

> [...] Les grands théologiens n'en arrivent pourtant pas à circonscrire le crime parfait qui, cher lecteur, n'est qu'une des nombreuses modalités du grand mystère de la transsubstantiation [...] la notion même de crime parfait se superpose dans l'esprit de certains fidèles, à la notion du sacrifice de la messe. En fait, la perfection inhérente au crime annule la notion même de crime. La messe aussi n'est que la réitération quotidienne d'un scandale. (*TM*, p. 49-50)

Les dogmes catholiques racontent ce que Freud a par ailleurs retrouvé au fondement du sujet de la langue: une logique structurée — à l'instar du sujet chrétien — par le Nom. La Loi du signifiant est le trait de l'après-coup dont la culpabilité réinvente la « faute ». Le traitement du mal par le mal consiste à placer le mal à l'origine, à rappeler que la naissance et le Nom ne se produisent qu'au prix d'une perte irréversible. La perte est vécue, par le sujet nommé, comme la conséquence d'une faute qu'il ne peut reconstituer précisément parce qu'elle est une « retombée », au sens où Severo Sarduy l'exprime dans *Barroco*[12]:

> « retombée »: causalité achronique
> isomorphie non contiguë
> ou

---

12. Severo Sarduy, *Barroco*, Paris, Seuil, p. 7.

conséquence d'une chose qui ne s'est pas encore produite, ressemblance avec quelque chose qui pour le moment n'existe pas.

Le crime parfait est aussi l'effectuation réitérée d'une retombée. En effet, qu'est-ce qu'un crime sinon la transgression d'une loi écrite, ou encore l'ignorance d'un interdit formel vouée à connaître son châtiment [13]? Si la transsubstantiation ressemble à un crime *parfait*, c'est que le crime atteint sa perfection en énonçant la condition même de la Loi. La Loi ne peut accéder à l'écriture, elle est ce à quoi se dérobe toute écriture. Le crime parfait serait donc la transgression de ce dérobement, l'accession à l'écrit des conditions d'une «inécriture», c'est-à-dire le dispositif d'une énonciation préméditant sa propre effraction. Le Nom de la Loi est énoncé par le dogme de la consubstantialité du Père et du fils, du corps et du pain, de RR et de Joan [14], de la lecture et de l'écriture.

Dans le roman d'Aquin, seule la mise en forme du mystère de la faute en constitue la révélation puisque le crime parfait est, par définition, irrepérable et impuni [15], et qu'il s'annule dans sa propre perfection. C'est pourquoi il n'y a de crime parfait que parfaitement écrit (*TM*, p. 50-51). Le fantasme d'un symbolique absolu reste au centre de ce roman. Le crime parfait c'est l'œuvre qui construit le champ d'extériorité d'où elle se renomme en se fracturant. C'est l'œuvre expulsée hors d'elle-même pour donner à voir le scandale de la «figure» de l'Autre.

Le crime d'où viennent les confessions appelle une interprétation, une exégèse et une reconstruction. En accomplissant un crime parfait, c'est-à-dire un crime dont l'aveu même serait l'acte, par l'élaboration d'une explication absolument irrecevable, irrationnelle ou impossible, chaque roman d'Aquin fait intervenir la lecture dans le registre du Nom propre, en la soumettant à la «perforation» et au scandale de la dépossession. Le crime n'est parfait que si l'exégèse qui

---

13. Pour l'analyse de la distinction entre sujet juridique et sujet du signifiant, voir Anne Élaine Cliche, «D'un sujet en souffrance ou la transmission antiphonée», *Protée*, vol. XX, n° 1, hiver 1992.

14. Transsubstantiation refigurée dans l'incarnation finale et impossible de Joan comme enfant de RR. «Si c'est un garçon, il portera le nom de son père; si c'est une fille, je l'appellerai Joan — oui: Joan X. Magnant» (*TM*, p. 203), mais aussi dans les processus de substitution des noms du roman. Ainsi, Ghezzo-Quenum, assistant à la jouissance innommable et inconsciente de RR, écrit: «J'ai beau me glisser en elle, par voie de transsubstantiation sacrilège, cela ne fait que m'induire de façon cahotique en ce début de viol.» (*TM*, p.189)

15. «En conclusion, rien ne ressemble moins à un crime (du point de vue d'un enquêteur ordinaire) qu'un crime parfait» (*TM*, p. 56); «De toute façon, votre hypothèse de meurtre est invérifiable... D'ailleurs, ce meurtre ressemble au crime d'un délirant; c'est abominable.» (*NN*, p. 241)

tente de le reconstituer devient elle-même insoutenable. Seule une interprétation ouvrant dans la parole un point de fuite au savoir rend le crime infini puisque la violence qu'elle produit au champ du savoir dérobe la lettre de la légalité et ramène le mystère sous la forme d'une vérité improuvable.

> La mort de Joan, par exemple, est riche en vraisemblances contradictoires et comporte des vertus axiolitiques qui, exploitées rationnellement, conduisent à un déficit rationnel implacable, voire même au suicide. Pauvre lieutenant détective de la sûreté municipale. (*TM*, p. 51-52)

> Si je me fie à ce que j'ai lu de Beausang [...] il se rangeait du côté de [...] ceux dont on qualifie les livres d'être un torrent d'épithètes et un abus de procédés littéraires énigmatiques. [...] à la limite, la réalité que je tente de m'approprier par les mots m'échappe [...] je me meus dans toutes les directions [...] (*A*, p. 109, 213)

On retrouve, là encore, la logique de la Rédemption et de la transsubstantiation catholique: à la faute d'Adam répond un parcours logique parfaitement inadmissible — Incarnation-Crucifixion-Résurrection — qui prétend interpréter la rémission du péché mais ne cesse de le déporter dans des effets de plus en plus incroyables.

Aquin construit son roman sur l'élaboration d'un « déficit rationnel », facteur d'une lecture qui ne cesse de produire des effets d'écriture. La lecture, racontant le processus même de l'écriture en redoublant son foyer, déclenche une sorte de « devenir-écrivain » du lecteur — le transfert du « je » de *Prochain Épisode*, Mullahy-RR, Christine-Chigi, le « spectateur ». Le lecteur éprouve ainsi son entrée dans le Nom en passant par sa propre mort.

> Je suis frappé de stupeur, investi d'un pouvoir magique qui ressemble étonnamment au « délire hallucinatoire » qui confère aux écrits désamorcés de P.X. Magnant leur qualité si mystifiante, et voici que je m'étrangle dans un cri. Je finis dans un désordre plus fort que moi et sous l'emprise d'une inspiration malarique qui me transforme en écrivain. Je meurs en écrivain... (*TM*, p. 121)

Eva Vos et Linda, lectrices et actrices du scénario, s'engagent dans une « transcréation infinie » (*NN*, p. 249) qui fond le lecteur/spectateur au « je » final.

> [...] Eva [...] a franchi le seuil de l'invraisemblance, entraînant avec elle le lecteur qui s'abandonne en esprit à ce qui la brûle [...]. Le Verbe est entré en elle. Celui qui comme Eva, contemple cette splendeur caverneuse est voué à la mort. [...] Ce

lecteur est déjà rendu trop loin en lui-même pour ne pas se laisser envahir [...] par le baiser final qui est infini. [...] Le temps me dévore, mais de sa bouche, je tire mes histoires [...]. (*NN*, p. 253-254)

Le roman devient ainsi le bord à la fois unique et double d'où émerge un vide géométral — l'énigme — qui a pour fonction de ressusciter le Nom même qui l'a produit. Le sacrifice de l'Eucharistie symbolise le lien indissoluble qui noue le mal à la Loi. Et la Rédemption catholique met en scène, d'une certaine façon, le mystère qu'est la dialectique du désir et de la Loi qui livre le sujet au temps de la culpabilité[16]. Le sujet est ainsi nommé du Nom d'une faute qu'il n'a pas commise et qui pourtant ne cesse de lui revenir comme la condition de sa jouissance. La crucifixion permet de traiter logiquement le mal radical au-delà de sa résolution. En effet, d'un point de vue logique, la Rédemption catholique se présente comme l'impossible levée du péché originel. Au contraire, elle fait du péché le signifiant nécessaire à la résurrection par laquelle un fils s'expulse de sa condition de fils pour recevoir le Nom du Père. Moment où il retrouve son « temps inexistentiel » (*NN*, p. 220).

Aquin, on l'a vu, court-circuite le temps de l'Incarnation, celui de la « vierge enceinte », en faisant coïncider l'atopie du Nom-du-Père avec la jouissance féminine. C'est sa façon de mettre en scène l'infigurable du Nom dans le corps. La femme aquinienne sera donc, et presque incontournablement, le lieu de la violence, sinon le signifiant même du mal et de la Loi.

Car je n'ai jamais eu le sentiment d'être une femme normale; j'ai vécu en exil dans ma propre existence et, comme une vraie déportée, j'ai multiplié les preuves désolées de mon échec vital. [...] je suis une sale dégénérée, une perverse ! (*TM*, p. 125)

Renata restait là, appuyée à un arbre, pleurant doucement de ce malheur inavouable qui la dégradait... [...] Je suis une sorte de gâchis vivant, un tas de pourriture qui ne fait que se prolonger [...] sur les feuilles bidimensionnelles [...]. (*A*, p. 37, 38, 196)

La fonction du Nom s'inscrit directement dans le corps des femmes. C'est bien sûr la mère, cette femme par qui arrive la violence du Nom, et c'est en son corps que la faute — la trahison —

---

16. Sigmund Freud, « Le moi et le ça », *Essais de psychanalyse*, Paris, Payot, 1981. Le paradoxe ici est que le sentiment de culpabilité précède la faute et semble en être la cause au lieu d'en être l'effet.

sera supposée. La nomination est toujours un « viol » qui arrache l'enfant à sa plénitude imaginaire. Le barrage de l'inceste est porté au sujet tel une « faute » de tout temps inassignable.

Les femmes aquiniennes se font les représentantes de cet inassignable [17]. Le rapt, le viol, la séduction, la souffrance et la douleur sont les signes de cette féminité détentrice de la naissance et de la mort symboliques. Naissance et mort dont la violence s'imprime dans le corps par la violence sexuelle ou par celle du désir dont la fureur orgasmique est à la fois sacrilège, sacrifice et expérience du sacré.

Dans les romans d'Aquin, le corps érotique féminin est supporté d'un nom qui devient le signifiant de la jouissance [18]. Le corps théologique de la vierge revient ainsi dans le texte en foyer anamorphotique constructible et virtuel, insufflant son corps fictif au roman. La jouissance féminine, qui travaille toute la narration comme son mystère, est toujours doublement articulée en mal-rédemption, viol-jouissance.

L'énonciation est ainsi générée à partir du point-pli théologique, érotique, anamorphotique, qui fait advenir le corps fictif du roman comme effet de Nom. Pour le narrateur aquinien, écrire, c'est d'emblée écrire pour interpréter et répéter la faute et, avec elle, la commotion qui la supporte. La confession se fait simultanément crime et description du crime. L'inavouable y est recomposé dans l'impossibilité logique de l'aveu suivant le continuum confessionnel. Ce qui suppose de mettre en scène la commotion, ou encore d'écrire la crise dans le temps même de la crise. Le circuit qui va de la crise — orgastique-épileptique-chimique-criminelle — à la description de la crise, pour en faire une composition mystifiante insoluble, est précisément ce qui hausse le crime au statut de Loi et de jouissance. Les femmes aquiniennes incarnent ce crime-Loi en ramenant la jouissance dans le viol:

Quand on viole, on ne s'attend pas à l'orgasme de la « victime ». (TM, p. 45)

---

17. Chez Aquin, le sexe féminin est le lieu d'une profération par où le Nom de Dieu passe dans le corps de la femme. Écrire, selon Aquin, consiste à se mettre au lieu de cette invraisemblable profération: « De la pointe de ses doigts, il écarte les lobes ourlés de poils des lèvres et mord, mais mord-il vraiment? Il aspire [...]. Qu'importe la précision des plans! Quand on approche de cette carpelle qui se trouve au fond de la forêt pubienne, tout ne peut être qu'allusif [...]. Nicolas dont la verge est d'une rigidité intraitable, pénètre subitement Eva là même où il a murmuré, quelques instants plus tôt, des mots inaudibles. » (NN, p. 172-174)

18. « [...] ne pas invoquer ton nom, mon amour. Ne pas le dire tout haut, ne pas l'écrire sur ce papier, ne pas le chanter, ne pas le crier: le taire et que mon cœur éclate! » (PÉ, p. 15)

RR [...] répétait toujours le prénom double de son agresseur...
Mais elle le disait avec tellement de douceur que cela me
mettait à l'envers [...]. « Pierre-Xavier, disait-elle, fais-moi
jouir moi aussi [...]... » [...] Je n'ai plus la force de voir et de
revoir cette scène saccadée, d'imaginer l'orgasme hurlant [...].
(*TM*, p. 182, 190)

J'étais soulevée par son propre désir effréné de jouissance, par
l'approche du plaisir convulsif, par la tempête amoureuse qui
s'est abattue sur mon ventre [...] je me suis vue violée par ce
pharmacien... (*A*, p. 69)

La scène énigmatique du meurtre de Sylvie, dans *Neige noire*,
peut alors se faire le représentant du symptôme romanesque aquinien. La crucifixion de Sylvie et la manducation de son corps superposent le mystère de la Rédemption et celui de l'Eucharistie en un
seul temps. Elles sont à la fois les figures de l'expiation de la faute,
celle de l'inceste avec le père — représentation romanesque du Nom-
du-père arrivant au corps d'une femme [19] —, figures de l'expiation de
la faute, donc, prise en charge par Nicolas, et figures aussi de sa
transmission. La faute ne se transmet pas seulement aux lecteurs du
scénario [20], mais passe dans la « seconde chaîne de dérivés » qu'est la
fictionnalisation du scénario lui-même.

La seconde chaîne qu'est l'écriture du crime dans la forme du
crime — sa commotion — est aussi ce qui, à la fin du roman, trans-
mue le crime en jouissance, constituant le foyer énigmatique de
l'interprétation qui atteint à son tour le lecteur réel. Par le sacrifice
de Sylvie, Nicolas produit la cause inavouable de l'écriture dans la
rhétorique cinématographique. En ce sens, il donne forme à l'improférable, il nomme l'innommable en donnant à la scène un double
statut: celui d'une représentation, et celui d'une figure irreprésentable, infilmable (*NN*, p. 234-240). Cette scène irrépétable du scénario
occupe la fonction et la place du Nom. Le roman aquinien s'apparente en fait à ces choses inscriptibles que sont les dogmes catholiques. On en vient à croire qu'il désire porter son écriture au registre
des effets théologiques.

---

19. C'est la profération du nom du père qui révèle au lecteur l'inceste père-fille:
« Cela ne peut plus durer, papa. [...] Papa, papa, papa. » (*NN*, p. 214-219)
Lewandowski est aussi le nom « imprononçable » de Sylvie Dubuque, le Nom de
la faute: « Après le divorce tu as changé ton nom de famille [...]. Quand on prend
la précaution de changer de nom, on est sûr que tout est effacé. » (*NN*, p. 238)

20. « Eva: [...] c'est en lisant cette séquence du scénario que j'ai appris que Sylvie
Dubuque était la fille de Michel Lewandowski. [...] Eva a été prise de panique en
prenant connaissance du scénario [...] et surtout à la lecture qui lui a été faite du
passage de la manducation de Sylvie [...] Michel Lewandowski [...] n'a pu
s'empêcher de pleurer en lisant ce passage du scénario [...] il s'est précipité de son
bureau du douzième étage dans la rue Saint-François-Xavier. » (*NN*, p. 240-245)

La « disparité conceptueuse » de la fiction

> La discontinuité présuppose la continuité. [...] En vérité, le cours de la vie est chaotique et imprévisible. Aucune fiction ne peut masquer cet « ordre » imprévisible de l'existence. L'imprévisible, semble-t-il, contient la formule basale de toute représentation factice de la vie. [...] La discontinuité du film n'est que le versant formel de celle de tout ce qui vit. Et pour démontrer ce[tte] prolepse, il faudrait avoir recours à une certaine continuité discursive [...], prouver le torrent vital à partir des rochers qu'il transporte. *Une certaine ellipse doit donc s'opérer d'elle-même quand il s'agit de percevoir la spécificité fluente de la vie, de telle sorte que le spectateur, étourdi et parfois remué, retrouve seul le chemin du torrent.* (NN, p. 48-49, je souligne)

> Périphrase : cercle parcouru par la lecture et dont le centre toujours éludé (e-ludere), est par là même toujours présent. Signifié dernier qui est comme le « noyau pathogène », au sens freudien du mot, car dans la lecture longitudinale du discours il est le thème régulièrement répété — répété comme manque, comme point à dérober, à contourner; moment où la parole bascule — et à cause de ceci, repérable. La chaîne longitudinale du discours périphrastique décrit un arc de cercle; seule la lecture radiale décrypte le centre absent[21].

Le roman aquinien fait du crime un centre « é-ludé[22] », joué hors de lui-même, générant l'écriture et appelant irrésistiblement la symbolisation scripturaire et funéraire du sujet par avance renommé. Ce dernier entreprend doublement sa confession et l'exégèse qui en est la formalisation esthétique. La doublure du Nom engendre une prolifération sérielle des noms selon une pratique qui contrefait et mystifie l'enjeu de l'autobiographie.

Au fondement de l'acte narratif est donc toujours présente une élusion, portée au registre du nom propre sous une forme détournée et complexe qui ne cesse de reprendre pour thème, jusqu'à le

---

21. Severo Sarduy, *op. cit.*, p. 139-140.
22. « *Ludo (is, ere)* : jouer, s'amuser, prendre ses ébats, se livrer à un exercice, se jouer. Jouer (un rôle), paraître en scène, contrefaire, se moquer, mystifier. *E (ex)* : hors de. En s'éloignant de » (Henri Gœtzer, *op. cit.*).

constituer en « noyau pathogène », la confession-interprétation. K, Joan, Sylvie, Jean-William sont avant tout les noms de l'ellipse portant l'acte d'écriture au registre d'une possession, d'une crise, d'une déflagration, autant dire d'une souffrance qui désire reproduire ce « centre absent » de la Loi. La lecture représentée par l'édition, la critique littéraire, les commentaires scénariographiques, ou l'exégèse s'élabore à partir de l'élision d'un nom et la poursuite de sa profération. C'est parce qu'elle cherche à faire advenir le récit à la place de l'indiscernable que l'énonciation se voue à passer par tous les noms.

Toute l'énonciation devient la proie de cette re-nommée qui vise à mystifier, à masquer, à jouer la confession et la rédemption. Le double nom comme cause de l'écriture — *j'écris pour me refaire un nom et, par là même, tromper les lois écrites du système judiciaire* — place d'emblée le texte au niveau de l'interprétation. En instaurant à l'origine une division, le narrateur fait « s'opérer d'elle-même une certaine ellipse » (*NN*, p. 140) où la faute, cernée par son versant inénarrable, est vouée elle-même à une répétition en série. Nommer appelle toujours un autre nom (Joan I, Joan II, Joan III, RR I, RR II; Sylvie, Eva, Linda; K, H. de Heutz, Carl von Ryndt, de Saugy, etc.).

La re-nommée « originaire » est ainsi lancée dans un déchiffrement de plus en plus improbable, qui finit par ouvrir sur une scène irreprésentable devenant la *forme* et la cause de la répétition. Le « centre absent » n'est décrypté que par une « lecture radiale », « périphrastique » qui, parcourant l'énonciation sur sa course « longitudinale », la refend pour produire le bord de son propre dérobement. La pratique aquinienne du roman ressemble à l'effet produit par le coup de ciseaux sur la longueur de la bande de Mœbius: elle finit par livrer une coupure clivée à partir de laquelle le continuum de la confession se restructure et se refait [23]. Le réel de la commotion posée au départ de l'autobiographie force l'écriture au décryptage, surmultipliant les interprétations. La prolifération survient non pas tant dans le but de suturer ce qui s'y dérobe que dans celui d'ouvrir la voie périphérique afin que l'insuturable arrive telle une apparition de la disparition. Le fantasme d'un symbolique pur — place de Dieu irreprésentable — raconte le désir de faire s'accomplir radicalement et d'un seul tenant le sujet et sa Loi. On comprend pourquoi le baroque devient ici l'esthétique de cette sémiotisation de la mort désirée.

Face à un réel défaillant, miné de « rien », toujours opaque et le plus souvent labyrinthique, le baroque répondra par une sémiotisation générale, un surcroît de déchiffrement interprétatif,

---

23. La comparaison rappelle seulement ici que si l'on découpe la bande de Mœbius dans le sens de la longueur, elle retrouve sa double face, alors que le trou en son centre est de structure mœbienne.

une rhétorique démultipliée et reformulée en art de l'invention et en esthétique [24].

> [...] ce livre (le mien) peut [...] agacer par son trop-plein de références invérifiables. Je sais d'ailleurs que ma prose détraquée ne contient aucun ingrédient de plaisir pour le lecteur — ou si peu (et pour si peu) — que, dès lors, je me sens comme sainte Hildegarde qui se préoccupait des proportions du corps humain [...] un peu comme je continue au second degré, de me semer moi-même par ce narcissisme (cet étalement de théories que je fais devant le lecteur...). (*A*, p. 207, 208, 218)

L'autobiographie cherche la vérité nue. Pourtant, l'affirmation de la vérité autobiographique ne cesse de révéler son statut apocryphe. Dans chaque cas, le récit de l'événement biographique cherche sa forme. Chaque fois, il cherche une forme « véridique » en rapport avec la position affirmée de l'énonciation. Or, la véridiction de l'événement par la forme se présente comme une entreprise interprétative de plus en plus invérifiable et mystifiante par laquelle le nom du scripteur est voué à accéder au rang d'innommable. En effet, le nom, donnée de départ toujours clivée, traverse une série de re-nominations qui sont autant de tentatives de mise en forme de la vérité du sujet. En ce sens les renommées ne sont jamais des duplications, mais inscrivent plutôt le trait qui génère la poursuite extravagante d'un nom propre à travers une surcharge de faux noms.

Ainsi le Nom, celui qui ressusciterait le sujet à sa place, est toujours celui de la rencontre impossible (K) du nommant et du nommé qui force la lecture à se situer dans l'angle anamorphotique [25] d'une certaine figure, celle de la disparité baroque qui porte le masque pour révéler en creux l'« antimasque de la strette invisible » (*NN*, p. 139).

> L'image soudain n'est plus que le répons d'une musique hors champ dont la suprématie est sournoise. [...] c'est elle le masque dont les représentations visuelles d'Eva figurent l'antimasque. [...] Eva l'antimasque [...] réfère le spectateur à la strette invisible qui sous-tend toutes ces insertions visuelles. (*NN*, p. 139)

La facticité formelle de l'exégèse est précisément ce qui, dans le récit, vient produire l'événement d'une nomination « pure ». L'exégèse

---

24. Christine Buci-Glucksmann, *La Folie du voir. De l'esthétique baroque*, Paris, Galilée, 1986, p. 173.
25. « On pourrait distinguer ici [...] deux statuts de l'écriture et de la position de lecture : la relation frontale, intéressée au référent et au monologisme, et [...] la position anamorphique de l'écrivain / lecteur qui se déplace de biais, pour décrypter une écriture de biais : jeu de doubles, de miroirs, de masques et de simulacres. » (*ibid.*, p. 149)

du nom propre conduit le sujet au mystère de l'invisible apparition. Le fantôme anamorphotique arrive au lecteur tel un surgissement de rien. Eva, dont la jouissance prend nom de Dieu, est ainsi, par exemple, une figure opératoire de l'infini des noms. Elle est le nom originaire — mère et vierge: Eva-ave —, celui du lieu générique où aboutit la lecture.

> Maintenant qu'Eva Vos en a révélé la scène du meurtre, le film semble irréalisable [...]. Médiatrice aveugle entre Sylvie Lewandowski et son père, entre Sylvie Dubuque et son mari, entre Nicolas Vanesse et Michel Lewandowski, Eva Vos comprend tout [...] Eva comprend. [...] Il ne fait pas de doute qu'Eva, limitée dans son français, a franchi le seuil de l'invraisemblance, entraînant avec elle le lecteur qui s'abandonne en esprit à ce qui la brûle [...]. (*NN*, p. 243-244, 253)

Prochain Épisode s'achève sur l'impossible achèvement, sur la finition de l'infini qui actualise, tout en la projetant au futur, la révolution « totale ». Les dernières pages ne sont en fait que le Nom de la fin transfiguré en mot de la fin.

> Oui, voilà le dénouement de l'histoire: puisque tout a une fin, j'irai retrouver la femme qui m'attend toujours à la terrasse de l'Hôtel d'Angleterre. C'est ce que je dirai dans la dernière phrase du roman. Et, quelques lignes plus bas, j'inscrirai en lettres majuscules le mot: FIN. (*PÉ*, p. 174)

L'innommable traverse ainsi « radialement » le texte, passant de la cause à l'effet selon une projection anamorphotique qui troue l'histoire de son propre trajet. Là s'écrit le fantasme d'une « lecture radiale », autant dire d'une lecture qui, dans l'acte même de l'interprétation, se constituerait en « mystère impénétrable par excellence » (*PÉ*, p. 21). La lecture est le lieu désigné et désiré de la véritable et véridique apparition du rien. Elle est l'événement par quoi la néantisation du sujet s'érige en son fantasme.

L'*editio* déclenche toujours un acte d'écriture authentifié paradoxalement par son statut apocryphe. Le vecteur de l'interprétation dispose une logique de la « retombée » (Sarduy) qui, chez Aquin, s'énonce presque toujours dans la rhétorique du plagiat. Le plagiat, par son statut apocryphe mais aussi par le fait qu'il force l'écriture à comparaître devant la Loi de l'après-coup, rappelle par ailleurs l'événement de la transsubstantiation. L'Eucharistie, sacrifice réel, trouve alors sa fonction éminemment littéraire.

La transsubstantialité implique que, dans un même temps, un des termes *soit* et *ne soit pas* l'autre[26]. Toute la problématique des

---

26. On se souvient de l'exergue de *Neige noire*: « Je dois à la fois être et ne pas être. » Søren Kierkegaard

doubles aquiniens peut alors se formuler comme une pratique qui raconte le passage, entre deux substances, de « quelque chose » qui n'est pas la substance. Ce qui passe chez Aquin, c'est une lecture sacrificielle, véritable néantisation du sujet rencontrant la « présence réelle » de l'Autre. La théorie de la répétition confère au temps de cette écriture un véritable « style de la présence ».

> [...] la répétition des éléments n'y a manifestement aucune valeur psychologique, mais seulement structurale: la répétition relève visiblement d'un art et cela équivaut, en fin de compte, à un style de la présence et implique une notion hautement consciente du temps parlé. [...] Je suis présent d'une présence réelle. (*TM*, p. 78 et 20)

> Sans doute la présence réelle dans le saint sacrement est-elle, au sens théologique, réalisée par le croyant comme un événement intérieur, et l'espace où se situe la rencontre du croyant et de la présence divine est-il l'espace spirituel. Il n'en reste pas moins que l'hostie consacrée agit indépendamment du degré de croyance ou d'incroyance des assistants, ou des communiants. La présence réelle l'est donc non point subjectivement, mais objectivement [...] c'est [...] ce voile de sa mort que figure la séparation de son corps et de son sang — qui le rend présent [...][27].

Dans le roman d'Aquin, le réel — qui n'est pas la présence de soi à soi, mais l'arrachement, le retrait violent du Nom — est signifié par la commotion qui secoue les scripteurs. Si l'écriture est toujours apocryphe, c'est dans la mesure où elle s'affirme en un temps scindé par un triple regard: celui du scripteur lié au présent mouvant de la narration — autoréflexivité de l'écriture —, celui du second scripteur lié quant à lui au présent ultérieur de l'« édition », et celui de leur double réflexibilité — voir le voir — advenant au présent antérieur de l'après-coup, là où la fiction « prend » la réalité, la devance. L'écriture manifeste ainsi un « présent inexistentiel », un « infinitif poreux » (*NN*, p. 221). Le lecteur agit en « plagiaire désœuvré[28] » dans la mesure où il est lui-même nommé par une fiction qui lui revient comme sa vérité encore inarrivée[29].

27. Pierre Klossowski, *op. cit.*, p. 129.
28. Enregistrement personnel d'une conférence d'Hubert Aquin prononcée à l'Université Carleton, Ottawa, 1976.
29. « On ne transcende le temps que pour sombrer dans une crevasse spatiale et, dans l'euphorie de ce franchissement, on oublie que le temps se déplace toujours plus vite que nous et qu'il se déplace dans l'espace, hors de sa structure. Ainsi, on le croit fuyant quand il nous échappe par sa constante métastase, mais c'est nous qui disparaissons. » (*NN*, p. 186)

Les effets de temps théologiques — ravissements, jouissances, viols — se repèrent dans les crises déclenchées par l'écriture des narrateurs et semblent toujours se produire selon une répétition antérieure. On assiste à une réversibilité du rapport de causalité entre les doubles, à un télescopage de la cause dans l'effet. Dans le roman d'Aquin, la réalité devient l'effet de la fiction. La fusion des deux niveaux narratifs à la fin de *Prochain Épisode* illustre bien ce procédé, de même que le « film dans le film » de *Neige noire*, où fiction et réalité sont rendues totalement inextricables[30]. D'où le statut essentiellement apocryphe de l'écrit autobiographique dont chaque narrateur fait l'expérience.

> La fausseté même que j'ai décelée dans un fragment de manuscrit ne me scandalise même plus; je croirais même qu'elle fait partie intégrante de l'écriture et que celle-ci, ni plus ni moins, est toujours apocryphe. (*TM*, p. 108)

De la même façon, le texte apocryphe de Chigi-Beausang[31] devient le matériau du journal de Christine. Celui-ci en est, on s'en souvient, la réécriture dans l'exacte mesure où les événements racontés de 1536 sont réinjectés dans le présent de la narratrice suivant la loi d'une répétition fictive de sa propre biographie. Ce temps n'est pas sans relation avec le concept baroque de l'« agudeza » — acuité — formulé par le théoricien espagnol Baltasar Gracian[32]. L'agudeza est la parole aiguisée, la pointe, la riposte tranchante mais aussi *la forme manifeste de l'incernable esprit*, qui doit être analysée à travers toutes ses figures. La figure selon Gracian est le trait de l'artifice, seule formalisation possible de la vérité. Dans le roman aquinien la figure peut être reconnue dans la prolifération télescopée des noms des personnages, eux-mêmes artifices d'une composition qui vise à faire surgir, non pas une vérité psychologique, mais la

---

30. « L'autobiographie est une fausse catégorie. [...] Dans mon scénario, la fiction n'est pas un piège, c'est elle, plutôt, qui est piégée par une réalité qu'elle ne contenait pas et qui l'envahit hypocritement [...]. Il n'est plus question pour Linda, de démêler la réalité de la fiction puisque la fiction est inextricablement mêlée aux mailles de la réalité et qu'en dissociant l'une de l'autre, Linda ne saurait plus, en fin de compte, si c'est la fiction qu'elle isole [...]. Cette fois, c'est la réalité qui est contaminée par une fiction encore plus frissonnante. » (*NN*, p. 147, 243)
31. « Et plus [Chigi] avançait dans son entreprise, plus il avait l'intention d'intégrer son propre journal intime [...] au texte du célèbre médecin gantois. Bien plus, il nourrissait en lui-même l'ambition de produire un écrit entièrement apocryphe où Chigi se raconterait lui-même intégrant à ce récit l'existence fictive (ou imaginaire) de Jules-César Beausang. » (*A*, p. 175)
32. Baltasar Gracian, *Art et Figures de l'esprit. Agudeza y arte del ingenio*, 1647, Paris, Seuil, 1983. Agudeza: « trait, pointe, mot acéré, mordant, piquant; pique, flèche verbale; riposte tranchante, parole aiguisée » (p. 357). L'agudeza est la forme en tant qu'acte.

vérité du signifiant fictionnel, c'est-à-dire la forme verbale devenue souveraineté de l'artifice.

L'agudeza est une pratique de la césure qui vise à prendre « de vitesse » l'adversaire, mais selon une vitesse « incomptable » (*TM*, p. 20), et qui se définirait plutôt comme une antécédance de la conséquence sur l'acte. L'apocryphe pourrait alors se concevoir sous l'aspect d'une immanence du temps, d'une transsubstantiation de la lecture et de l'écriture : temps accéléré de la «conjuration du plagiat[33]».

> Jean de Salisbury disait : « Écrire vite, c'est conjurer le plagiat. » [...] Et Dieu sait que j'écris vite, poignet garrotté, main gauche inerte et dressée au-dessus de moi comme un spectre démantelé. (*Ob*, p. 20)

La fatalité récursive du plagiat est chaque fois l'autre crime commis par le scripteur en quête d'authenticité. Par le travail de l'anamorphose qui décentre l'énonciation vers le foyer d'étrangeté d'une lecture inversée — intrigue policière, édition, exégèse, scénario —, le plagiat devient une répétition inévitable, la réécriture inhérente à la lecture et le destin de tout écrit. Le plagiat est le trait de l'impossible origine. Or, la « nécessité » du plagiat[34] est aussi ce qui permet de le conjurer, dans la mesure où il ne peut plus être pensé comme l'appropriation d'un original dont le seul privilège serait l'antécédance. Le roman se compose donc de manière à fonder la vérité du plagiaire en portant à l'écriture une énonciation apocryphe qui prend l'autre-texte pour sa propre répétition puisqu'il en est l'effectuation réelle encore inédite. Le « toujours déjà édité » de sa scription n'est plus alors que l'après-coup d'une projection du signifiant fictif dans le référent et la réalité[35]. Le « plagiaire désœuvré » — le lecteur — n'est nul autre que le plagiaire en train de jouir du « viol » dont il est la victime.

> Le spectateur serait peut-être offusqué soudain de comprendre qu'il a tout fait pour être violé, offusqué aussi de déduire que le spectacle auquel il assiste le pénètre hypocritement. [...]

---

33. Le plagiat ou l'apocryphe hausse au statut de principe opératoire la poursuite impossible qui traverse le roman aquinien : «[...] le plein régime que j'essaie de maintenir dans cette compétition romanesque avec les mots que [...] je ne réussirai pas à rattraper, pas plus d'ailleurs que je ne serai en mesure de rattraper Joan.» (*TM*, p. 42) Le plagiat formalise l'innommable au cœur de la répétition. Innommable qui passe en plan perspectif de la cause à l'effet, qui troue le texte comme une anamorphose récursive mettant en continuité le nom et la nomination (Joan — RR — P.X. Magnant ; Jean-William — Christine — Renata — ... — ... — ... ; K — Hamidou — H. de Heutz — Je... ; Sylvie — Linda-Eva...).

34. Lautréamont : « Le plagiat est nécessaire », *Poésies*, Paris, Gallimard, coll. « Poésie », 1985, p. 306.

35. L'effraction est donc situable *entre* la répétition apocryphe, dans l'entre-deux-textes.

Comment expliciter, en fait, que la passivité du spectateur ressemble plus à une passivité dévorante qu'à l'indifférence ataraxique de la frigidité ? (*NN*, p. 158)

Si le plagiat relève d'une pragmatique de colonisé [36], le traitement que lui fait subir Aquin est singulièrement révélateur du fantasme qui supporte son roman, dans la mesure où le plagiat est immanquablement haussé au statut de Loi. Le viol du lecteur nous ramène à la logique du crime parfait et à son équivalent théologique qui consiste à « traiter le mal par le mal ». Ce précepte en appelle un autre, décelable dans l'esthétique baroque de la déformation et de la convulsion désublimante du « mourir » : véritable esthétique de la laideur [37]. En d'autres termes, l'écriture qui vise à produire une « *forme comme donner forme à la jouissance de l'Autre* » aboutit à une instance épiphanique supportant le désir que l'improférable soit proféré *en même temps* qu'il reste inadvenu à la profération. Ramener la jouissance dans le viol demeure le crime par excellence, celui qui pose le sacré dans la profanation, la forme dans la déformation, le continu dans la fragmentation [38]. La commotion des narrateurs met en scène un sujet de la lecture scandé par son Nom. Le lecteur aquinien se prend pour l'effet-sujet du texte et se fantasme tel un présent axiomatique.

L'effectuation réelle de l'autre-texte dans le corps du lecteur-scripteur est donc « fureur » et décomposition, c'est-à-dire fictionnalisation. L'obscène débouche sur une mort ostentatoire et convulsive — le suicide — ou sur la jouissance fulgurante et incorporelle. C'est aussi le moment où le lecteur accède au réel du roman, à sa vérité « nue ». Moment d'une révélation sur laquelle tout savoir s'épuise.

L'abjection est ici non pas tant représentée que réellement présente. Elle saisit le lecteur herméneute et le jette dans une interprétation infinie. Elle est la « forme déformante » (*A*, p. 127) par excellence.

---

36. *Cf.* Marilyn Randall, *Le Contexte littéraire : lecture pragmatique de Hubert Aquin et de Réjean Ducharme*, Longueuil, Le Préambule, 1990.
37. *L'Antiphonaire* est entièrement travaillé par cette esthétique. « [...] le baroque, en sa pulsion épistémologique et rhétorique, n'a cessé de louer toutes les figures du manque, du rien. En 1635, un Antonio Rocco publiera à Venise un traité faisant l'éloge du laid [...]. Ne reste que le paradoxe d'une faute, d'un péché, nécessaire à la loi et réciproquement. » (Christine Buci-Glucksmann, *op. cit.*, p. 128)
38. Le viol comme style de la présence a la même valeur que l'adoration dans la transsubstantiation. Opération profanatrice qui utilise la langue contre elle-même et l'esprit, non plus comme affirmation de la vérité indicible — qui, en théologie, appelle la croyance —, mais comme actualisation, profération de l'interdit de profération, blasphème.

Ainsi, la « continuité discursive » permet à l'ellipse de « se produire d'elle-même [39] ». Par cette opération insolite le pseudonyme fait retour dans le nom. Cette disposition à l'écriture ramène la « faute » inassignable dans le texte sous la forme d'un rapt réel, d'un viol du sens et du savoir : viol du lecteur qui tente progressivement de reconstituer les morceaux du casse-tête. Le viol n'a d'ailleurs cessé de se fantasmer et de se recomposer dans la narration, mais apparaît soudain comme *la* faute, la seule qui soit réellement inavouable. L'inavouable réinventant la causalité de l'écriture ne cesse pourtant de passer aux aveux à travers une série de crimes. Mais chaque aveu ne fait que rendre l'autre infini, projeté dans le réel de la lecture comme son effet : le suicide du lecteur-narrateur.

Le crime de *Prochain Épisode* — vol d'armes et complot révolutionnaire — n'est que la figure judiciaire d'un crime inédit. Dans *Trou de mémoire*, le meurtre de Joan, avoué, n'est encore que le double formalisé, anamorphosé, d'un viol immémorial. Le meurtre de Sylvie, dans *Neige noire*, est à la fois l'appropriation-expiation de la faute « avouée » et la chose inénarrable autant qu'irreprésentable et inscénarisable. Les fautes de Christine, enfin, ne cessent d'être avouées et décrites dans *L'Antiphonaire* pour laisser dans l'ombre, puisque allusivement amenée au texte, la « vérité abominable » du viol du père — « incidents qui concernent mon père (cette histoire de tentative de viol) » (*A*, p. 76-77).

Le parcours nominal qui consiste, pour chaque narrateur, à réintégrer tous les noms de la narration, oblige immanquablement celui qui écrit à signer sa propre disparition. Christine est tour à tour Renata (violée), Suzanne (femme de Robert et « image incréée de la femme »), l'« épouse du Cantique » et Antonella, la « putain ». Elle est aussi bien Jean-William dont elle nomme son désir d'écrire, lui-même doublant celui de Beausang-Chigi.

> Il me suffisait [...] de transposer ou plutôt de traduire son agressivité contre Antonella, et je comprenais du coup que Robert trouvait suspect mon intérêt scientifique pour Antonella et qu'il ne saisissait de ma démarche [lecture acharnée du manuscrit], que ce qui se rapportait à Antonella [...], à son côté « putain » — préjugeant, par là que j'étais moi-même impliquée émotivement dans le comportement érotique de cette pauvre fille [...]. C'est affreux. C'est inavouable en tout cas [...]. Je suis devenue une autre !... ou alors je me détraque, je me désintègre. Il n'y a plus rien d'honorable en moi. [...] À ses yeux [ceux de Jean-William] j'étais déjà une putain, une

---

39. Voir la citation de *Neige noire* mise en exergue.

chienne, un être indigne de respect. Depuis — paradoxalement — je semble me conformer à cette image de moi. (*A*, p. 163, 237)

La traversée nominale s'effectue donc à partir d'une répétition de la faute inavouable, le viol/jouissance qui, en devenant Loi, c'est-à-dire logique d'écriture, fait de la lecture le lieu de la nomination. De là, le mot de la fin devient impossible à proférer depuis le foyer d'énonciation confessionnel. Ce mot « manquant » (*PÉ*) est déporté hors de la confession et pris en charge par un second foyer de lecture — Suzanne-Franconi; Eva-Linda; RR, le « prochain épisode ». Or, ce foyer de lecture est précisément ce que l'énonciation n'a cessé de rappeler dans la « scission » de son noyau, car en se dédoublant, le narrateur constitue la lecture en zone d'ombre. Et la fissure énigmatique est ainsi portée au statut de nom propre.

Le lecteur aquinien démultiplie l'effraction mortuaire pour révéler en creux une jouissance du Nom sous les traits d'une figure théologique: RR est la « vierge enceinte », fécondée par le viol au moment des règles, elle n'a aucun souvenir de la pénétration et apparaît, dans le journal de Ghezzo-Quenum — dont elle est la lectrice — comme un corps jouissant du nom de son violeur. Eva et Linda illustrent aussi cette jouissance virginale du Nom. De même, l'étrange préface anonyme de *L'Antiphonaire* semble, après coup, subsumer l'ensemble comme par une distorsion visuelle qui viendrait formaliser le sans-nom de la lecture. L'entrée dans ce roman est alors aussi le lieu de sa sortie puisque le point focal de l'ouverture rejoint à la fermeture celui de Suzanne, tandis que Franconi est le lecteur à la fois effracté par sa lecture et par la lecture géométrale de sa femme, qui lui revient comme la transmission de sa propre faute[40].

On retrouve là le circuit en torsion — infiniment recoupé et démultipliant ses effets — de l'ellipse. La scission inaugurale du noyau d'énonciation — la renommée du sujet — dispose à la lecture une ellipse baroque.

Parmi les modes possibles de génération de l'ellipse, il en est un qui possède une particulière vraisemblance géométrique: celui qui confère au cercle un pouvoir d'élasticité, et à son centre la capacité de *scission d'un noyau cellulaire*. Dilatation du contour et duplication du centre: ou plutôt glissement programmé du point de vue, depuis la position frontale jusqu'à

---

40. « Depuis que j'ai découvert, au lever, ma mallette débarrée et le manuscrit qu'elle contenait placé au mauvais endroit, j'ai compris que tu savais tout, que tu avais lu le texte écrit par Christine [...]. Maintenant que tu sais tout [...] je préfère te dire bien franchement que j'ai honte de moi et que je vais me tuer en auto. » (*A*, p. 249-250)

ce point maximum de latéralité qui permet la constitution d'une autre figure régulière: anamorphose [41].

Ce n'est donc pas la renommée qui est recherchée dans la logique aquinienne mais le Nom, son retour, ou encore une nomination assurant la souveraineté. Ce désir du Nom ou du reNom est finalement très proche de ce que Baltasar Gracian appelle la « disparité conceptueuse ». Disparité dans la mesure où le lecteur — la lectrice — imprime en creux dans l'écrit, le centre absent du regard, l'« œil du texte » qui couvre d'ombre le sujet de l'écriture. La disparité provient directement de la rhétorique du voir.

La disparité se forme donc de manière inverse à la comparaison: elle se fonde sur la différence ou la contrariété entre les deux termes divergents. [...] Pour que la disparité soit conceptueuse et plus qu'un ornement rhétorique, il faut quelque circonstance spéciale qui soit prétexte et fondement à l'acuité (agudeza) [42].

Si la lecture est « disparité conceptueuse », c'est parce qu'elle donne lieu à la « forme externe de l'incernable esprit » (agudeza). La « circonstance spéciale » étant précisément la scission du foyer nominal d'énonciation qui, en affirmant la vérité de l'aveu, le constitue comme impossible à dire et à lire. Écrire selon la logique de l'*editio* met le désir à la poursuite de la vérité à travers le masque du Livre qui ferait du sujet le nom propre. L'écriture s'amorce dans le but de ressaisir les morceaux déflagrés d'un sujet en pleine dépossession de sa Loi.

La vérité du sujet, son désir, ne peut alors se dire qu'à partir d'une reconstitution, d'un «glissement programmé» qui, au défaut de savoir, répond par un savoir en plus. Mais ce savoir « en trop » est joué, infinitisé et revient tel une saturation — et une suture — impossible. L'énigme est épaissie par les masques de l'*editio*: technique du roman d'espionnage, édition critique, thèse, scénario annoté. Un masque vient chaque fois se superposer au nom du scripteur pour l'arracher à sa position extra-textuelle — celle de tout auteur — et le projeter dans l'écrit en « lecteur masqué » prétendant « poursuivre » un texte autobiographique dont il est lui-même l'auteur apocryphe.

C'est la poursuite de l'écrit qui, sous couvert d'un masque nominal, scinde le foyer d'énonciation en scripteur / lecteur, plaçant d'emblée l'écrit dans une « oscillation binaire entre l'hypostase et l'agression » (*PÉ*, p. 93). La disparité est donc bien l'*editio* qui oblige le scripteur à projeter l'énigme de sa propre vie dans un espace géométral,

---

41. Severo Sarduy, *op. cit.*, p. 71. (je souligne)
42. Baltasar Gracian, *op. cit.*, « Des figures par disparité: Discours XVI », p. 154.

« jusqu'à ce point maximum de latéralité » (Sarduy). L'interprétation borde alors un centre d'énonciation clivé. La disparité est entièrement fondée sur la divergence entre l'« informe » du scripteur voué à l'imprévisible de sa « chute » et la forme qu'il entreprend de composer pour se lire. L'extériorité que procure le masque replie sur elle-même l'énonciation [43]. L'imprévisible n'est plus alors qu'un versant de l'impossible écriture du sujet [44].

La disparité que suscite le lecteur « masqué » — renommé — est, en même temps qu'une fuite-poursuite du scripteur hors de lui-même, la condition unique de sa rencontre avec la vérité aveuglante de son propre mystère.

> Le masque, visage de pure convenance, aurait pour effet de libérer totalement le spectateur, le déchargeant des contraintes de son identité. [...] L'idéal, même, serait d'imaginer le lecteur d'un livre portant un masque dont il pourrait même se servir comme signet. (*NN*, p. 159)

Ainsi la disparité aquinienne est-elle par excellence une disparité « conceptueuse » parce qu'elle se fait condition et désir d'acuité. La « circonstance spéciale » reste le moment précis où le masque posé est inéluctablement appelé à devenir « signet », c'est-à-dire à tomber pour marquer la page au lieu même où la lecture s'interrompt. Autrement dit, c'est le moment où le texte agit sur le lecteur, le prend à la gorge, l'arrache à sa lecture et le projette dans l'anéantissement de sa propre fictionnalisation: circonstance où le texte qu'il lit le devance en un plagiat intenable qui fait de la répétition l'occasion d'une révélation. Le scripteur est soudain foudroyé, métamorphosé, déréalisé — fictionnalisé — par un retour inattendu de sa propre invention qui fait advenir *réellement* l'entre-deux jusqu'alors invisible. Cet effet incroyable et impossible d'une collusion entre un signifiant (fictif) et un référent, ce rapt par lequel le lecteur est engouffré dans le noir, dans la zone d'ombre clarifiante du Mystère, est aussi la vérité révélée du désir où il est « obombré ».

Le retour mystifiant de la vérité dans la fiction provoque l'acuité — jusqu'à l'aveuglement mortel. L'état d'exception du sujet abîmé dans sa « fureur » baroque, son « enténèbrement clarifiant [45] », est issu d'un « voir du voir ».

---

43. « Comme le tapis oriental du tableau [d'Holbein], la prose du récit est sans profondeur mais non sans pli. Elle a l'épaisseur d'un voile; mais qu'est-ce qu'un voile sinon un masque, la peau d'une peau ? » (*TM*, p. 145)
44. Comme la « [...] symphonie dont la partition imprévisible rend toujours son exécution impossible » (*NN*, p. 75).
45. Christine Buci-Glucksmann, *op. cit.*, p. 147.

Je me sens très lourde [...] incapable, en fait, de continuer sainement ce livre dont la forme insensiblement se désintègre et m'échappe. Ce nombre incalculable de mots s'agglutinent en une poudrerie qui fait écran: je ne vois plus rien soudain, je suis aveuglée par les réfractions obliques de la lumière solaire. Tout est éblouissant dans cette nébuleuse qui m'entoure [...] le langage ampoulé qui me servait de radeau au début se dégonfle et coule étrangement avec moi [...], à la limite, la réalité que je tente de m'approprier par les mots m'échappe et me fait défaut, je n'ai plus de prise sur elle et je me meus dans toutes les directions, comme si soudain un élément *inavouable* de ce que je raconte m'avait dépolarisée et confinée à la confusion défocalisante de la simple tristesse. (*A*, p. 185, 214, 220)

Je m'immobilise, métamorphosé en statue de sel, et ne puis m'empêcher de me percevoir comme foudroyé. Un événement souverain est en train de se produire [...]. Un événement que j'ai cessé de contrôler s'accomplit solennellement en moi et me plonge dans une transe profonde. (*PÉ*, p. 88)

[RR] a donc réussi, car je n'ose plus enlever ces pages qu'elle a rajoutées au dossier. Je les relis et je n'en reviens pas... [...] Comment le lecteur pourra-t-il se reconnaître si je perds pied, moi l'éditeur [...]. J'ai peur que l'épaisse nuit d'encre dans laquelle je me meus ne se dissipe jamais. (*TM*, p. 137, 139)

Là se conjoignent le « pur blasphème » et la possession en tant que Mal radical, irrémissible, échappant à toute morale. Là, c'est-à-dire dans une « esthétique », dans la forme révélée de l'« incernable esprit ». Dans le roman aquinien, comme dans l'art baroque, l'affirmation esthétique de la laideur et du mal est liée à celle de l'ombre, à l'obscurcissement du Mystère — celui démultiplié d'une incarnation par le verbe — et aux labyrinthes artificieux, dont parle Gracian.

À contradiction plus grande, difficulté majeure, jouissance plus grande de l'esprit à chercher le sens, d'autant plus agréable qu'il est plus obscur [46].

On revient ainsi à la faute dont la rémission impossible détermine directement l'analyse topologique du roman.

---

46. Baltasar Gracian, *loc. cit.*, « Discours XL », p. 152.

> Mais moi, j'écris au niveau du pur blas-
> phème [...]. Tout se passe sous le signe du
> blasphème et de l'action. Par l'action matri-
> cielle de la parole, l'action passe à l'action,
> raflant d'un geste hâtif tout l'or du silence
> et le dépouillant par surcroît de sa pléni-
> tude significative. [...] Ainsi, en toute der-
> nière analyse, on peut dire que le silence
> n'a de statut propre qu'en fonction du blas-
> phème qui est le cri sauvage : le silence ne
> peut être conçu autrement que comme un
> intervalle entre deux cris. (*TM*, p. 57)

> Je suis à moi seul une vivante et intermi-
> nable pentecôte. (*TM*, p. 26)

Le roman aquinien raconte qu'entre deux noms il y a un centre
éludé qui cause l'écriture, doublement confessionnelle et analytique,
du désir, écriture dont la visée, en même temps que véridictoire, est de
tromper et de masquer l'enjeu de l'énonciation. Le meurtre de Joan —
son corps, entièrement nominal puisqu'il s'agit d'un corps écrit [47] —, le
meurtre de H. de Heutz, le meurtre de Sylvie, la « mort épileptoïde » de
Jean-William [48], ne sont en fait que les noms propres de l'innommable
qui ne cesse d'irradier la narration de ses possessions et dépossessions
successives. Le roman raconte donc un crime expiatoire — voire un
sacrifice — qui vient racheter une faute dont la scène restera à jamais
hors jeu. Cette faute indicible est pourtant toujours évoquée par une
relation incestueuse :

> [Joan] m'a parlé de son enfance (gâtée), puis de ce cher dady
> qui est mort sur le parquet de la bourse [...] son papa sucré...
> [...] je l'ai arrêtée de parler et je lui ai dit [...] : chou chou,
> grouille-toi, sinon je vais te faire le coup de la syncope devant
> l'indice des valeurs mortes, viens petite fille à papa, viens :
> papa a de belles choses à te faire voir... Amen. [...] Joan
> d'amour, voilà l'occasion ou jamais de le prouver à ton petit
> Pierre assassin. Sois saine ; ne pourris pas au même rythme
> désolant que cette fille (la mienne !)[1] [...].

---

47. « En vérité, son corps repose en travers du livre [...]. » (*TM*, p. 143)
48. Mort dont la narratrice ne cesse de porter la culpabilité : « J'étais présente ; j'étais
    là, juste à côté de Jean-William, mais ses convulsions ne me secouaient plus
    activement. [...] Ah, quelle femme ingrate ne suis-je pas [...]. Mais cela, je le sais
    trop bien ; j'y reviendrai, hélas, que je le veuille ou non, dans la mesure où ce livre
    que je commence doit, partiellement au moins, révéler celle qui le compose... »
    (*A*, p. 21-22)

(1) Cette allusion faite par Pierre X. Magnant à sa propre fille m'a profondément troublé. [...] Note de l'éditeur. (*TM*, p. 69, 85)

Je me confessais [...] des plus anciens incidents de mon enfance [...] ceux qui concernent mon père (cette histoire de tentative de viol). (*A*, p. 76-77)

La faute du sujet est ainsi ramenée à la faute plus originaire d'un inceste père-fille. Même dans *Prochain Épisode* où la faute est clairement illustrée par le défaut de présence, par l'impossible rencontre qui laisse entendre la fragilité de l'interdit de l'inceste dans le champ narratif du désir. La femme aquinienne est à l'avance déchue. Elle inscrit ainsi la *nécessité* narrative d'une faute du côté des femmes. Et K est la lettre répétée d'un ratage, d'un acte manqué auquel est suspendu le crime du narrateur et son écriture.

Le futur, actualisé à l'infini par la forme du roman, demeure inapprochable du fait de la coïncidence entre le nom improférable de K — son imposture dans l'intrigue — et le meurtre impossible de H. de Heutz — lui-même innommable parce que trois fois re-nommé. Il place au même lieu — invérifiable — le manquement de K et le meurtre du père, si l'on accepte de voir en H. de Heutz une figure de la Loi.

Joan est une femme coupable[49], tout comme RR qui incarne l'imposture et la femme défaite, « scandaleuse[50] », tout comme Christine la défigurée, la putain livrée à une auto-accusation qui démultiplie spasmodiquement sa faute. Enfin, Sylvie est l'incestueuse sacrifiée. Toutes ces femmes sont sœurs et se superposent à d'autres femmes pour former des trinités de victimes pécheresses et jouissantes. La faute nécessaire de la femme est ainsi toujours rappelée par le crime. Il y a là une composition topologique du parcours qui passe du fantasme de viol — sa représentation — au viol du fantasme qu'est la rupture de la représentation.

L'inceste père-fille inscrit dans le roman le versant femme du désir, le viol et le meurtre venant réitérer la commotion originaire de cette « étreinte interdite » (*PÉ*, p. 31)[51]. D'autre part, la violence de la sexualité coupable du narrateur n'y est jamais séparée de la jouissance. Une « felix culpa » vient donc inscrire une doublure temporelle. Selon

---

49. « [...] car elle a expiré en état de faute inavouable à son gracious Lord. Le péché a été mortel, d'ailleurs, c'est tout dire ! » (*TM*, p. 70)
50. « Passe encore son ambition littéraire expansionniste, plagiaire, déloyale ! [...] ce que je ne peux admettre, c'est qu'elle se prévale — avec une déloyauté flagrante — du seul écrit de Pierre X. Magnant. Cela me scandalise [...]. » (*TM*, p. 136)
51. Je renvoie au livre de Robert Richard, *Le Corps logique de la fiction. Le code romanesque chez Hubert Aquin*, Montréal, L'Hexagone, coll. « Essais littéraires », 1990, qui traite essentiellement de ce sujet.

cette logique, mise en place dans les scènes érotiques qui le traversent, le roman télescope en un seul temps la « faute du père » et la jouissance coupable de la femme[52].

S'il s'agit là d'une logique hystérique qui consiste à supposer le père impuissant, à le destituer de sa place en le destinant au viol du sujet pour garder la Mère et la Femme inentamées et hors sexe, cette logique occupe dans le roman un statut particulier. La position hystérique réarticule les deux temps de la fonction paternelle — manque dans l'Autre, mort (Nom) du père — comme une double déchéance qui, ramenant l'Autre au littéral, érotise la langue et prend le corps à la lettre, bloquant ainsi le temps et sa transmission[53]. Mais la topologie aquinienne rejoue la posture hystérique en replaçant le Nom-du-Père au lieu de la jouissance féminine. Le viol, ainsi placé au cœur de la Loi et de l'écriture, y devient l'occasion d'une jouissance innommable.

Si, en termes psychanalytiques, le désir de viol est généré par un sentiment d'impuissance et par l'insistance du manque dans l'Autre; si, en d'autres termes, ce fantasme provient d'une impasse de la transmission du désir non entièrement symbolisé par le sujet, l'impuissance à combler le désir de l'Autre revient au sujet sous la forme d'une castration *réelle*. Le viol, au regard du désir du violeur de se faire sujet, et non objet, de l'effraction dont il se sent lui-même la victime impuissante, au regard donc de son désir de suturer la béance où s'est à jamais signifiée la perte, ce désir de viol reçoit en retour, dans les romans d'Aquin, une jouissance dont le violeur est, en tant que cause, radicalement exclu. La béance est alors rouverte au cœur du fantasme même qui servait à la recouvrir. Le scandale de la représentation provient précisément de ce redoublement du mal: trait de l'imprévisible le plus radical.

La topologie du roman consiste ici à ramener le Nom — sa disparition — à la place de son recouvrement. Et cela n'est supposé possible qu'à l'intérieur d'une violence qui vise à reproduire le symbolique « en tant que tel », symbolique dont la faute du père[54] serait

---

52. Dans la logique freudienne, le fantasme de viol advient pour représenter au sujet la séduction primaire. Le viol par le père représente, en lui donnant un sens, la faute de l'Autre qu'est la jouissance de la mère. Il donne forme, en tant que fantasme, à la fonction originaire et infigurable du Nom-du-Père.
53. Voir Sigmund Freud, *Études sur l'hystérie*, Paris, PUF, 1978; Janine Chêne, « Le corps langage », *Recherches sur la philosophie et le langage*, vol. II, Grenoble, Cahier du Groupe de recherches sur la philosophie et le langage, Université des Sciences sociales de Grenoble, 1982, p. 151-168; Monique Broc-Lapeyre, « Le corps-langage. Le corps anagrammatique », *ibid.*, p. 169-179.
54. Pour rendre plus intelligible cette « faute du père », on peut dire qu'elle désigne simplement la défaillance de l'Autre, le trou dans sa parole en tant qu'elle est resignifiée au sujet comme viol perpétré sur lui par le père. Il s'agit d'une théorie sexuelle fantasmatique constituée par l'hystérique comme explication causale de

le représentant romanesque. D'autre part, l'inceste dans son statut de faute impossible — in-scriptible — est repris par le récit de scènes incroyables devant lesquelles les témoins sont sidérés. On se rappelle l'épisode du bois de Coppet où le narrateur, « foudroyé » devant le plagiat inconcevable de sa victime, se trouve frappé « d'une indécision sacrée » (PÉ, p. 88). *Trou de mémoire* illustre ce scandale par la scène incestueuse de « l'incident du Neptune ».

Le double narrateur (Magnant-Mullahy) laisse un blanc momentané après le récit de l'invitation faite à Joan en des termes suggestifs : « Viens petite fille à papa, viens : papa a de belles choses à te faire voir... Amen. » (TM, p. 69) Blanc qui sera comblé un peu plus loin par le récit de la scène érotique du restaurant dont la censure est alors présentée faussement par l'éditeur comme un « véritable mystère » (TM, p. 75). Or, l'essentiel est que cette scène apparaisse tout à fait intenable aux yeux des spectateurs témoins et qu'elle fasse coïncider le « climat morbide de la fascination » (TM, p. 77) avec la jouissance de Joan, « engourdie [...] dans sa demi-somnolence verbeuse » (TM, p. 77). Façon formelle de donner à voir la place du corps fictif anamorphosé et textuellement « christique ».

> [...] en plein milieu de la salle [Luigi] a pu voir ce que d'autres clients du Neptune (ceux qui se trouvaient *disposés en hémicycle en contre-champ de Joan*) : Joan était [...] affalée sur la banquette [...] Pierre X. Magnant [...] a commencé par relever doucement la jupe de Joan, découvrant le blanc de ses cuisses écartées sous la table, puis il a caressé sa partenaire engourdie, mais complaisante dans sa demi-somnolence *verbeuse* [...]. Une sorte d'*invraisemblance* se dégageait du couple exhibé. *Ce n'était pas possible* [...]. [Les témoins] étaient stupéfiés, presque paralysés par la progression évidente de la caresse et du plaisir correspondant. [...] Le temps du plaisir protégé par une sorte d'*immunité du réel, a devancé* la prise de conscience de Luigi et des autres. [...] Luigi est resté coi [...]. La trame sonore de la *réalité s'est réinstallée* dans le restaurant. (TM, p. 77, je souligne)

L'énonciation est jouée à partir d'une faute littéralement indicible. Faute que la re-nommée du narrateur-pénitent redouble et démultiplie dans une déflagration — orgastique, épileptique, criminelle — qui ne

---

la culpabilité inconsciente. « La perversion paternelle constitue en quelque sorte le savoir par lequel l'hystérique s'explique que la sexualité soit pour elle si traumatique. » (Serge André, *Que veut une femme ?*, Paris, Navarin, 1986, p. 68) Dans la théorie freudienne, le viol par le père est déjà une répétition déplacée et figurée du premier traumatisme où le désir s'est signifié au sujet. La faute du père *représente* la faille du symbolique ou encore la béance incomblable qui laisse le langage de l'Autre non saturé par ce qu'il appelle.

cesse plus de produire des « retombées ». Ces retombées sont elles-mêmes énoncées dans la forme du temps aquinien. L'improbable en train d'advenir recompose d'une certaine façon les repères théologiques que sont les dogmes, ces « nœuds » incroyables — Annonciation, Immaculée Conception, Incarnation, Crucifixion, Résurrection — pour les enchâsser les uns dans les autres, détournant ainsi l'aveu de son énoncé transfiguré en mystère impénétrable[55]. On assiste là à l'avènement d'un temps dans lequel le Christ, la Vierge, Dieu et l'Esprit (Verbe) sont télescopés vertigineusement dans le blanc de la jouissance féminine.

Le négatif de la représentation féminine proposé par Aquin ne peut donc pas être seulement analysé selon une composante imaginaire qui ne traduirait qu'une haine des femmes pour mieux restaurer ailleurs — dans la langue — l'idéal de La Femme. Mais en maintenant l'impureté de toutes les femmes, la logique aquinienne déplace la problématique du salut — passant par la crucifixion et par son vecteur symbolique eucharistique — vers l'infinie irrédemption. Mais pour Aquin, le futur de la Loi, pourrait-on dire, EST Femme.

La destitution de la femme-Mère, de Marie-Ève (Eva-ave) lui permet de fantasmer la place du père comme étant radicalement indépendante de la Mère. Et c'est là, à mon avis, que se donne à lire le désir de Nom symbolisé par le roman. Un désir hurlant et tragique de devenir sujet par l'arrivée d'une Loi sans mélange et sans corps. Désir d'une rédemption par La Femme dont l'irreprésentable jouissance garantirait la sortie du sujet hors de l'imaginaire. Ce désir, le corps fictif du roman en prend acte en éjectant hors de lui la représentation. L'image, chez Aquin, n'est pas un leurre nécessaire à la Loi, mais un piège à Loi. L'incarnation ne vient à sa place qu'à la condition de perdre ses assises « maternelles » ou référentielles au profit d'un corps-signifiant que la représentation prend en charge en brisant sa consistance. Le retour de la faute au cœur de la jouissance féminine énonce ce que le roman ne cesse de « perpétrer », à savoir le « viol » symbolique du système des représentations et de l'imaginaire.

Ainsi, à la femme coupable d'une faute « nécessaire » — celle qui transmet au sujet la loi du désir — répond chez Aquin le crime d'un homme démultiplié, péchant dans le péché de la féminité séductrice et tentatrice[56]. Tous ces Noms-du-Père font bord à une jouissance

---

55. La scène du Neptune que l'on vient de lire est, bien sûr, logiquement liée au meurtre et aux viols dont le roman ne cesse de rappeler la portée théologique, jusqu'à la « chienne immaculée » (*TM*, p. 90) dont Joan est recouverte au moment de sa mort, véritable suaire qu'est encore la « couverture parchemin » qui recouvre RR inconsciente dans son lit d'hôtel (*TM*, p. 174).
56. De là s'engendre le circuit infini des noms. (Je — Hamidou — H. de Heutz — etc.; Olympe Gezzo Quenum — P.X. Magnant — C.E. Mullahy; Jean-William —

féminine innommable. Le roman cherche donc à s'écrire dans la forme de la Loi, et c'est en cela qu'il se situe au niveau du « pur blasphème ».

La Bible a déjà prévu cette faute impardonnable qu'elle appelle « faute contre le Saint-Esprit[57] ». Il s'agit en fait du péché qui consiste à retourner la langue contre elle-même. Une telle faute est impardonnable puisqu'elle est celle du sujet qui vient à la place de Dieu. Le roman aquinien cherche sa division originaire pour que l'impensable du Nom arrive à se produire de lui-même.

Le bord tracé par la série des substitutions de personnages rappelle entre autres qu'il existe une paternité vouée à réclamer sa rédemption par le fils. Les violeurs et amants que sont les personnages masculins des romans ne viennent jamais qu'à la place du père puisque pour la femme aquinienne, le viol a toujours déjà eu lieu. Le rôle des fils consiste à faire en sorte que la faute du père trouve sa rémission dans le crime. Cette problématique traverse *Hamlet* dont tous les romans d'Aquin sont une réécriture et une interprétation mouvante, et elle finit dans *Neige noire* par se recentrer autour de Fortinbras, seul détenteur de la vérité de cette faute, étant le seul à réengendrer le père et à opérer le « rachat » de la paternité[58].

> D'ailleurs qui, parmi les spectateurs, sait que Fortinbras est prince de Norvège et fils de Fortinbras, souverain de Norvège et ancien ennemi du père d'Hamlet? [...] Somme toute,

---

pharmacien — Chigi— Beausang — Franconi — Robert; Michel Lewandowski — Nicolas 1 — Nicolas 2).

57. « Aussi je vous le dis, tout péché et blasphème sera remis aux hommes, mais le blasphème contre l'esprit ne sera pas remis [...]. Quiconque aura parlé contre l'Esprit Saint , cela ne lui sera pas remis ni en ce monde, ni dans l'autre. » (Matthieu 12, 31); « Quiconque aura blasphémé contre l'Esprit Saint n'aura jamais de rémission. Il est coupable d'une faute éternelle. » (Marc 3, 28). La faute impardonnable et paradoxale est ainsi celle qui consiste à parler contre le Verbe: « Péché à la limite du pensable, puisqu'il est celui des prédestinés au bien qui, par un usage pervers de l'Esprit, font échec à la prédestination. Ce péché ébranle la logique de la rédemption, de l'intercession [...]. » (Annie Tardits, « L'appensé, le renard et l'hérésie », *Joyce avec Lacan*, dans Jacques Aubert [dir.], Paris, Navarin, 1987, p. 150) Cette réflexion qui supporte une analyse sur la position hérétique de Joyce rejoint directement « l'hérésie » aquinienne, formulée plus haut comme logique de l'irrédemption. Aquin, lecteur de Joyce, n'est pas sans rejouer les parcours d'Averroès, de Scot Erigène, etc.

58. « Si le père de Hamlet est lui-même en quelque sorte, un assassin et un usurpateur — ce que prouve assez le fait qu'il revienne de l'Enfer décrire les tortures qu'il y subit — il est clair que venger sa mort ne saurait effacer sa faute, et que l'histoire de cette vengeance ne constitue qu'un épisode de la seule vengeance moralement et logiquement légitime: celle de Fortinbras. [...] si le premier roi spolié est le roi Fortinbras, il est juste que son fils rentre à la fin en ses pouvoirs, se révélant par là, bien plutôt qu'Hamlet, le vrai héros de l'aventure. » (Jean Paris, « *Hamlet* » ou les personnages du fils, Paris, Seuil, 1953, p. 54)

Fortinbras réussit finalement là où Laërte et Hamlet échouent dans l'intrigue. Il venge son père en reconquérant le royaume du Danemark en son nom. Trois fils vengeurs, un seul victorieux: Fortinbras. (*NN*, p. 10)

L'auto-engendrement du père dans le fils traduit une logique œdipienne autant que théologique selon laquelle il existe une consubstantialité des trois personnes. Il s'agit somme toute d'une transmission marquant l'entrée du verbe dans la chair. De là, désirer venir à la place du Père pour se faire le sujet de son propre engendrement ou pour tenter de reprendre à la paternité le Nom inaudible qui n'a pas résonné dans la filiation, ne connaîtra pas de rémission. Blasphémer contre le Saint-Esprit est une faute paradoxale puisqu'elle met la langue au service de sa destruction, et qu'elle renverse le processus de la Rédemption en faisant de la faute une Loi. C'est en cela aussi que le crime parfait est pur blasphème: il est la « faute nue » :

> Il m'apparaît de plus en plus que la sincérité est impossible sans une connaissance profonde de soi [...]. Le saint, par définition, est parfaitement lucide, il voit tout... Et je réponds d'un homme qui se connaîtrait parfaitement; comment pourrait-il se trahir lui-même en pleine conscience? Là commencerait la vraie faute. « La faute nue, c'est l'acte de la conscience contre elle-même... la faute est un acte de connaissance, non seulement dévié, mais inversé; une connaissance contre... » (Pierre Emmanuel). (*BE*, p. 38)

> [...] Ce crime singulier m'accable maintenant plus encore que le pluriel de la révolution québécoise, chiennerie interminable et pur blasphème, donc: impossibilité... (*TM*, p. 70)

La topologie du parcours déclenchée par une division inaugurale engendre deux plans en continuité. La projection anamorphotique d'un plan à l'autre libère une sorte d'improférable qui se donne pour la *forme* recomposée du sujet dans son Nom. Cette topologie — comme celle du roman ducharmien — révèle une position particulière du sujet dans la langue maternelle, une façon de se porter là où la langue accède à la limite du traductible et de l'interprétable.

On peut dire d'Aquin ce que Lacan disait de Joyce, à savoir qu'il « fait rentrer le nom propre dans ce qu'il en est du nom commun [59] », ou qu'il fait passer la langue par le trou du nom. Mais chez Aquin, l'ininterprétable est l'ultime effet de l'interprétation. C'est dire que

---

59. Jacques Lacan, Séminaire « Le sinthome », séance du 10 février 1976, *Ornicar?*, n° 8, p. 13.

l'interprétation parcourt le temps biographique pour le scinder d'une graphie lancée vers un objet (ob-je) qu'elle devance et qui la poursuit. L'interprétation sera dès lors livrée à l'imprévisible qu'elle tente de rattraper. Le texte poursuit doublement la réalité et la fiction selon le principe de ces autobiographies qui posent la nécessité inaugurale du double je [60].

La lecture est au fondement des retombées — toujours mortelles. Elle est le premier effet d'écriture selon lequel un signifiant se met à jouer pour son propre compte, relançant à l'infini l'énonciation « à relais » dans une machine d'écriture dont le commandement s'est perdu à travers l'« emballement » des corps vocalisés qui s'y trouvent pris. L'écriture monte des machines dont le commandement passe d'un foyer à l'autre jusqu'à la perte inévitable du contrôle, offrant ainsi le spectacle d'une véritable machination irréversible dans laquelle toute tentative de repérage est vouée au dérapage fatal. La machine d'écriture implique un clivage qui l'amorce, un pli, une doublure, qui fait fonction de démarrage toujours déjà advenu et toujours en train d'avoir lieu, à la fois hors de la mécanique et inscrit en elle [61].

Celui qui accomplit le crime parfait, comme le constructeur d'un appareil indémontable, inclut dans la logique du montage toutes les composantes du démontage, jusqu'à produire une œuvre irrépétable, atopique et irreconstituable en laquelle toute enquête se trouvera saisie. La lecture y rencontre sa dissolution future.

Le crime parfait prévoit l'imparfait du temps de sa lecture. Il est la conjonction entre un écrit qui trace l'errance et l'effondrement réel du signifiant, la dissolution visible de l'énonciation, et un autre écrit, coupant, tranchant, qui entreprend la reconstitution plurielle de l'écriture dans laquelle toutes les contradictions ne s'annulent pas mais sont au contraire livrées à l'augmentation du coefficient d'invraisemblance. Le foudroiement fait chavirer la lecture dans la fiction.

C'est le savoir lisible sur la mort qui foudroie le lecteur comme l'avènement de sa propre mort depuis toujours consommée. La lisibilité surgit tel un obscurcissement radical et radial du regard, une

---

60. Le « conflit » autobiographie-fiction débouchant immanquablement sur une fictionnalisation généralisée, met en acte une interprétation qui vise à déconstruire tous les contenus d'interprétations.
61. L'enchâssement du roman (sa « finition ») est toujours marquée dès le début. Si bien que commencer à lire c'est entrer dans une fin infinie. Les romans ont une structure mœbienne qui implique que la fin soit déjà en acte au commencement. RR « lit par-dessus notre épaule », de même que Nicolas est engagé dès la première ligne dans l'écriture du scénario. L'intrigue d'espionnage est elle-même déjà « lue » au moment où elle entreprend de s'écrire, et Suzanne lit le manuscrit avec nous depuis ce registre anonyme « plaqué » à l'ouverture du livre comme achèvement inaugural.

disparition du foyer de lecture. Là est la fonction singulière du spectre dans *Hamlet*: une visibilité de l'invisible, une lisibilité de l'illisible, un mystère révélation. Le spectre désigne la place d'où est proférée la question du nom du fils dans celui du père: « What's in a name[62]? »

La fonction du spectre, apparition du Nom-du-Père, structure tous les romans d'Aquin et s'explicite entièrement dans *Neige noire*. Le spectre, c'est l'incroyable qui rend impossible la lecture et produit chez les lecteurs représentés un suicide générique qui est à la fois la transmission et l'irrémission de la « faute ». Ce suicide est un effet d'écriture parce qu'il est déjà pris par son parcours qui ne cesse de produire un savoir sur la mort, qui tue. Le spectre, c'est l'apparition de la faute originelle qui viole le lecteur:

> [Le spectre] Exactement, la faute originelle — et sur laquelle toute analyse garde un silence des plus prudents. [...] Un fantôme est un viol de la raison publique [...]. Et dès lors que l'invisible devient visible en lui, comment ne point le croire suprêmement réel[63]?

Dans *Prochain Épisode*, Ferragus engendrant tous les doubles, occupe la fonction de spectre ou de crâne anamorphotique: « Ferragus c'est le spectre dans *Hamlet*[64]! » Le spectre, forme apparue de l'invisible, supporte la topologie du roman d'Aquin.

Je fais grâce au lecteur de mes tâtonnements et j'en arrive à l'essentiel: j'ai finalement utilisé une grille anamorphotique pour relire le manuscrit, et voici ce que m'a révélé cette expertise catoptique. [...] Cette forme blanche [...] suspendue mystérieusement au-dessus du pavement dallé [...] est le

---

62. James Joyce: « Un père, dit Stephen, [...] est un mal nécessaire. [...] La paternité, en tant qu'engendrement conscient, n'existe pas pour l'homme. C'est un état mystique, une transmission apostolique, du seul générateur au seul engendré. Sur ce mystère [...] l'Église est fondée et fondée inébranlablement parce que fondée, comme le monde [...] sur le vide. Sur l'incertitude, sur l'improbabilité [...] Sabellius l'Africain [...] soutenait que le Père était soi-même son Propre Fils. [...] Si nous nous attachons à sa famille [celle de Shakespeare] [...] nous voyons d'abord que le nom de sa mère survit dans la forêt d'Arden. [...] La mort de son jeune fils est devenue celle du jeune Arthur dans le Roi Jean. Hamlet, le prince noir, est Hamlet Shakespeare. [...] Mageeglinjohn: Des noms! Qu'y a-t-il dans un nom? » (*Ulysse I*, Paris, Gallimard, coll. « Folio », 1974, p. 302-305); Aquin n'a pas manqué cette rencontre avec Joyce: « Eh bien, oui... c'est lui, Joyce, ce frère bouleversant qui tient notre plume hésitante et nous presse encore d'écrire des insanités à seule fin d'écrire des insanités. Bien sûr, cela me concerne; en fait cela ne concerne que moi [...]. Joyce n'est pas des nôtres; pourtant c'est un frère posthume. » (*BE*, p. 128). Au sujet du rapport Joyce-Aquin voir l'article de Gilles Thérien, « *L'Antiphonaire*, essai de lecture », *Bulletin de l'EDAQ*, n° 7, mai 88, p. 94-96.
63. Jean Paris, *op. cit.*, p. 122, 124.
64. Entretien avec Hubert Aquin, *Le Québec littéraire 2. Hubert Aquin*, p. 134.

centre secret de cette grande composition, un peu comme le meurtre de Joan est le socle sombre du roman. La forme pâle indiscernable qui flotte au-dessus du sol s'apparente au corps blanc de Joan [...]. L'ombre contrefait les lois fondamentales de la lumière, répétant par sa projection invisible un crime parfait. (*TM*, p. 143)

Si l'interprétation fait advenir le spectre de l'ininterprétable, si aucune rédemption ou assomption du sens n'est possible, c'est parce que l'interaction des appareillages d'écritures a déjà multiplié l'interprétation en dédales filés à travers l'histoire. La coupure ne peut que se multiplier pour éviter d'être recouverte par le voile herméneutique. Ce sont précisément les lignes de coupure qui engagent fatalement le scripteur à parcourir tous les noms, « toutes les œuvres humaines », et qui impliquent la sérialisation d'un même acte ou d'un viol surmultiplié dans les effets d'écriture. Le viol devient le prototype de l'effraction, l'expérience éprouvée de la mort dans la vie[65].

Les relais narratifs ou les séquences répétées — lecture-viol-meurtre-suicide — révèlent la mise en scène dramatisée de l'interprétation du Nom-dit. L'intégration d'une « lecture radiale », voire « spectrale », dans l'acte scripturaire a pour effet de projeter le lecteur au cœur même de l'énigme improférable de son nom, de le pousser à bout, de l'arracher, de le violer en le projetant dans l'entre-deux-scriptions ou dans l'entre-deux-morts.

Le temps du roman est alors celui de la lecture: toujours à venir et ne cessant pourtant de se produire au passé.

[...] le retour en arrière est inextricablement mêlé à ce qui s'en vient, le flash anticipateur s'organise d'après le même système intrusif auto-régulateur, l'ordre des séquences se définit comme une dislocation délibérée du rapport entre le temps du spectateur et celui de l'intrigue. La perception du temps se moule sur sa représentation; la reproduction temporelle déborde immanquablement le champ du présent, d'ailleurs. [...] Le temps perçu est forcément du passé, ce qui revient à dire que le présent a un arrière-goût de souvenir et que l'avenir projeté n'est qu'un futur souvenir, donc un passé à venir [...]. L'avenir de l'intrigue n'apportera qu'un passé qui n'était pas encore dévoilé quand le spectateur s'en inquiétait. (*NN*, p. 93)

---

65. « Le viol est sans doute la transgression ultime [...]. Il reste que le viol est une chose horrible [...]. J'ai l'impression que c'est une relation qui n'est pas loin de frôler la mort, ce n'est pas loin du meurtre, d'une volonté de destruction et on pourrait, en faisant de la psycho-critique, ramener cela à quelque chose comme le meurtre fondamental. C'est l'acte transgressif instaurateur de la tragédie. » (*ibid.*, p. 136)

Le lecteur est bien la tache sombre, spectrale, inspécularisable à laquelle tous les noms renvoient, masques interchangeables qui ne cessent de re-nommer ce qui reste sans nom. Le lecteur est ainsi l'altérité axiomatique, é-ludée et jouée derrière les artifices comme le Nom infiniment re-suscité à sa place. D'où l'imprévisible et pourtant nécessaire viol du lecteur. La « faute nue » consiste à faire agir le savoir contre lui-même, la lecture contre elle-même, la langue maternelle contre la Mère, contre le lien et la représentation dont elle est la fibre. Ramener le nom propre dans le nom commun revient ici à écrire, dans la perspective théologique, en « langues maternelles de feu ». (*TM*, p. 95)

Le sujet se définit comme une « vivante et interminable pentecôte » (*TM*, p. 26), ce qui consiste sans doute, pour reprendre l'expression de saint Paul, à « parler en langues [66] ». Parler en langues ne passe pas, chez Aquin, par une pratique joycienne de la traversée de toutes les langues, jusqu'à faire de l'écrit le lieu de l'intraductibilité révélée. Il s'agit plutôt d'un effet topologique qui vise à proférer « in actu » une langue hors la langue, c'est-à-dire à lui rendre le statut intraduisible et insignifiable du Nom. Le nom propre est, en langues, l'hiéroglyphe par où elles sont appelées à passer.

Quant à la Pentecôte, elle désigne le moment fulgurant où un souffle — support de la voix et de la parole — descend du ciel en langues de feu. La matière incandescente figurant la parole vient se poser sur chacun des apôtres. Elle date la descente du Saint-Esprit sur les apôtres, les dotant d'une parole qui résonne dans toutes les langues. La Pentecôte marque le bouleversement par lequel une parole unique revient démultipliée d'entre les morts. Mais cette parole démultipliée dans la « communauté » des apôtres a ceci de particulier qu'elle est énigmatique et paraît délirante à la foule où chacun, pourtant, entend parler dans sa propre langue [67].

La Pentecôte c'est l'instant où l'inacceptable qui avait laissé les apôtres sans voix, à savoir la mort et la résurrection du Christ, est reconnu et affirmé par une parole qui, cette fois, désire une transmission. La vision des langues de feu est momentanément donnée pour souligner ultérieurement, dans la parole des apôtres, que ce qui se fait entendre vient à la place de ce qui se fait voir.

Que les Apôtres naissent le jour de la Pentecôte au désir de parler, sans plus attendre la parole du Maître mort, cela

---

66. « Car celui qui parle en langues ne parle pas aux hommes mais à Dieu; personne en effet ne comprend: il dit en esprit des choses mystérieuses. [...] Celui qui parle en langues s'édifie lui-même, celui qui prophétise édifie l'assemblée. » (Cor. 14, 2-3)
67. « Ils se disaient, interdits, l'un à l'autre: que peut bien être cela? D'autres disaient encore en se moquant: ils sont pleins de vin doux. » (Pierre, Actes 1, 12-13)

signifie qu'ils ne sont plus suspendus à un espoir imaginaire qui se nourrissait de la visibilité même du Maître: désormais, le suivre, c'est articuler la parole qui vient de son souffle, parole dont le contenu [...] ne fait que dire, au-delà de toute explication, voire de toute représentation — la résurrection s'affirme, elle ne se représente pas —, le rapport radical et essentiel à Jésus de l'effusion du souffle et de la prise de parole [68].

La fonction de l'Esprit est donc d'affirmer hors de la représentation, *hors du semblant* et en deçà de toute interprétation, le temps incroyable de la Rédemption. En d'autres termes, l'acte de foi n'est envisageable que devant l'irreprésentable. Trois positions sont alors à considérer: celle de la foi — croire sans voir —, celle de l'incroyance ou de l'athéisme — ne pas croire sans voir —, celle de la « faute nue » ou du crime parfait qui consiste à *voir sans croire* [69]. Pécher contre le Saint-Esprit signifie mettre la représentation au service de l'irreprésentable, c'est-à-dire faire en sorte que l'irreprésentable advienne au visible comme forme de l'invisible [70].

L'écriture d'Aquin est justement aux prises avec un tel désir, cherchant à produire l'imprononçable de toutes les langues dans la forme prononcée de la confession. Plus la vérité s'affirme, plus elle change de nom et de masque, plus elle s'approprie le semblant et finit par représenter l'impossible à croire. Plus le savoir interprétatif est mis en branle et plus le mystère s'épaissit. Il n'y a donc pas chez Aquin de délire verbal permettant de refonder une communauté sur un acte de foi. Aucun délire ne force la langue à faire consister l'Autre imaginaire. La langue « maternelle » est, chez Aquin, une langue maternelle flambée, c'est-à-dire sacrifiée à une mise en forme de l'invisible fulgurance du temps. La Mère est ramenée à sa jouissance, à son devenir-Femme dans la langue du sujet. Le roman aquinien procède à cette opération limite sur le langage, qui consiste à faire don d'un « rien », à transmettre ce qui ne peut se posséder, à savoir la castration désirée. Mais il s'agit d'une castration tellement radicale qu'elle foudroie le sujet et boucle le texte sur lui-même.

Violer le lecteur c'est faire du texte le processus inversé de la descente du Saint-Esprit sur les Apôtres avec le don des langues. Il

---

68. Louis Berneart, *Aux frontières de l'acte analytique*, Paris, Seuil, 1987, p. 181, 184.
69. G. Cantor, devant les nouveaux nombres infinis, disait: « Je le vois mais je ne le crois pas. » (Cité par Daniel Sibony, *Le Nom et le Corps*, Paris, Seuil, 1974, p. 222)
70. La parenté de toutes ces formulations avec l'énoncé du sublime kantien, si elle permet de rapprocher le roman aquinien de cette rhétorique, c'est seulement à mon sens, dans la mesure où il met en scène la logique de son fantasme, à savoir la possibilité, pour un sujet, d'accéder au registre du sublime comme à celui d'une pureté symbolique qui serait souveraineté.

s'agit d'affirmer la rédemption là même où elle est impossible : dans la représentation. L'affirmation de la rédemption dans le temps de la faute suppose de se prendre pour Dieu et de se mettre à la place du père en train de transiter dans un corps de femme[71]. Le sacré occupe le lieu même de la profanation et le viol apparaît comme une transsubstantiation inversée.

> Fatigué, je rêve à la plénitude du viol — comme les mystiques doivent aspirer à l'extase divine ou à l'apparition... (*TM*, p. 112)

C'est ainsi que le Cantique des Cantiques peut pénétrer Renata par la voix de Chigi pour la mise en scène d'un viol verbal d'où surgit une jouissance inconnaissable.

> Elle se réveillait en écoutant la voix émue de l'abbé Chigi lui réciter les passages les plus merveilleux de la Bible [...]. Renata émergeant de sa transe comitale, entrait dans une transe mystique incommensurable [...] sur le bord d'une jouissance dont elle ignorait complètement le déroulement. [...] [Chigi] regardait avec attendrissement la pauvre Renata (dont il avait lui-même honteusement profité). (*A*, p. 88-91)

Par la lumière — images, paroles, savoir —, le lecteur est précipité dans l'obscurité. Tache sombre du tableau, il trouve son temps là où le sens surmultiplié le rend à sa propre énigme. Le retournement du don rend impossible la langue, la rend impraticable, devenant alors visible dans son intraductibilité. Le roman aquinien est, à l'instar du narrateur, un sujet « pas parlable » (*TM*, p. 95). Il s'écrit en reprenant à son tour la question de Shakespeare, reprise elle-même par Joyce : what's in a name ?

> Nicolas : Qu'est-ce qu'il y a dans un nom ? [...]
> Sylvie : Un nom ça ne se dit pas.
> Nicolas : Pourquoi ?
> Sylvie : C'est sacré un nom... Ça ne se dit pas. (*NN*, p. 39)

Ce qu'il y a dans un nom ? Rien... que la nomination. La profanation sacrée consiste à sortir de la langue maternelle pour rejoindre la « langue désaintciboirisée » et pure du blasphème.

> Je ne charge pas, saint chrême fouetté, je décharge à pleins ciboires, j'actionne mes injecteurs de calice à plein régime et

---

71. « Tous les artifices de l'intrigue ne feront jamais oublier au lecteur que derrière cet écran de décombres se cache une pauvre loque qui se prend pour Dieu » (*Ob*, p. 16) ; « Le soleil c'est moi ! Oui, moi moi moi et seulement moi ! Oui c'est moi le pur flambeau astral, le centre de toutes les circonférences au sommet [...]. » (*TM*, p. 24)

je sens bien qu'au fond de cette folle bandade je retrouve, dans sa pureté de violence, la langue désaintciboirisée de mes ancêtres. (*TM*, p. 94, 95)

En cela réside la violence d'une lecture « épiphanique[72] » qui est évidement du sens et sortie de l'évidence. La forme formante du Nom ou du voir passe par le vecteur de la renommée et se produit en une sorte de « radiance » du noir. La topologie aquinienne, en sérialisant le nom, met en perte toute possibilité de repérage de la source énonciatrice — réalité autobiographique — et donne à lire le roman depuis un lieu « sombre » par où, immanquablement, le scandale arrive.

Par la constitution de l'énigme, s'opère la fictionnalisation généralisée de l'écriture, enchâssant dans son trajet l'ensemble de la culture. L'épiphanie est ce par quoi se joue le sacrement de l'écriture, non comme promesse de salut mais comme figure qui porte à la luminescence le gouffre insaisissable de la nomination : théâtre illuminé où la collectivité trouve son renom *ad infinitum*[73].

S'il y a « rédemption » dans l'acte d'écriture, elle n'est que la scansion du temps. L'auto-énonciation lancée dans une interprétation vouée à s'exclure d'elle-même effectue un double tour, une réénonciation. L'autoportrait baroque est ici « passion du Voir, redoublée dans la mise en scène de l'œil-voyant, de la voyure[74] ».

La rédemption ou la salvation est fantasmée dans la « salve » du temps qui ouvre, dans le palimpseste culturel, un « là » irreparable. Surgit alors le lieu, la place, le trou topologique inobstruable révélé par la déflagration du sujet anamorphosé. La crise est donc, pour le sujet aquinien, le temps retrouvé, celui qui se souvient de la forme et la révèle dans sa brillance éclatée. Le texte aquinien désire l'anamnèse irradiante par laquelle la forme se défait dans une autre forme.

D'où vient le roman aquinien ? De Rome. De la Rome baroque et catholique, bien sûr, mais plus encore de cette Rome atopique de

---

72. L'invisible est par ailleurs aussi représenté par tous les appareils de télévision vidés de leur image (*A*) et qui fonctionnent au même titre que le « théâtre illuminé ». La jouissance féminine est sans foyer repérable, comme le « théâtre illuminé » du rêve de Nicolas qui est la figure de la fictionnalisation reprise par la télévision qui diffuse Hamlet « entre les cuisses d'Eva » (*NN*, p. 168-172) et qui figure à elle seule la jouissance féminine : « Le petit écran ne diffuse qu'un magma informe, strié, chevronné, à chrominance déréglée. Ce qui est représenté à l'écran ne représente rien. [...] petit écran d'où coule une lave polychrome. » (*NN*, p. 18)

73. Au sujet de l'épiphanie, voir encore l'article de Gilles Thérien publié dans le *Bulletin de l'EDAQ* : « Compte tenu des notes prises par Hubert Aquin sur l'*Ulysse*, sur sa propre interprétation du livre, on y trouve [...] une réflexion formelle sur les formes littéraires qui se traduit dans leur utilisation dans le cadre du roman. [...] Chez Joyce, la *claritas* est devenue l'épiphanie, le moment de l'illumination esthétique par excellence [...]. » (*loc. cit.*, p. 98)

74. Christine Buci-Glucksmann, *op. cit.*, p. 215.

Neige noire que généralise la fonction du Nom figuré à l'emplacement du « théâtre illuminé », offert tel un Vatican de l'écriture. Rome déportée sur les bords de la mer de Barents devient le trou innommable et innommé dont se refend la bande littorale aquinienne.

> Nicolas: Je jouais Hamlet dans une ville italienne située sur les bords de la mer de Barents... [...] La ville a été construite selon un plan concentrique. Les avenues partent du centre comme des rayons, les rues sont circulaires et recoupent les avenues. La place centrale est un vrai chef-d'œuvre. (*NN*, p. 143-144)

Troisième partie

Le corps fictif

Chapitre VI

La résurrection de l'écrivain

L'équation révolutionnaire

> Le problème pour l'écrivain, c'est de vivre dans son pays, de mourir et de ressusciter avec lui. (*PF*, p. 48)
>
> Faire la révolution, c'est sortir du dialogue dominé-dominateur; à proprement parler c'est divaguer. [...] Il n'y a de monologues vrais que dans l'incohérence. L'incohérence dont je parle ici est une modalité de la révolution autant que le monologue en constitue le signe immanquable. (*PF*, p. 53)

La topologie du roman d'Aquin met au jour un désir du Nom en tant qu'il passe à l'acte romanesque. Passage à l'acte qui se caractérise par une « commotion » du savoir au champ de la lecture et qui fait du lecteur l'effectuation réelle de cet événement imprévisible. Une telle écriture pose en quelque sorte les termes d'une « équation » révolutionnaire. L'écriture rejoint en effet le principe opératoire de la révolution aquinienne qui fonde « l'axe homicide » (*PÉ*, p. 23) sur une pratique où se conjoignent crime et style. « Tuer confère un style à l'existence » (*PÉ*, p. 23). L'équation romanesque consiste à faire naître de la répétition de l'énonciation une série de crimes. Le style, selon cette logique, ramène chaque fois l'imprévisible dans l'attendu et inverse le connu en inconnaissable.

Cette topologie agit à l'envers des présupposés critiques qui confèrent au roman — et à l'œuvre d'art en général — la faculté de « penser le non encore pensé ». Aquin rappelle au contraire que le travail du roman consiste à rendre impensable le déjà-pensé. D'où l'effet — scandaleux pour le lecteur — de participer à un événement tout à fait irrecevable. Le « crime verbal » qu'est l'écriture d'Aquin n'est révolutionnaire que parce qu'il rejoue l'événement d'une mort et d'une résurrection « in actu ». Cet «événement nu» dispose le fantasme d'un temps désiré, générateur du processus historique [1].

La révolution aquinienne s'adresse à la collectivité des « colonisés », des dominés, c'est-à-dire à un ensemble déjà nommé et défini par son statut éminemment apocryphe. Dans un tel ensemble, toute production est écrite à l'avance, toujours déjà éditée, lue, classée.

> Or, dans mon cas, si la structure éclate sous le coup de la déflagration qui se produit en moi, ce n'est pas pour laisser la place à une contre-structure littéraire, mais pour ne laisser aucune place à la littérature qui n'exprimerait, si je cédais à ses charmes, que la domination dont je suis le lieu depuis deux siècles. [...] Quelque chose d'autre m'importe, un au-delà littéraire qui n'est pas une métalittérature [...] mais qui est la destruction du conditionnement historique qui fait de moi un dominé. En rejetant la domination je refuse la littérature. [...] Oui, le dominé vit un roman écrit d'avance: il se conforme inconsciemment à des gestes assez équivoques [...] le dominé se manifeste comme un revendicateur [...] il ne mesure pas le degré de complémentarité du revendicateur et de son maître [...]. (*PF*, p. 51-53)

L'écrivain qui accepte d'écrire *dans* un tel ensemble est voué à l'enfermement collectif et communautaire puisqu'il ne fera que resserrer le lien imaginaire qui confère à son propre nom le facteur d'originalité et d'individuation. L'acte romanesque se situe pour Aquin directement dans l'axe de ce point de croyance qui sacralise le nom d'auteur et fait tenir sans discontinuité la communauté des nommés. Aquin a dénoncé plus d'une fois cette croyance en l'originalité [2], support et représentant de la contre-révolution ou de la « cohérence » établie.

L'écrivain assujetti à une telle logique préserve sa place de dominé « talentueux » et met l'esthétique au service d'un déjà-dit, d'un déjà-écrit, répétant la cohérence qui lui vaut justement d'être reconnu. Le désir révolutionnaire d'Aquin se structure tel un « refus d'écrire »,

---

1. « Événement nu, mon livre m'écrit et n'est accessible à la compréhension qu'à condition de n'être pas détaché de la trame historique [...] c'est vrai que nous n'avons pas d'histoire. Nous n'aurons d'histoire qu'à partir du moment incertain où commencera la guerre révolutionnaire. [...] La révolution viendra à la manière de l'événement absolu et répété qui nous a consumés [...]. On ne peut vouloir la révolution dans la sobriété, ni l'expliquer comme un syllogisme, ni l'appeler comme on procède en justice. » (*PÉ*, p. 94-95)
2. Tous ses romans se jouent depuis le renversement de cet acte de foi. « Et puis, aussi bien tout avouer, l'originalité d'un écrit est directement proportionnelle à l'ignorance des lecteurs. [...] Et tout rentre dans la cohérence invisible. » (*PF*, p. 49, 53)

seule posture — imposture — assumable à l'intérieur d'un ensemble paralysé par l'autonomination compulsive[3]. L'autonomination est bien le statut imaginaire de tout ensemble social qui conçoit l'indépendance et l'autonomie — auto-nymie — depuis sa position de dominé. Le « joual refuge » en est, pour Aquin, le symptôme flagrant:

> Le joual est un projet politique qui se définit contre la Confédération canadienne ou, grosso modo, contre les Canadiens anglais. Les Canadiens français sont donc le lieu d'un double rejet; celui de la langue française et celui du cadre fédéral à prédominance anglaise. Ce qui frappe le plus dans la conjonction de ces deux thèmes, c'est le rêve — même implicite — d'une *parthénogénèse collective*. [...] Dans ce contexte, rêver d'instaurer une langue nouvelle — le joual — équivaut à capituler d'avance en nous réfugiant dans une forteresse linguistique inexpugnable et indéchiffrable. Le joual ne peut être révolutionnaire que si le Québec reste toujours dans un état colonisé. (*BE*, p. 137, 142, je souligne)

La « parthénogénèse collective », équivalant à une autonomination, apparaît ici comme le réflexe du colonisé qui suppose le rejet de l'Autre nécessaire à son indépendance, la vouant ainsi à demeurer imaginaire. Aquin dénonce la logique des noms-de-la-mère dont Ducharme raconte, quant à lui, la violente imposture.

La révolution se présente donc chez Aquin comme alternative au suicide[4] et comme acte post-scripturaire[5]. Mais cette postériorité n'a déjà plus rien d'une consécutivité chronologique irréversible qui ne serait qu'une reprise du processus historique tel qu'entendu dans le champ collectif des « nommés », c'est-à-dire des dominés. Au contraire, la révolution consiste précisément à rendre l'histoire réversible et à faire de la postériorité — et de la postérité — un effet d'après-coup qui « révulse » toute acception chronologique du temps.

---

3. « On nous octroie d'autant plus de talent qu'on nous refuse d'importance. [...] L'important est-il que je sois doué pour les arts? Non, mais de savoir que je suis doué pour les arts du fait même que je suis dominé, que tout mon peuple est dominé. [...] Or je refuse ce talent, confusément peut-être, parce que je refuse globalement ma domination. » (*PF*, p. 14, 51) « Le bon petit Canadien français promis à un brillant avenir dans les choses frivoles entreprend soudain de produire un écrit dominé par une thématique de refus d'écrire, non-sens qui ne saurait accéder à la signification que par l'explosion simultanée de tous les bâtons de dynamite. » (*PF*, p. 51)

4. « [...] j'inaugure mon discours par un cri prolongé et strident: [...] révolution ou suicide!!!

5. « Mon livre n'est pas le livre d'un déprimé au sens maladif du terme; il n'est pas suicidaire puisque le prochain épisode, c'est la révolution à faire. [...] C'est ce qui vient qui importe. Le titre de *Prochain Épisode* est la négation même du livre et la valorisation de ce qui vient après. » (*PF*, p. 17-18)

Le continu historique irréversible doit être réversible, sans quoi je plains franchement ceux qui sont hors continuum, désaxés (historiquement parlant), en proie à l'oscillation bouleversante du discontinu. (*BE*, p. 126)

De là, l'oscillation entre suicide et révolution ne saurait être entendue selon une alternance dichotomique. Ainsi, l'acte post-scripturaire est, dans le roman et par le roman, l'acte de lecture, la lecture en tant qu'acte. Mais cette lecture, on l'a vu, a ceci de mortifère qu'elle s'apparente au dessaisissement total du sujet. La logique révolutionnaire inscrit donc dans son équation le vecteur d'une résurrection qui consiste à infinitiser la position d'Hamlet, reconnue par Aquin comme la figure de l'hésitation coupable et du dominé[6]. En d'autres termes, il s'agit de renommer l'ensemble des dominés selon une sérialisation qui rompt avec la cohérence attendue. Il s'agit de sortir de l'hésitation à rencontrer la Loi par l'invention d'une hésitation transfigurée en Loi.

[...] depuis que mon esprit annule son propre effort dans la solution de cette énigme, je suis affligé d'un ralentissement progressif, frappé de plus en plus d'une paralysie criblante. Ma main n'avance plus. J'hésite à commettre un acte de plus. (*PÉ*, p. 91)

Le procès de l'écriture se désire dans un acte préméditant l'avènement de l'imprévisible au lieu de la lecture. En faisant de l'apocryphe — toujours inaugural dans le roman aquinien — la cause d'une réversibilité, le roman injecte l'inédit au registre de l'édition et de l'édité. La lecture devient ainsi un effet d'écriture antérieur à l'acte d'écrire, elle provoque l'illisibilité du déjà-lu. Il y a là comme un effet de résurrection qui suppose de mettre la répétition, l'apocryphe ou la renommée, à l'origine d'une écriture qui advient paradoxalement pour « écrire le refus d'écrire[7] ». En d'autres termes, la résurrection n'est possible que si l'écriture contient déjà sa propre mort. La logique résurrectionnelle de la révolution exige que le roman « fasse du suicide une écriture[8] », plaçant ainsi l'alternative révolutionnaire en continuité et en simultanéité avec l'écrit. Ce qu'illustre bien une

---

6. Cette pratique suppose de prendre en compte le déjà-nommé, à savoir l'hésitation et la paralysie. Le spectre, figure de la faute et cause de l'impuissance, doit être ressuscité selon un renversement temporel qui renomme l'impuissance dans l'acte révolutionnaire (viol): « Tout est en berne au Québec; et tout sera en berne jusqu'à ce que le patriote fantôme, costumé en écrivain, revienne au foyer, tel un spectre. [...] Le colonisé est profondément ambivalent: il hésite, il oscille et se sent coupable [...] et de cette façon se tient toujours sur le seuil de la paralysie » (*BE*, p. 133, 140).

7. « En me désaxant ainsi de la littérature, je me disqualifie moi-même et condamne d'avance ce que j'écris à n'être qu'une expression de mon refus d'écrire. » (*PF*, p. 52)

8. Expression empruntée à Daniel Sibony dans son analyse d'Hamlet, *L'Autre incastrable*, Paris, Seuil, 1978, p. 91.

« prise de vue » de *Neige noire* dans laquelle se nouent baptême et suicide, mort et nomination[9]. Le roman d'Aquin joue donc à fond le symptôme du colonisé, il s'en fait le sujet révélateur.

Mais le livre ne sera « générateur de révolution » (*PÉ*, p. 94-95) que s'il est générique, c'est-à-dire « en genèse continuelle » (*PÉ*, p. 93), faisant de l'avènement du sujet non pas un futur sacralisé de la révolution mais un futur en train d'advenir au futur, une sorte de temps performatif ou de « révolution permanente ».

> Chaque session d'écriture engendre l'événement pur et ne se rattache à un roman que dans la mesure illisible mais vertigineuse où je me rattache à chaque instant de mon existence décomposée. Événement nu, mon livre m'écrit et n'est accessible à la compréhension qu'à condition de n'être pas détaché de la trame historique dans laquelle il s'insère [...]. (*PÉ*, p. 94)

> [...] le discontinu est continu, donc la révolution est permanente [...]. (*BE*, p. 126)

La révolution consiste à traiter le temps de la répétition cumulative et paralysante pour lui faire « lâcher » le Nom même de la rupture. L'atopie de la lecture *réelle* a le statut d'un espace mathématique — celui de la coupure — marqué par l'effectuation d'une transmission. La transmission n'est pas ici celle d'un objet ou d'un savoir mais celle du temps « révolutionnaire ».

La « révolution permanente » s'effectue ici dans le temps de la lecture. Elle est l'effet d'un style « épiphanique » qui procède à la transsubstantiation de l'écriture dans la lecture et provoque une catharsis scandaleuse qui met l'indémontrable à la place où est attendue la démonstration. L'effet se produit selon une causalité troublante : secousse provoquée par la réversibilité du temps et le retour de la fiction dans la réalité.

> L'expérience de la lecture fait vivre au lecteur une sorte de condensé de la vie. À l'intérieur d'un complexus imaginaire, au fond du livre, le lecteur — je l'imagine toujours tremblant — fera l'expérience de la catharsis. (*BE*, p. 266)

> L'écrit est toujours adressé à quelqu'un, à une personne collective, à un lecteur souvent improbable et imprévisible [...] l'invention de la lecture, c'est *démentiel* ! (*BE*, p. 263, je souligne)

---

9. « Gros plan de la gravure de Natchez-under-the-Hill [...]. Il n'y a qu'une rue et elle est parallèle au fleuve. Au bout de la rue, le marcheur peut entrer doucement dans les eaux du Mississippi et s'y baptiser par immersion jusqu'à ce que son corps purifié de l'esprit du mal se liquéfie et roule, comme les vagues du grand fleuve. » (*NN*, p. 224)

> L'écrivain québécois devra vraisemblablement être manifes-
> tement québécois, créer son mode de manifestation personnel,
> inventer le style de sa propre *épiphanie*... afin d'être (dans ses
> livres) québécois à rendre malade... (*BE*, p. 151, je souligne)

La révolution est permanente dans la mesure où elle requiert le clivage du Nom, mais aussi dans la mesure où elle désire la rédemption de l'Autre. Nommer consiste alors à « incohérer » la cohérence, soit à ramener Hamlet à la place atopique du spectre. Une telle résurrection du fils dans le père mort devenue acte romanesque s'effectue, on l'a vu, à travers une stylistique du crime parfait. Celui-ci vise la forme de l'improuvable et de l'improbable et ne saurait être, dans sa perfection, que permanent. Façon, dirais-je encore, de sauver la Loi.

> Envenimer, gâcher, saboter (éviter les amendements à la
> constitution et les preuves d'amour — qui d'ailleurs n'ont
> rien à envier à celle de l'existence de Dieu !): voilà l'action
> convulsive à laquelle je me voue *pour toujours* (ou pour un
> temps seulement mais qu'importe). Le crime exècre tout
> progrès: le temps n'y fait rien, non plus qu'à la révolution
> puisqu'elle se manifeste comme permanente. Il existe telle
> chose que le crime permanent [...]: dans les deux cas, il doit y
> avoir préméditation. (*TM*, p. 84)

De là, il faut supposer une « lecture permanente » selon laquelle le viol que suscite l'épiphanie spectrale du Nom rencontre une dépossession, une mort ou une jouissance par laquelle la transmission de la faute accéderait au temps révolutionnaire.

> Dans et par la lecture, l'écrivain et le lecteur se trouvent
> unis l'un à l'autre et ils participent, dans un *synchronisme
> extra-temporel*, à une célébration muette. [...] Le lecteur tient
> le rôle d'officiant dans cette célébration; il officie en lisant le
> texte écrit [...]. La lecture ne dure pas que son propre temps
> de performance. Elle continue après la dernière page et, quand
> cela se produit, prolonge le temps intérieur de la célébration.
> (*BE*, p. 265-267, je souligne)

Dans la pratique aquinienne, le Québec comme ensemble nommé est ainsi voué lui-même à devenir « épiphanique », à s'irreprésenter selon l'invisibilité formante que lui confère la révolution.

> Jusqu'à présent dans le film, on peut dire que le Québec est
> en creux. Son éclipse récurrente fait penser à l'absence d'une
> présence, à un mystère inachevé... (*NN*, p. 136)

Le désir du corps-Loi, à l'inverse du fantasme ducharmien, se donne ici à lire dans sa négativité la plus absolue. Le désir de l'Autre, pourtant, a le même statut, puisqu'il vient au roman comme l'aménagement d'une place à la lecture. Incohérer par écrit confère à la lecture sa permanence, dans la mesure où, en tant qu'action délibérée, l'incohérence est le style même de la révolution, définie selon une temporalité réversible. L'incohérence, discontinuité inaugurante, pose au principe de son délire un « postulat indémontrable » (*BE*, p. 151), voire le postulat de l'indémontrable. Le délire d'Hamlet n'a pas ici le sens du théorème ducharmien: il n'est pas une fin ou un but; il ne se donne pas pour la subversion en tant que telle. Au contraire — et toute la logique temporelle du roman en découle —, le délire est la *cause*, le geste prérévolutionnaire dont l'effet sera la sérialisation de l'effraction du nom même d'Hamlet dans l'écriture.

C'est le nom d'Hamlet — Amlod: le fou — qui est démultiplié dans la superposition logique et « préméditée » des délires. Et la superposition finit par rappeler ce nom à sa forme spectrale. Si incohérer appartient au temps prérévolutionnaire, c'est encore selon une précédence qui n'advient qu'au futur et, par là même, accède à l'événement révolutionnaire comme son effet à rebours et continu. Toute la temporalité du fils dans le père, du Nom dans les noms, est énoncée dans *Neige noire* à partir de la méditation de Nicolas sur le nom d'Hamlet.

> Ici s'arrête le propos de Nicolas. Il rêve encore, lui, à Amlethus, Ammelhede, Amlaidhe, Amlødi, Amlairh, Hamnet, Hamlett, Anleifr, Hamblet, Amlaigh, Anlaf [...]. Fortinbras, prince héritier de Norvège, se retrouve roi du Danemark avant de l'être de la Norvège, alors que Nicolas Vanesse, Fortinbras au second degré, s'empare d'Eva Norvège avant d'en hériter. *La variante concerne peut-être la temporalité plus encore que les valences symboliques.* (*NN*, p. 193, 195)

Le délire est ici l'interprétation produisant un « déficit rationnel » qui fait de l'indémontrable le foyer violenté d'une lecture cathartique, c'est-à-dire d'une lecture qui génère ou rend infinie l'écriture qui la cause. Le délire supporte la logique temporelle en se produisant à même les fils de l'intelligible et du savoir. Il s'agit d'imprimer l'acte — celui indéfiniment différé d'Hamlet, fils révolté — à même la « matière » du spectre, à même la forme de l'impossible. Finalement, il s'agit de rendre la lecture à ce qu'elle est réellement et littéralement: « démentielle » (*BE*, p. 263).

La topologie du roman aquinien pourrait se reformuler ainsi: à l'origine, il y a un spectre, celui de l'originalité, principe de création et de salut nié, figure de l'échec et véritable interdit d'écriture:

> Je ne me contrains plus à pourchasser le spectre de l'originalité qui, d'ailleurs, me maintiendrait dans la sphère azotée de l'art inflationnaire. Le chef-d'œuvre qu'on attend n'est pas mon affaire. (*PÉ*, p. 93)

Ce spectre renvoie à l'échec de toute écriture, à la faute qui s'y rattache, et dont chaque écrivain a à porter la culpabilité.

> Je ne veux plus écrire, ni jongler avec les words words words, ni énoncer clairement l'inconcevable, ni préméditer le déroulement du crime verbal [...]. (*PF*, p. 48)

La faute des « pères [10] » qui consiste à croire en l'originalité pour se soumettre aveuglément à la cohérence revient, chez Aquin, sous la forme du spectre et exige un rachat. En apparaissant aux yeux du Hamlet-écrivain colonisé comme la révélation d'un véritable interdit de salut, le spectre de l'originalité donne à la difficulté, voire à l'impossibilité d'être écrivain, son statut logique. Le dilemme entre écrire — et donc être fatalement le déjà-nommé (auteur) d'un sous-ensemble mort-né (*PF*, p. 52) — et ne pas écrire en assumant muettement l'échec et la culpabilité de l'impuissant; l'alternative entre être et ne pas être (écrivain) constitue une impasse entre deux irréalisables. De là, tous les romans d'Aquin posent un viol originaire qui n'est rien d'autre que le viol perpétré par le père — viol du symbolique — et qui place tous les sujets dans une position apocryphe indépassable. Façon symptomale d'affirmer la faute en la renversant en acte délibéré. Si désirer l'originalité soustrait l'écrivain à la réappropriation de son nom, il doit choisir l'apocryphe, autant dire, devenir en son nom la Loi du Nom.

> Il n'y a pas d'originalité: les œuvres sont des décalques [...] tirés de contretypes oblitérés qui proviennent d'autres « originaux » décalqués de décalques qui sont des copies conformes d'anciens faux qu'il n'est pas besoin d'avoir connus pour comprendre qu'ils n'ont pas été des archétypes, mais seulement des variantes. Une invariance cruelle régit la production sérielle des variantes qu'on a accoutumé de nommer des œuvres originales. [...] L'originalité n'existe pas, c'est un leurre. (*PF*, p. 49)

Dès lors, les words words words se trouvent frappés d'interdit en même temps que tout espoir de salut hors d'eux s'abolit.

Il ne faudra donc, contre toute vraisemblance, ni écrire ni ne pas écrire, ni être ni ne pas être, mais à la fois être et ne pas être, écrire et ne pas écrire, se porter à une sorte de non-non-être, soit: écrire dans la forme du non-écrire. Ce qui équivaut à ramener le spectre — l'ori-

---

10. Ces « pères » que représente la *Société des Auteurs*: « Quelques commandes de textes, une incorporation irréversible, en quelque sorte, à la Société des Auteurs: il a fallu aussi peu que cela pour me rappeler que je suis désormais — et en dépit de mes dénégations et de mes dispersions — engrené sans huile dans une mécanique qui me remet à ma place. Cercle très vicieux que mon circuit social biographique. » (*PF*, p. 47)

ginalité, l'inédit, l'imprévu — dans l'impuissance du fils — l'apocryphe et le plagiat. Ainsi, l'apocryphe assumé comme désir, joué tel un savoir sur la mort édictée et par avance éditée du scripteur, revient creuser la place du spectre: celle d'un surgissement soudain de l'inédit, de « l'originaire », trou inconcevable de ce savoir et Nom. C'est le moment où le sujet vient à la place du spectre: épiphanie de sa propre autobiographie; moment où la fiction de sa renommée le renomme d'une fictionnalisation *incroyable*; moment enfin où l'acte prérévolutionnaire fait retour dans la révolution comme hypostase *et* agression; moment impensable où « le commencement [n'est] le commencement qu'à la fin ». Il s'agit d'une temporalité de la poursuite sur un parcours clivé engendrant un écrit, lui-même parcouru par sa propre marge.

> La seule forme que je poursuis confusément depuis le début de cet écrit est la forme informe qu'a prise mon existence emprisonnée: cet élan sans cesse brisé par l'horaire parcellaire de la réclusion est sans cesse recommencé, oscillation binaire entre l'hypostase et l'agression. Ici, mon seul mouvement tente de nier mon isolement; il se traduit en poussées désordonnées vers des existences antérieures où, au lieu d'être prisonnier, j'étais propulsé dans toutes les directions. (*PÉ*, p. 93)

La topologie du désir révèle ici le lieu même de la violation transmutée en Loi par une opération de multiplication qui a fini par ramener l'innommable dans la forme des noms. Le spectre fait fonction de marge, il représente le multiplicateur indénombrable de l'hésitation et de l'incohérence. D'une certaine façon, il fait figure d'infini depuis la position finie du scripteur. Il est le nominateur et le dénominateur commun du collectif, le facteur d'individuation. L'originalité est, selon Aquin, ce qui fait tenir ensemble la communauté des scripteurs, prévue et « enchâssée » par une communauté de lecteurs. En intégrant d'emblée dans l'écrit le spectre de l'originalité — sa négation, son échec — sous la forme nécessaire de l'apocryphe justifié par un crime, le roman aquinien est d'emblée investi du multiple, refendu par la marge d'infini qui est sa néantisation. Cette intrusion de la marge spectrale de la lecture dans l'écrit a pour fonction d'inscrire le collectif, à savoir l'ensemble des noms, dans le nom du sujet qui écrit. Ce faisant, le nom propre est fracturé de tous les noms, recoupé par son propre bord, sa propre extériorité, et devient la forme en creux par où les noms communs sont appelés à passer. Le désir du roman dévoile son versant rédempteur et messianiste. Aquin se place ainsi directement dans la filiation de ses ancêtres [11].

---

11. Voir à ce sujet, Réjean Beaudoin, *Naissance d'une littérature. Essai sur le messianisme et les débuts de la littérature canadienne-française*, Montréal, Boréal, 1989.

Le roman se fantasme telle une coupure clivée où s'effectuerait la résurrection du scripteur dans le lecteur, du « je » dans le collectif. En effet, la rupture du « je » par la marge de la lecture est régie par une pratique « différentielle[12] » qui ramène l'infini de la marge dans la « finition » du texte. On reconnaît là la technique de l'enchâssement chère à Hubert Aquin, enchâssement du visible dans l'invisible dont *Neige noire* énonce de façon remarquablement claire le procès:

> De plus, [le] lecteur vient aussi de comprendre que le scénario qu'il a lu depuis le début se trouve enchâssé dans le présent commentaire et que ce commentaire explique la publication de ce qu'il enchâsse et reproduit, structuralement, le stratagème de la pièce dans la pièce, mais à l'envers: ce n'est pas une insertion du plus petit dans le plus grand mais du plus grand dans le plus petit [...]. Le lecteur sait désormais que le scénario est imbriqué dans un commentaire qu'il peut interrompre. [...] Somme toute, le scénario est pris dans une trame qui, invisible d'abord, se révèle plus englobante que lui et plus étendue [...]; le récit ne sera totalement enchâssé que lorsque la châsse sera devenue invisible. (*NN*, p. 195-196)

La pratique aquinienne fait de la châsse — spectre ou coupure — l'occasion d'une jouissance de la Loi. Aquin reprend lui-même toute cette analyse topologique dans « Le texte ou le silence marginal ? » où il s'agit pour lui de méditer la fracture de l'un par le multiple.

> *Le fini est bordé* [...] *par son propre infini;* [...] l'histoire individuelle est indissociable de l'aventure cosmique [...] *le sens mystique se glisse précisément à la charnière du moi et du collectif...* [...] Extase, selon saint Paul, est synonyme de douceur; rien de moins orgastique que cette joie inondante, rien de moins trippatif que ce voyage ralenti vers le *nucleus du moi*. [...] On n'en sort pas et c'est pourquoi j'y reste. J'y reste en *attendant la fin d'une fuite sans fin*. (*BE*, p. 271-272, je souligne)

En rapport avec la posture de Ducharme, on peut imaginer un théorème aquinien se présentant d'abord comme l'énoncé d'un masque: celui de l'apocryphe, facteur d'infinitisation et de reNom. Chaque roman pourrait ainsi porter en exergue l'envers du théorème ducharmien « Je ne suis pas ce que je suis » (*BE*, p. 270). Théorème qui, selon Aquin, « confine au meurtre, à moins qu'[il] n'en masque un — celui de l'un par le collectif » (*BE*, p. 270). Or, la topologie aquinienne a révélé que le meurtre originaire « commis en commun »

---

12. Pour reprendre les mots mêmes d'Aquin effectuant le « calcul différentiel de la contre-révolution » (*BE*, p. 123-126).

(Freud) est chaque fois la condition des corps «ressuscités» dans la jouissance, elle-même redéfinie selon les termes de la citation précédente dans ce qu'elle a de particulièrement inconnaissable.

Ce meurtre, le masque a pour fonction de le révéler dans *la vérité de sa fiction*. Chez Aquin, le théorème prérévolutionnaire est simultané au théorème révolutionnaire. Son roman fait ainsi du « je ne suis pas ce que je suis » de la renommée l'occasion d'une résurrection du Nom comme résurrection du temps ou «révolution permanente ». Le théorème révolutionnaire transpose le désir collectif de Nom en corps fictif, dans la mesure où il ne cesse de proposer l'innommé au lieu irrepérable de la lecture.

Retrouvant en ces termes la mission que se donne l'écriture romanesque d'Aquin, on peut désigner le temps révolutionnaire Nom de Dieu, tel qu'il s'est révélé à Moïse dans le buisson ardent, corps fictif par excellence: «Je suis ce que Je suis.» Ce «Nom de Dieu», foncièrement atopique, le roman aquinien le recompose comme la loi de sa lecture, «fin d'une fuite sans fin».

Le roman de la sublimation

> Linda: Le Christ s'est réincarné en toi. [...]
>
> Eva: Je ne me suis jamais sentie aussi proche de Dieu [...] je frôle le grand silence dans lequel la vie naît, meurt et renaît à l'échelle cosmique, peuplant ce vide d'un murmure de joie. (*NN*, p. 251-252)
>
> Moïse dit à Dieu: « [...] Mais s'ils me disent: «Quel est son nom ! », que leur dirai-je ? » Dieu dit à Moïse: «Je suis ce que je suis.» Et il dit: «Voici ce que tu diras [...]: "Je suis" m'a envoyé vers vous.» (Exode III, 13-14) [13]

La topologie aquinienne formule implicitement une théorie de la sublimation. Freud, quant à lui, avait élaboré ce concept de sublimation essentiellement dans les analyses qui portent sur la culture et le lien social. Mais on en retrouve les fondements et les implications à travers toute son œuvre et en particulier dans les écrits techniques [14]. Généralement, on entend par sublimation un échec de la

---

13. Où le Nom de Dieu est donné comme pure profération (de rien, d'aucun nom) par laquelle s'affirme non pas l'Être, mais le désêtre de celui qui dit « je ».
14. Voir entre autres Sigmund Freud, *Malaise dans la civilisation*, Paris, PUF, 1976; *Métapsychologie*, Paris, coll. « Folio essais », 1986; « Esquisse pour une psychologie

pulsion détournée de son but, et on l'explique alors en termes de « libido désexualisée ». La pulsion sera dite *sublimée* dans la mesure où elle est déplacée vers un but non sexuel rejoignant ainsi des objets valorisés socialement.

Il est toutefois important de rappeler que la sublimation n'est pas quelque chose qui se surajoute à la formation du sujet et au champ de son désir. Elle est déjà au principe du refoulement originaire. La sublimation permet, voire réalise, l'accès au langage et donc au Nom. Elle est liée à la Loi qui, en même temps qu'elle transmet au sujet les figures de la sexuation — c'est-à-dire le désir —, le détourne infiniment de la satisfaction. En ce sens, la sublimation constitue le premier « traitement » de la blessure symbolique causée par la perte du corps mythique de la mère, rendant cette dernière à jamais, et logiquement, inaccessible.

Les romans d'Aquin sont certes, comme l'est tout roman, la configuration des désirs sublimés de l'auteur, mais ce romanesque particulier — son style, sa forme — met en scène le processus même de la sublimation, il en raconte le procès dans la lettre de sa fiction. La sublimation s'illustre, selon Aquin, dans ce moment où le sujet est ramené au temps de sa nomination, à la violence du Nom. L'écriture cherche ainsi à donner forme au *réel* en le dressant au cœur de la représentation. La logique des romans d'Aquin rend compte de la sublimation comme d'un processus rédempteur et mortel, puisqu'il s'agit chaque fois de donner au roman, dans sa profération, la forme de l'improférable. Le théorème « Je suis ce que Je suis » n'est qu'une façon d'injecter l'innommable à la place du déjà-nommé. Le Nom de Dieu ne fait d'ailleurs, dans le récit biblique, que révéler à Moïse son statut essentiellement irrévélable. Et c'est aussi un statut paradoxal qu'il occupe dans l'écriture d'Aquin, un statut d'abord logique.

« Je suis ce que Je suis » est l'énonciation non pas d'une vérité cachée à dévoiler, mais d'une vérité qui est pur voile, masque infini de *rien*. Il s'agit donc bien là d'un « style de la présence », à savoir d'une présence réelle de la vérité dans la fiction, sans pour autant qu'elle soit dite, mais bien plutôt pour autant qu'elle reste infiniment à dire. Le principe de la transsubstantiation est aussi celui d'une transmission, d'un passage de l'Un à l'ensemble. En fait, le roman d'Aquin apparaît comme un acte totalement stylistique, au sens peut-être où le style devient la « voie par où la vérité la plus cachée se manifeste dans les révolutions de la culture » (Lacan). La sublimation

scientifique », *Naissance de la psychanalyse*, Paris, PUF, 1973. La notion freudienne de sublimation a par ailleurs été travaillée par Lacan et sous-tend sa réflexion sur « L'Éthique de la psychanalyse », *Séminaire VII*, Paris, Seuil, 1986. La pensée lacanienne demeure sous-jacente à ma lecture du théorème aquinien.

en acte suppose qu'à l'endroit où elle prend effet — dans la lecture — s'effectue une transmission. Transmission de quoi? De *rien* si ce n'est du Nom lui-même, entendu dans le surgissement imprévisible de l'Autre en ce qu'il aurait de plus incroyablement Autre: son dérobement, sa différence comme acte de différenciation. Le roman d'Hubert Aquin se désire à la place où la lecture prendrait acte de cet Autre radical et « propre » du Nom; de cet Autre qui n'a cessé, dans la narration, de chercher ses figures dans celles de la jouissance, de la violence, de la crise ou de la stupeur.

> Une seule stylistique est possible: écrire au maximum de la fureur et de l'incantation. De cette façon-là, je ne serai pas déphasé par rapport à l'exaltation collective que je provoque. [...] Aussitôt après mon discours, j'ai fui [...] je venais de déclencher une sorte de crise violente dans la foule. Le fracas subit de cette jouissance collective m'a fait comprendre que je venais de perpétrer un viol impudique au terme duquel, la partenaire multiple a échappé au cri rauque de plaisir. Quand on viole, on ne s'attend pas à l'orgasme de la victime. (*TM*, p. 36, 45)

Une telle construction redouble et, par là même, hausse au statut de Loi l'inavouable vérité. Le roman d'Aquin se constitue dans la forme de l'inavouable. Il ne s'agit plus d'un aveu impossible au sens où il porterait à conséquence — inavouable au sens moral — mais d'une mise en forme telle de l'aveu que sa proférence même n'avoue *rien* et s'inverse en mystère qui viole la lisibilité et l'ouvre de l'intérieur. En fait, Aquin joue à fond la vérité du roman qui n'est ni en lui-même ni dans un autre discours qu'il voilerait, mais dans la forme qui manifeste l'invérifiable de tout discours. Le romanesque se constitue ici comme révélateur de la fictionnalisation du sujet.

Aquin déporte la sublimation qu'est le roman dans la forme du roman. C'est un peu comme si la sublimation devenait le symptôme de la fiction, surmultipliant les signifiants du savoir afin de *faire passer* « toutes les œuvres humaines » dans la jouissance de l'Autre. En reprenant à son compte la logique de la transsubstantiation — de l'écriture dans la lecture ou de la vérité dans la fiction —, et en faisant ainsi de l'acte résurrectionnel un temps d'enchâssement des noms, Aquin invite le lecteur à ce qu'on pourrait appeler ironiquement l'expérience du « prochain » comme imitation de Jésus-Christ.

La notion de « prochain », au sens des dix commandements, a servi de traduction au terme freudien de « Nebenmensch » qui désigne la mère du sujet au moment où elle lui apparaît sous un aspect totalement étranger, c'est-à-dire au moment où elle lui est arrachée par le surgissement d'un versant d'elle inconnu — sa jouissance de femme — qui l'abolit comme mère et qui demeure, pour l'enfant, infigurable[15]. En ce sens le prochain désigne le surgissement de l'Autre au cœur de l'identité, l'inconnaissable au cœur du connu et la séparation advenant en même temps que la reconnaissance. C'est ainsi que le Nom, en nommant, perd l'objet qu'il s'approprie.

Le lecteur des romans d'Aquin est appelé à faire cette expérience de la non-rencontre, car la place où le sujet de l'écriture le suppose — place du colonisé à qui s'adresse le texte — se recompose pour lui apparaître tout à coup intenable et inconciliable avec l'écrit. Le prochain serait donc celui qui, en devenant innommable, nommerait la collectivité dont il s'exclut. C'est sans doute pourquoi il est question d'une « jouissance collective » dans *Trou de mémoire* (p. 45), c'est-à-dire d'une communauté impossible puisque la jouissance échappe précisément à l'ensemble. Effet du texte, cette jouissance viendrait alors renommer la collectivité à sa place de sujet. Le « devenir-infini » du collectif prendrait acte de l'accession du lecteur à l'expérience du prochain, là où son savoir rencontre non plus un objet mais un désir. Désir de quoi ? Désir d'être, certes, mais désir du désir tel qu'il porte le sujet au désêtre et l'arrache à sa condition de nommé — et pour Aquin : de colonisé. Le reNom du sujet romanesque serait le temps accompli au champ de la lecture et projetant le lecteur à la place intenable du prochain. Le lien serait dénoué et renoué par une scansion d'où la collectivité pourrait être nommée *et* perdue. Là serait la *Loi du genre* aquinien. Et le fantasme d'Aquin, en ce sens, est porteur d'une vérité. Car on peut dire que ce qui est renommé par la topologie aquinienne ce n'est pas tant la collectivité dans sa légitimité souveraine que le symptôme de ce désir de souveraineté, ou plutôt : le symptôme qu'est la *forme* de ce désir. En d'autres termes, le fantasme de son roman — qui est de faire advenir la Loi comme propre du Nom de la collectivité — a pour effet de faire

---

15. On peut lire à ce sujet François Péraldi : « Il y a dans *L'Esquisse pour une psychologie scientifique* (Freud) [...] une ligne que personne ne semble avoir relevée sur le cri de l'enfant [...]. Freud étudie [...] la première rencontre du sujet-infans avec un aspect inconnu du monde extérieur. Cet aspect est le "Nebenmensch" (qu'on traduit en français par le *prochain*). De quoi s'agit-il ? Disons que ce n'est pas nécessairement un étranger, mais plutôt un aspect inconnu d'une personne que l'infans connaît bien [...] une mère vue sous un aspect inhabituel. [...] Et Freud donne alors un exemple précis : "Si le Nebenmensch crie, le sujet se souvient de ses propres cris et il revit ses propres expériences de souffrance." [...] Ce cri du Nebenmensch semble n'avoir surpris personne [...]. Pourquoi ne pas supposer ce qui peut faire crier la mère ? Supposons qu'elle crie parce qu'elle est au lit avec celui qu'elle aime [...]. Elle jouit et elle crie. [...] Elle se perd dans sa jouissance. Elle n'existe plus ni comme mère, ni comme épouse, lorsqu'elle s'abolit dans sa jouissance [...]. L'enfant lui, ne peut pas la symboliser lorsqu'elle jouit. [...] Elle n'est plus le miroir où il se reconnaît. (François Péraldi, « Pas sans Lacan », *Études freudiennes*, n° 25, 1985, p. 79-80)

advenir la *Loi du genre*, à savoir qu'au principe de la fiction — celle du lien social comme celle du roman — se place un désir de Nom qui appelle sa symbolisation.

On peut se demander en quoi l'expérience de la lecture prend ici la forme d'une « imitation de Jésus-Christ » ? Ce n'est pas, on s'en doute, en ce qu'elle instaurerait la figure d'un modèle — même dérisoire, comme chez Ducharme — à partir duquel puisse s'établir des procédures à suivre. La transmission aquinienne est certes une transmission de lecture, et « l'imitation de Jésus-Christ » que je me plais à repérer dans son texte est la tentative manifeste et désespérée de mettre le sujet à la place de Dieu, c'est-à-dire à la place d'un signifiant inconnaissable, ou encore, à la place de la jouissance et du dérobement de la Loi. Se mettre à la place de Dieu veut dire s'excepter du champ des nommés pour s'exposer à la violence, toujours inattendue, d'une résurrection qui soit reNom. Le roman d'Aquin propose une éthique de la lecture dans les termes où le jésuite Ignace de Loyola proposait l'expérience d'une transmission de la spiritualité fondée sur l'imprévisible et l'intransmissible:

> Quelque chose peut s'y passer hors des prises de tout effort, soumise à la « grâce » imprévisible, quelque chose d'intransmissible, qui est tout entier à répéter par le sujet dans la discontinuité et la coupure d'avec tout ce qui est transmis [16].

> Ignace a lié l'image à un ordre du discontinu, il a articulé l'imitation et il a fait ainsi de l'image une unité linguistique [...] [17].

Le théorème de la révolution — « Je suis qui Je suis » — tente de nommer l'imprévisible et de forcer l'accès à l'inconcevable souveraineté. Ce destin du texte est formulé par Aquin dans l'analyse qu'il fait de la rébellion de 1837-1838, et qui porte ce titre significatif: *L'Art de la défaite. Considérations stylistiques* (*BE*, p. 113-122). Essentiellement stylistique, l'éthique révolutionnaire rejoint la pensée baroque de Baltasar Gracian selon qui la « forme est un acte » et l'artifice, la matière de la vérité [18].

Les Patriotes n'ont pas eu un blanc de mémoire à Saint-Denis, mais ils étaient bouleversés par un événement qui n'était pas

---

16. Louis Bernart, « Relire Ignace après Freud, Lacan et quelques autres », *Aux frontières de l'acte analytique*, Paris, Seuil, 1987, p. 237.
17. Roland Barthes, *Sade, Fourier, Loyola*, Paris, Seuil, coll. « Points », 1971, p. 60.
18. « [...] la matière est une potentialité que seule la forme détermine, qui peut donc recevoir des traitements divers. [...] Donc, seule l'analyse de l'*acuité* [...], forme verbale de cette matière qu'est l'esprit, peut nous informer des mécanismes qui la gouvernent. » (Benito Pelegrin, « La rhétorique élargie au plaisir », introduction à Baltasar Gracian, *Art et figures de l'esprit. Agudeza y arte del ingenio 1647*, Paris, Seuil, 1983, p. 15)

dans le texte: leur victoire! [...] Surpris par l'invraisemblable, paralysés par une victoire nullement prophétisée; ils sont muets de terreur. [...] [En 1838] L'effet de surprise prévu par les Patriotes se trouve complètement raté. (*BE*, p. 116)

L'erreur des Patriotes est claire: ils n'avaient pas supposé l'avènement de l'impossible. En d'autres termes ils avaient exclu de toute leur stratégie l'événement même de la révolution. Se mettre à la place de Dieu permet de vouer la stylistique à l'aménagement formel de l'imprévisible, suivant une logique où l'incroyable fait loi. La topologie du roman d'Aquin ne cesse de supposer l'improbable et de multiplier le coefficient de l'inconcevable en représentant l'acte de la lecture sur le mode de la sidération mortelle, de la commotion et de la « furore », inscrivant ainsi à l'avance le réel de la lecture dans un désir de viol. « Le spectateur serait peut-être offusqué soudain de comprendre qu'il a tout fait pour être violé. » (*NN*, p. 158) En fait, le roman se donne pour mission de transmettre l'infranchissable de la Loi ou la castration « pure ».

Lire, en ce sens, consiste à se porter au-devant de l'imprévisible ou à répéter l'acte d'écriture jusqu'à le rendre inédit. Pour Aquin, le lecteur est un « plagiaire désœuvré » parce qu'il reste le sujet actuel et imprévu d'un livre dont le futur antérieur marque son propre temps: discontinu et continu.

Le Nom de la collectivité québécoise est improférable, elle-même vouée à se perdre dans les dédales imaginaires et édifiants du toujours déjà-nommé. La topologie donne ici à cet improférable l'envers fantasmatique de sa configuration. Accéder enfin à l'expérience de la lecture aquinienne ce serait entendre le « cri inaudible » du Nom nommant la fiction du sujet colonisé depuis la place du « prochain ». La révolution aquinienne œuvre dans le temps de cette profération impossible par laquelle la nation « passerait » dans le trou inaudible du Nom. « La révolution, dans son être global, n'est qu'un immense et inaudible cri, cri funèbre et inédit proféré par une nation... » (*TM*, p. 57)

L'« être global » de la révolution est plutôt générique: réserve et violence du temps, ou encore forme d'enchâssement révélée, lecture « qui tue » et sublimation. Lire Aquin, c'est entrer sur la scène tragique du désir et reconnaître le prix du fantasme dont le roman constitue le « passage à l'acte ». De là, on peut entendre la vérité d'un roman qui énonce que lire est l'acte par lequel le scandale du Nom arrive. D'où le fait qu'il y aura toujours quelqu'un — à commencer par nous, hypocrites lecteurs — pour nous en dispenser.

Après tout, comme le dit le personnage d'un téléthéâtre, « les écrivains écrivent, les tueurs tuent, les voleurs volent... » Seuls les lecteurs, au fond, sont dispensés de lire! (*PF*, p. 10)

Chapitre VII

L'Autre-Écrivain

Authentifier la mort de l'écrivain

> Car enfin, M. Ducharme, vous représentez-vous la grande Colette sous le numéro d'une boîte postale ? Gide incognito ? Sartre anonyme ? Saint-Exupéry se cachant ? Péguy se terrant ? Impossible. D'ailleurs les fantômes ont régressé au fur et à mesure que l'homme a avancé[1].
>
> J'ai véritablement horreur de la publicité...
>
> (Réjean Ducharme)[2]

Les romans d'Aquin n'ont cessé de révéler à quel point le sujet de l'écriture a partie liée avec la mort et la disparition. Cette révélation à laquelle est d'ailleurs suspendue la mort réelle de l'écrivain rappelle encore une fois que la parole joue toujours entre deux morts, entre deux temps. Le suicide d'Aquin, comme « passage à l'acte » du corps dans le Nom, demeure certes une question complexe, toujours risquée à poser. Cependant, le désir du roman aquinien ne manque pas de dévoiler, sinon d'annoncer le futur de cette signature brusquement gestualisée, théâtralisée, en 1976, par une détonation qui résonne après coup comme un effet d'écriture[3]. Peut-être le parcours topologique permet-il de lire la scène du suicide d'Aquin comme le lieu où se produit la collusion d'un désir avec le réel de la mort. Comme si le désir se trouvait tout à coup appelé à rencontrer ce réel qu'il n'a cessé de poursuivre « par la bande ». La mort d'Aquin ne peut que nous renvoyer à l'entre-deux-morts de l'écriture, laissant au suicide son

---

1. Michel Alexandre, « Lettre ouverte à un mort », citée par Myrianne Pavlovic, « L'affaire Ducharme », *Voix & Images*, vol. VI, no 1, 1980, p. 78.
2. Lettre à Jean Basile, *Le Devoir*, vol. LVIII, n° 11, 14 janvier 1967, p. 13.
3. Voir à ce sujet le très beau petit texte d'André Beaudet, « Autopsie d'un geste », *Interventions du parlogue 1*, Montréal, *Les Herbes rouges*, 1985.

statut in-scriptible. La mort « signée » d'Hubert Aquin est encore à lire dans la rencontre désirée du Nom avec l'innommable, rencontre que propose chacun de ses romans.

Le suicide est toujours, si l'on peut l'énoncer ainsi, une façon de se « tromper » de mort ou de prendre une mort réelle pour l'autre, désirée. En ce sens, Aquin aura peut-être indiqué, à la fin, jusqu'où il aura eu à payer de son Nom, jusqu'à quelle limite il aura eu à entrer dans le procès sacrificiel de la nomination. Question difficile que cette mort délibérée de l'écrivain lorsqu'elle accède subitement au réel. Il est plus facile de la penser depuis son versant imaginaire, plus certainement reconnaissable quant au leurre qui la gouverne. Si Aquin se « trompe » de mort, c'est — pour le dire rapidement — dans la mesure où il appelle un *réel* du symbolique[4] pour y venir en son nom nommer la scène révolutionnaire. Il rejoint alors brutalement le côté impossible de la « double mort » dont Blanchot parlait dans *L'Espace littéraire* comme de la réalisation d'un « étrange projet » paradoxal.

> On ne peut « projeter » de se tuer. Cet apparent projet s'élance vers quelque chose qui n'est jamais atteint, vers un but qui ne peut être visé, et la fin est ce que je ne saurais prendre pour fin. Mais cela revient à dire que la mort se dérobe au temps du travail, à ce temps qui est pourtant la mort rendue active et capable. Cela revient à penser qu'il y a comme une double mort, dont l'une circule dans les mots de possibilité, de liberté, qui a comme extrême horizon la liberté de mourir et le pouvoir de se risquer mortellement — et dont l'autre est l'insaisissable, ce que je ne puis saisir, qui n'est lié à moi par aucune relation d'aucune sorte, qui ne vient jamais, vers laquelle je ne me dirige pas[5].

Le court-circuit réel / symbolique est, dans le cas d'Aquin, offert à lire. La position de Ducharme, « le presque suicidé » (*FCC*), apparaît quant à elle franchement éloquente. En disparaissant de la place publique, Ducharme se leurre aussi sur la mort de l'écrivain : il prend une mort imaginaire pour une mort symbolique, et plus encore, il prend sa mort imaginaire comme signifiant de sa mort symbolique. À Ducharme ne coûte que le prix de sa renommée : celui du Nom-d'Auteur. En ce sens, il entreprend de dresser un constat de mort là où précisément elle est inconstatable.

---

4. Érection anamorphotique qu'il n'a cessé de traiter dans ses romans par une pratique visant à faire advenir le réel du Nom désiré dans la forme de l'écrit.
5. Maurice Blanchot, « L'œuvre et l'espace de la mort », *L'Espace littéraire*, Paris, Gallimard, coll. « Idées », 1978, p. 126.

Si l'œuvre écrite produit et prouve l'écrivain, une fois faite elle ne témoigne que de la dissolution de celui-ci, de sa disparition, de sa défection et, pour s'exprimer plus brutalement, de sa mort, au reste jamais définitivement constatée: mort qui ne peut donner lieu à un constat[6].

Selon Blanchot, écrire revient donc à tenir un pari: celui de se perdre souverainement dans la mort pour pouvoir mourir, ce que le roman aquinien reconstruit dans un plaidoyer résurrectionnel et insurrectionnel. Car il y a bien une circularité de l'exigence de l'œuvre qui force à « écrire pour pouvoir mourir » dans le temps où elle soutient la nécessité de « mourir pour pouvoir écrire[7] », et cette circularité est ce que rencontre le fantasme au moment où il passe à l'écrit. Rencontre parfois tragique, comme on a pu le lire.

Ducharme ne s'esquive pas devant l'impératif de ce double jeu avec la mort. On dirait plutôt qu'il s'y enlise en recollant les deux bords du pari. Il semble d'ailleurs que la topologie de ses romans conduise directement à la « disparition en plus » de son auteur de la place publique. Ducharme s'efface de la place où le public l'attend et sollicite sa visibilité. La dénégation soutient son écriture, et la logique du roman se noue pour lui directement à ce qu'il est convenu d'appeler aujourd'hui « l'affaire Ducharme ».

Ma famille dit déjà que je suis un écrivain, qu'il y a un écrivain dans la famille et que je vais être publié à Paris et je n'aime pas ça. Je ne veux pas que ma face soit connue, je ne veux pas qu'on fasse le lien entre moi et mon roman. Je ne veux pas être connu [...] je ne veux pas être pris pour un écrivain[8].

Ce déni, bien sûr, ressemble étrangement à la formule d'Hubert Aquin condamnant son écriture « à n'être qu'une expression infidèle de [son] refus d'écrire » (*PF*, p. 52), mais il n'en porte pas pour autant les enjeux sur la même scène. Écrire le refus d'écrire consiste, pour Aquin, à faire de l'épiphanie le sujet du roman. Le spectre ducharmien, on l'a vu, n'a rien d'épiphanique: il prend corps, tourne au cadavre, et se fait Auteur. Pas étonnant que l'écrivain lui-même devienne invisible, s'efface derrière l'Auteur, c'est-à-dire décide *d'être* ce qu'il n'est pas, à savoir: un mort. Pas étonnant que ce mort en vienne à s'incarner d'une façon spectaculaire. En privant simplement le spectateur de son image, Ducharme souligne à gros traits l'enjeu de

6. *Id., L'Après-coup*, Paris, Minuit, 1983, p. 86.
7. *Id., L'Espace littéraire*, p. 110.
8. Réjean Ducharme, entrevue accordée à Gérald Godin, « Gallimard publie un écrivain de vingt-quatre ans, inconnu », *MacLean*, septembre 1966, p. 57.

tout spectacle: une mise à mort. Souhaitant échapper à la représentation de l'écrivain, à l'image de l'auteur, il fonce droit dans l'imaginaire social et le retourne comme un gant. Le Nom-d'Auteur implique pour lui la disparition de qui le porte.

Le Nom renvoie nécessairement aussi au statut de l'écriture et à sa représentation. Et ce statut fait de l'auteur une figure publique d'exception, un « hors-d'œuvre » voué à supporter et à assumer au regard des autres le texte qu'il publie. Le livre, lorsqu'il est pris pour un « contenu » de représentations, suppose l'effacement du sujet. L'auteur n'est plus alors que son représentant, l'écran sur lequel se projettent les images et les fantasmes qu'engendre cette exception. L'écriture n'existe d'ailleurs qu'enchâssée dans ce cadre imaginaire, condition incontournable de sa transmission.

En se cachant des regards, Ducharme attaque directement le cadre imaginaire. Ce non-lieu de l'écriture, il choisit de l'être. On n'aura plus qu'à le traiter de « fantôme[9] », état de celui qui incarne le non-être pour *représenter l'invisible*. Hors de l'œuvre, le sujet écrivant — Ducharme — voué à l'avance, comme tout écrivain, à la mort et à la momification de la publication et de l'édition, refuse l'assujettissement publicitaire en s'excluant lui-même, réduisant là encore l'auteur à la lettre de son nom. Ducharme écrit contre la littérature, contre l'appareil qui a, par avance, « rendu » (vomi) l'écrivain mythique.

Le procès d'autonomination ou d'auto-exclusion revient à raturer et à signer le réel mortifère de la publicité. Le scandale de « l'affaire Ducharme », c'est qu'à la place où le public s'attend à trouver quelqu'un, il n'y a personne. Disparition non pas « illocutoire », mais corporelle, par laquelle l'auteur prétend échapper à la loi du renom.

Ducharme joue sa propre mort en agissant « de force » là où l'action délibérée lui est encore possible: sur la scène de « l'imagerie sociale » (Barthes) contre laquelle il écrit. Son exil déterminé, même s'il affiche les traits psychologiques et subjectifs de la fragilité et de la timidité insoutenable[10], découle directement de l'horreur d'un deuil en réserve, horreur dont il ne cesse de draper son désir d'écriture. Alors que ce deuil indéchiffrable et impersonnel du corps de l'écrivain dans le texte — deuil, toujours à faire, du transfert du nom dans le parcours de l'écrit — est souvent consolé par l'image médiatique où la visibilité se restaure.

---

9. Voir la citation de Michel Alexandre en exergue à ce chapitre.
10. « Bien qu'en principe je ne lis pas ce qui s'écrit sur mon livre et moi (pour ne pas souffrir inutilement: ce que vous comprendrez étant vous-même écrivain) [...]. » (Réjean Ducharme, Lettre à Jean Basile, *loc. cit.*). Encore récemment, lors de la réception du prix Émile-Nelligan à l'automne 1990, l'écrivain a délégué sa compagne et sa mère pour le représenter.

Le retrait de Ducharme est éminemment prescrit par son œuvre et ne peut être pris pour une posture inconséquente. Au contraire, en se retirant du visible, c'est l'invisibilité que Ducharme donne à voir, et ce geste — propre au sujet d'abjection — prend en charge ce qui, dans le texte, vient sous le Nom-d'Auteur. La lettre morte recouvre la mort, interdit le deuil et se superpose au glissement du Nom pour en contrôler la fuite, le ressaisir et en provoquer l'arrêt de mort. La suture qui fusionne ici la mort symbolique à une mort imaginaire a la même fonction que le jeu de mots qui règle tous les noms des romans et avec eux, la langue. L'homophonie inocule *du* fantôme à la place du trou et transforme l'auteur en « en-fantôme ». Le désir de Ducharme, semble-t-il, est de faire de l'auteur un jeu de mots. Autant dire que ce régent du charme [11] violente en se l'appropriant la nécessité du rituel mortifère. Voilà comment il s'octroie en même temps tous les honneurs mais aussi comment il met au jour la nécessité publique de la mise à mort.

L'acte de disparition ou le devenir invisible du sujet reste en ce sens l'exact équivalent de sa déchéance et de son abjection. Il s'agit toujours de s'autoriser du rejet pour s'en renommer, s'en faire le maître et s'assurer d'une réussite par son envers. Ducharme impose ainsi aux lecteurs la matière même du leurre. On se souviendra de cette émission récente diffusée à la télévision de Radio-Canada et consacrée à Réjean Ducharme. Robert-Guy Scully avait invité, pour parler de l'absent, Robert Charlebois, Marie-Claire Blais et Jean-Pierre Ronfard. Il aurait été difficile de rendre plus manifeste l'absence non pas tant de l'écrivain — dont chacun a pu témoigner —, mais de l'écriture et de son désir sur la place publique. Non pas que le désir ne soit pas publiable mais il ne peut venir au public que par la lecture, le discours ratant indéfiniment son passage. Ducharme s'autorise de cette déchéance incontournable du désir. Il ramène dans l'écrit le destin de sa publication.

Jean-Pierre Ronfard parlait en 1982 d'une « esthétique de la poisse [12] », à l'œuvre chez Ducharme, pour désigner ce versant imaginaire du désir d'écrire qui finalement se résume à ceci: la valeur du livre se mesure au rejet qu'il provoque, au refus intégral du public. Il n'y a qu'à renverser l'ordre de la relation pour retrouver la logique

---

11. Ajoutons que laisser au public un tel nom à dévorer comme seule instance « fantasmatique » n'est pas rien. Au point où l'on résiste mal à y entendre la fonction même de représentant qu'il signifie: représentant de l'enfant-roi en ce que le régent tient lieu de souverain à la place du monarque-enfant. Le régent est aussi celui qui dirige une classe, le pédagogue qui veille à l'« édification » du groupe.

12. Préface à *HA ha!...*, Paris, Gallimard, 1982, p. 9. Voir aussi Jacques Cardinal, « S'exécuter... ou la transmission du bedit discours du drône », *Protée*, vol. XX, n° 1, hiver 1992, p. 27-37.

de la suture qui fait de l'Autre — le lecteur — le véritable sujet en cause. La logique du symptôme donc consiste à s'identifier au manque dans l'Autre pour donner des noms à l'horreur. À partir de là, l'auteur coïncide toujours avec ses narrateurs et avec les personnages de son théâtre :

> Ce qui s'agit ici ce n'est pas de jeu [...] c'est de sport [...] avec l'arrogance de nos quatre volontés pour antagoniser l'arbitre et animositer les spectateurs. Le jeu qui s'agit c'est que toute leur gang gagne et qu'elle débarrasse ! qu'elle évacue l'aréna ! [...] Notre valeur c'est à la grandeur de la patinoire vide qu'elle se mesure, à la multitude des solitudes habitables redonnées aux gradins. [...] Je vous salue en attendant que je vous revoie pu [13] !

La topologie du roman implique, on le voit, son propre « rapport » à la littérature. Le parcours de l'abject, dans le cas de Ducharme, a déjà saisi le nom de celui qui signe. En forçant les spectateurs à « débarrasser », Ducharme y a presque perdu son nom. « L'affaire Ducharme » a permis de voir à quel point l'imaginaire supporte le lien et noue la collectivité des lecteurs au sujet de l'écriture. Se rendre à la « gang », au groupe, même sur le mode de la victoire par l'échec, exige encore que l'on s'affronte à la Loi du Nom. Ducharme concède au public toute la part « funéraire » qui lui revient en s'enfonçant d'emblée dans une déjection. Cela lui permet de prendre une mort pour l'autre, et son retrait a l'effet d'un déni non seulement du statut de l'écrivain, mais de son Nom. Car le nom somme toujours un corps de se présenter ou de se « faire voir ».

En effet, le Nom-d'Auteur ne peut véritablement entrer en fonction qu'à partir du moment où il est pris dans le circuit des représentations. « L'affaire Ducharme » n'a duré que le temps de *prouver* la mort de l'écrivain *dans son nom*. La possibilité d'un pseudonyme et même l'« inexistence » de l'auteur inquiètent le public qui ne peut tabler que sur du visible. Le désir de Ducharme de maintenir un hiatus entre son visage et son nom s'affirme sans tenir compte de la part d'imagerie et de corps qui s'attache à toute mort. Le scandale n'a duré que le temps de faire la preuve — quelques photos « impossibles » et un témoignage quant au nom ont suffi — de la corporalité, autant dire du nommé de l'auteur, authentifiant du même coup sa signature, le nom se libérant, par le fait même, de tout questionnement [14]. L'affaire s'est close sur cette attestation. Ducharme

---

13. Réjean Ducharme, *HA ha !...*, p. 66.
14. « Réjean Ducharme (s'il existe) est-il l'auteur de *L'Avalée des avalés* ? » *Le Devoir*, 13 janvier 1967, p. 8 ; « Normand Lassonde [...] accompagné d'un photographe [...] se rend au domicile qu'habite alors Ducharme, et interpelle l'écrivain au moment où celui-ci rentre chez lui: "Réjean Ducharme ?" Le romancier répond

écrivain est mort finalement selon les conditions du marché. Mais le marché a ses cycles et exige d'être alimenté en permanence, comme l'a prouvé la résurgence récente de cette « affaire » qui a occupé les médias, en décembre 1991, alors qu'une rumeur voulait que ce soit Luce Guilbaut le véritable auteur de l'œuvre.

Écrire contre la « communauté littéraire », c'est donc, pour Ducharme, en accepter tous les jeux, non pas dans l'attitude passive et faussement méprisante qui s'appuierait sur une méconnaissance intrinsèque — attitude qu'adoptent plusieurs écrivains — mais en précipitant « autoritairement » les effets de leurres dans un retournement de l'envers du texte sur son endroit. La topologie du roman a montré comment la structure mœbienne de l'écriture, qui place les deux versants du temps sur un seul plan, est constamment tendue vers un recollement qui a justement pour fonction de pousser à l'excès la réversibilité, non pas simplement du temps mais du leurre. En resuturant la bande de l'écriture, Ducharme déporte la réversibilité du temps dans la représentation.

L'attitude « suicidaire » qu'exige l'esthétique de la poisse et du ratage volontaire replace le roman dans sa logique de la re-nommée. Comme chez Aquin, la marge que constitue le vecteur de la lecture supporte tout « l'engagement » de l'écrivain et soutient sa position dans la collectivité. Et le lecteur imaginaire qui suture le roman ducharmien est foncièrement le même qui le fait se cacher.

À rendre visible l'invisibilité de l'écrivain, Ducharme se fait le maître de sa renommée, oblitérant là encore l'indécidable de son Nom. En assurant sa propre disparition, c'est la fuite sans fin hors de son Nom qu'il conjure. En précipitant sa « momification » par la prise en charge de sa mort dans le domaine public de la production littéraire, il voile et obstrue l'autre invisibilité qui, elle, ne pourra jamais se laisser prendre au jeu d'un anonymat volontaire. L'autre mort, inévitable, qui œuvre dans le Nom, étant le sans-nom de l'écrivain et non sa lettre, se trouve ainsi superposée, soudée à la représentation de la mort qui vient authentifier la renommée.

En cela, Ducharme conjure l'exclusion *réelle*. On sait que l'« exclu », figure d'un écart radical ou encore, hétérogénéité inassimilable, avive la fonction d'horreur dans la collectivité et ce, toujours au bord du même infigurable: le Nom. Ce qui lie un groupe, c'est précisément la peur de cette césure[15]. En « révulsant » les figures du

instinctivement [*sic*] " Oui, c'est moi. " Prises sur le vif, les photos, bien plus que le propos de Lassonde, deviendront le meilleur argument, la meilleure preuve. » (Myrianne Pavlovic, *loc. cit.*, p. 83)

15. Voir à ce sujet Daniel Sibony, *Le Groupe inconscient. Le lien et la peur*, Paris, Christian Bourgois, 1980, p. 18.

leurre, Ducharme n'effracte en rien le semblant. Il « retourne » le trou du Nom et l'emplit des matières du rien que sont la dissimulation et la démission. Il faut lire ce qu'il écrit à Pierre Tisseyre dans la lettre qui accompagne son premier manuscrit.

> Je ne sais pas écrire. Je n'ai pas appris à écrire. Je ne connais pas la langue française. J'ai peu lu. Je ne garde rien de ce que je lis. Je ne sais pas mes règles d'accords. Je ne peux écrire une seule ligne sans consulter Grevisse et Larousse [...]. Je vous prie donc de m'excuser, de passer indulgemment outre les maladresses [16].

On entend sans doute dans ces quelques phrases la voix de tous les narrateurs ducharmiens. En s'abaissant, Ducharme donne à fond dans le lien institutionnel de la demande et de la reconnaissance. On ne s'étonnera pas de la condescendance paternaliste et protectrice que ne manque pas de lui conférer l'éditeur [17].

Le piège imaginaire — inconscient ou non — a fonctionné à plein régime, et a fini par se dévoiler avec l'approbation de Gallimard, instance substitutive de la reconnaissance. Le changement de ton chez Ducharme — qui se place tout à coup dans l'autre registre de la voix narratrice — , au moment où la panique saisit la collectivité et pousse Pierre Tisseyre à s'enfoncer davantage dans le déni de sa méconnaissance, est significatif. Une chose demeure claire, l'imaginaire pulse entre l'auteur et la collectivité :

> Pierre Tisseyre [...] dans une lettre publiée dans la dernière édition de la revue « Sept-jours », affirmait qu'il avait reçu de Réjean Ducharme trois manuscrits et que ces manuscrits « avaient été considérablement retravaillés » [18].

Ce à quoi Réjean Ducharme rétorque :

> LETTRE OUVERTE : Il y a des trous dans votre chapeau, monsieur Pierre Tisseyre [...]. Si vous faisiez rapiécer votre mémoire, vous vous rappelleriez que je ne vous ai soumis qu'un manuscrit (un manuscrit en quatre cahiers) et que ce

---

16. Réjean Ducharme, « Lettre à Pierre Tisseyre », datée du 30 juin 1965, citée par Myrianne Pavlovic, *loc. cit.*, p. 91.
17. « Je n'ai lu qu'une partie de votre manuscrit [...]. Il est indiscutable qu'il existe un talent et une verve qui sont loin d'être négligeables. Tout cela est souvent désordonné, mais ça n'est pas antipathique. Je crois qu'avec des efforts pour vous discipliner, sans nuire au jaillissement verbal qui vous est personnel, vous pourriez présenter des manuscrits publiables. Pour ma part, je ne vous cache pas que je serais intéressé à lire d'autres textes de vous s'ils étaient mieux présentés, moins longs et plus contrôlés. » (Pierre Tisseyre, « Lettre de réponse à Réjean Ducharme », datée du 6 août 1965, citée par Myrianne Pavlovic, *loc. cit.*, p. 91-92.)
18. Guy Deshaies, « Réjean Ducharme répond à celui qui a refusé de publier son livre », *loc. cit.*, p. 92.

manuscrit n'est pas celui de *L'Avalée des avalés* mais bien celui de *L'Océantume*. [...] Il y a des trous dans votre mémoire, monsieur Pierre Tisseyre. Il y en a aussi dans votre chapeau, et il faut qu'ils soient grands pour que vous ayez pu parler si fort (on vous a entendu en Europe) à travers votre chapeau [19].

[Ducharme] est intervenu une seule fois en répondant [...] à Monsieur Pierre Tisseyre [...]. Encore là, on croit que ce n'est pas Ducharme qui a écrit cette lettre réponse, mais bien un de ses amis, autrefois journaliste [20].

D'autre part, la page couverture des romans de Ducharme porte une notice biographique dont la première, parue au verso de l'édition Gallimard de *L'Avalée des avalés* (1966), est signée à l'instar des notes infrapaginales: R.D. Cette « biographie » renforce le statut de l'auteur qui exige d'appartenir à l'imaginaire de l'œuvre. Sa place est celle-là même qu'il se donne, d'autorité, dans le barrage du Nom. La notice n'est en effet que l'attestation d'une vacuité entre naissance et mort, rédigée là encore sur le même ton que celui qu'arborent les narrateurs [21]. Elle a été par la suite réduite à quelques phrases vaguement modifiées d'une couverture à l'autre. On peut par ailleurs remarquer que le seul élément référentiel « vérifiable », à savoir l'année de la naissance, demeure indécis, oscillant entre 1941 et 1942 [22].

L'esthétique de la poisse est ainsi déjà au seuil du roman, elle en règle toute la topologie. La dénégation est telle qu'elle régit à l'avance le renvoi non seulement des lecteurs, mais — au théâtre — des spectateurs. L'auteur intervient par exemple dans une dédicace aux

---

19. Signée « Réjean Ducharme (auteur de *L'Avalée des avalés*) », citée par Myrianne Pavlovic, *loc. cit.*, p. 93.
20. Normand Lassonde, « Les œuvres de Réjean Ducharme complètement refaites», *La Patrie*, vol. LXXXIX, nº 46, semaine du 17 novembre 1968, p. 5.
21. « Je ne suis né qu'une fois. Cela s'est fait à Saint-Félix-de-Valois, dans la province de Québec. La prochaine fois que je mourrai, ce sera la première fois. Je veux mourir verticalement, la tête en bas et les pieds en haut. À l'école, j'étais toujours le premier à partir. [...] J'ai souffert six mois à l'École Polytechnique de Montréal. Enfin délivré, je me suis pris pour un commis de bureau et me prends encore aujourd'hui pour tel. Mais ceux qui embauchent des commis de bureau ne veulent pas me prendre pour un commis de bureau. [...] Un mois sur deux, je suis en chômage. [...] J'ai été dans l'Arctique [...]. Personne ne veut me croire. [...] J'ai vingt-quatre ans, je n'ai plus tous mes cheveux et toutes mes dents et cela m'écœure. Je ne me suis pas marié une seule fois encore. Les femmes ne veulent pas se marier avec moi. [...] S'il n'y avait pas d'enfants sur la terre, il n'y aurait rien de beau. R.D. » (*AA*, 1966).
22. Endos de la page couverture de *L'Océantume*: « Réjean Ducharme, né en 1941[...]. » Endos de la page couverture des *Enfantômes*: « Réjean Ducharme est né en 1942 [...]. » Endos de la page couverture de *L'Hiver de force*: « Réjean Ducharme, né en 1942 [...]. » Endos de la page couverture de *La Fille de Christophe Colomb*: « Réjean Ducharme, né en 1941 [...]. »

acteurs de la pièce *Inès Pérée et Inat Tendu* pour les encourager à participer directement à l'esthétique de l'œuvre. Si l'œuvre risque d'être appréciée, ceux qui ont le rôle de la transmettre ont aussi le rôle fictif de la rendre moche. L'invitation en est encore une d'identification au symptôme:

> Très très bonne pièce en trois « zakes » [...]. Et que je dédie aux comédiens qui la joueront par-dessus la jambe sans se casser la tête comme si ce n'était pas leurs affaires, avec des blancs de mémoire de toutes les couleurs, avec maudit que j'ai hâte que ça finisse pour aller m'en jeter une derrière la cravate avec mes petits copains [23].

Le mépris de toute prétention à l'art génère donc le roman et ne peut être pris pour une fausse pudeur dressée après coup ni pour un simple désir de provocation. La façon dont un sujet a déjà choisi d'habiter son nom et sa manière d'occuper le signifiant déterminent le *lieu* d'émergence de l'écriture: sa place dans la langue est aussi sa place dans la communauté des lecteurs. Ainsi, le lien se noue et se dénoue dans la langue de celui qui s'en trouve renommé, lui dont le corps devient l'enjeu d'une circulation où il est, quelque part, « toujours déjà mort », figé dans les rets du discours public. L'écrivain est voué à mourir selon les conditions du marché, c'est-à-dire qu'il doit porter le masque que son temps et sa culture lui assignent.

Le Nom ducharmien est un Nom utopique. Toutefois, cette utopie écrit le symptôme qui a, comme on sait, partie liée avec la vérité. Vérité méconnue parce que par avance reconnue et conjurée par le symptôme. La mort imaginaire de l'auteur, sa disparition, constitue une identification à ce qui, du symbolique, choit.

L'écrivain vient toujours en trop par rapport à son livre. Or, au Québec, la figure de l'écrivain a quelques fois été celle de l'« écrivain sauvage », de l'« illettré de génie » ou encore celle d'un être « intact » et pur, servant l'authenticité de son milieu d'origine et porteur sans médiation du texte national [24]. Cette image violemment contestée par la modernité ne cesse pas pour autant d'alimenter à ses heures, et sournoisement, la lecture — l'édition, la critique, l'enseignement. L'écrivain ainsi désiré dans sa chair, si j'ose dire, devient mythique et accède par le mythe au statut inquestionnable de la « nature ». Il peut alors soutenir de sa visibilité spéculaire — et spectaculaire — toute la scène économique de la culture. L'écrivain ne peut sans doute pas

23. Réjean Ducharme, *Inès Pérée et Inat Tendu*, Montréal, Leméac / Parti pris, 1976, p. 3 et 5.
24. Voir à ce sujet Réjean Beaudoin, *Naissance d'une littérature. Essai sur le messianisme et les débuts de la littérature canadienne-française*, Montréal, Boréal, 1989.

facilement sortir de cet univers mythique attaché au livre[25]. Et la topologie donne à lire le mode sur lequel un sujet en joue.

Les romans de Ducharme proposent un jeu pervers qui consiste à prendre le désir à la lettre. Son revirement sur la place publique ne fait que confirmer la logique qui consiste à « retourner » l'écran, pour révéler par la négative — le déni et le dénigrement — ce que Bernard Sichère appelle « le lien interne entre [le] projet d'écriture et la dimension prostitutionnelle de la société moderne[26] ».

C'est le malentendu de cette pratique que Ducharme entretient et met en scène. Il projette son écriture depuis cette scène on ne peut plus institutionnalisée et utopique. Ducharme pousse la limite de l'imagerie sociale jusqu'à en renommer l'excès selon une « accélération » qui la rend risible tout comme l'écriture qu'elle travaille. Ainsi, se faire une renommée devient une entreprise d'authentification du Nom qui passe à travers une mort ostentatoire. Cette authentification ne peut être que négative puisqu'elle réduit la mort au constat et en nie l'insaisissable.

Faire le mort est donc cautionné par le retour du mort dans le roman, retour qui permet chaque fois de faire fonctionner la déchéance de l'institution et, avec elle, celle du sujet qui s'y trouve fatalement engagé dans une entreprise de déjection. L'esthétique de la poisse est une façon de se saisir de la « demande » de l'institution, de s'identifier à elle afin de la conjurer, puisqu'elle est le versant imaginaire de l'Autre qui empêche la reconnaissance du désir — du roman. Il faut simuler le « n'importe quoi », afficher une anti-esthétique, viser l'extrême « niaiserie » pour prendre l'institution à revers et se maintenir à flot dans la submersion de sa demande.

La littérature veut du « moderne », de l'engagement, du savoir, du sublime, du génie, et cette demande silencieuse en est toujours une de mort. Chaque écrivain se renomme depuis la place qu'il occupe dans ce jeu avec la mort. Au constat de mort — implicite — fait par l'institution, Ducharme répond en se faisant porter mort, et sa « demande de mort » jusqu'à l'abjection devient le Nom de l'œuvre. La langue s'hortensesturbe, le texte se fait pratique du pire (de l'empire). L'alternative « niaiser ou mourir[27] » pose l'une sur l'autre les deux versions d'une même mécanique.

Écrire n'aura jamais été plus clairement venir à la place de la lecture pour rendre *visible* son versant caché, féroce, cruel. Tout ce

---

25. Comme l'a révélé Roland Barthes, la « nature » est aussi dans les mythes qui prétendent toujours à une vérité anhistorique et, par définition, inquestionnable.
26. Bernard Sichère, « Apologie du joueur », *Infini*, n° 12, 1985, p. 107.
27. Alternative qui cache l'autre: « Vaincre ou mourir » et qui devient ici « mourir pour vaincre ».

que l'écrivain Ducharme a à dire est dans son œuvre, et c'est qu'il est mort, ou encore qu'il n'a rien à dire, qu'il ne fait pas œuvre et qu'au fond, tous ceux qui le lisent sont ridicules puisqu'il ne s'agit pas d'être lu mais de ramener la lecture dans le registre du leurre. Or, cet énoncé est celui-là même de son désir d'écrire et d'un désir de Nom tel que la Loi du genre en appelle immanquablement le malentendu.

> Mes amis les hommes, s'ils m'entendent ont dû trouver ignoble ce que j'ai dit la dernière fois que je leur ai parlé. Mais je ne leur parle pas pour être entendu. Je leur parle, mais je n'ai pas besoin d'être vraiment entendu. Je parle en faisant semblant d'être entendu et faire semblant d'être entendu me suffit. Quant aux poètes, ils font semblant de parler pour être entendus. (NV, p. 248)

Faire semblant d'être entendu, c'est bien sûr reconnaître qu'il n'y a que du « mal entendu » ou du toujours-déjà-entendu. Les romans s'écrivent depuis ce lieu utopique inversé du déjà-lu, lieu où se dresse la scène institutionnelle et commerciale. Mais faire semblant d'être entendu, c'est aussi faire semblant d'être mort, de cette mort déjà toute consommée dans l'objet mis en vente qui ne peut tabler — et s'attabler — que sur du cadavre, sur du « rendu » et du compte rendu. L'autre figure de l'utopie est dénoncée par Mille Milles comme un « semblant de parler pour être entendu » : registre non inversé et fantasmatique de l'écrivain croyant à son mythe.

Si la vérité du Nom est bien son manquement à suturer le réel, le roman de Ducharme en fait une question d'authenticité. La confusion jouée entre vérité et authenticité raconte l'autre confusion, plus certaine, entre réel et imaginaire. Écrire devient désir d'authentifier le malentendu que génère l'écriture. Il s'agira donc non pas de ramener la fiction à son procès en manifestant, par exemple, le négatif de la vérité dans les travestissements, les leurres, les simulacres de la représentation, mais d'authentifier la fiction en obéissant à un principe de dé-fictionnalisation reconduisant l'image au point où se suturent l'envers et l'endroit de la représentation.

Entre l'auteur et le Nom-d'Auteur s'installe une synchronie qui colle l'un à l'autre les deux termes du théorème de l'être et du non-être. L'énoncé « Je suis ce que je ne suis pas » structure chacun des romans en forme de délire d'interprétation basé sur une logique de la feinte dans laquelle le Nom est toujours un leurre[28]. Le risque d'un

---

28. On peut suggérer que la collusion de l'auteur avec ses « noms-de-la-mère » (Nom d'Auteur, narrateur, lecteur) ouvre le roman de Ducharme sur une généralisation de la feinte, au point où la collectivité des lecteurs y devient elle-même le nom du symptôme.

tel roman réside dans la tentation d'un enfermement dans la lettre. Ducharme désire le malentendu de la fiction. En ce sens, il rejoint l'affirmation de Mathieu Bénezet lorsqu'il concède: « Nous acceptons que la littérature soit un objet impur, maculé de tous côtés, nous nous plaisons dans cette mise au sale de la littérature[29]. »

Tout le risque du roman ducharmien vient de sa tentation à jouer à fond la posture hystérique du roman.

Le roman de l'hystérie

Le désir du roman ducharmien rend compte d'une position d'énonciation que l'on pourrait appeler, parce qu'elle s'y apparente, la *posture hystérique* du roman. Le symptôme qui s'écrit suivant la topologie d'une suture, dans la mesure où il dispose une structure temporelle et spatiale assez particulière de l'énonciation, met en scène une parole qui rappelle le « discours hystérique[30] ».

Supposons que l'on fasse appel, ici encore, aux ressources d'une « équation » afin de rendre lisible le rapport du roman à l'Autre. Cette équation serait, en quelque sorte, l'épure de son désir de Loi. Le discours hystérique pourrait ainsi s'énoncer en une formule qui disposerait les termes d'une impasse de la sexuation ou le déni de la différence sexuelle.

Le Nom par lequel le sujet est signifié à son désir ne libère pas de signifiant particulier de la féminité. Ce qu'une certaine psychanalyse (Freud, Lacan) appelle le phallus est plutôt le signifiant du désir d'où le corps de la mère se détache. Signifiant ni d'un sexe ni de l'autre, mais de la différence. Les noms-de-la-mère ont révélé par contre que l'écriture de Ducharme ne cesse de prendre au corps la lettre du Nom, interpellant de la femme ce qui en serait l'« effet-Mère », ou si l'on veut, l'envers et l'enfer du signifiant. En ce sens, le roman *joue* la place de l'hystérique. L'écriture des noms-de-la-mère trouve son efficace dans le fait qu'elle ne cesse de désigner l'oblitération du «devenir-femme» de la sexuation.

Les narrateurs sont aux prises avec la question ardue de la sexuation qu'ils ne cessent par ailleurs de recouvrir d'un fantasme de saturation signifiante, débouchant sur une véritable théorie de l'indifférencié.

---

29. Mathieu Bénezet, *Le Roman de la langue*, Paris, UGE, coll. « 10 / 18 », 1977, p. 27.
30. Discours qui, chez Lacan, fait partie d'un groupe de quatre dont les trois autres sont le discours du Maître, le discours de l'Université et le discours de l'Analyse. Chacun de ces discours décrivant une position d'énonciation au sein du lien social. (Voir entre autres *Séminaire XX*, p. 21)

L'aspect sexuel du problème gâte tout le déraisonnable de nos rapports. Nous sommes deux avides de caresses [...]. Ne pas succomber aux caresses n'est hélas pas une solution [...]. Le dimorphisme sexuel devrait se limiter, chez l'être humain, à la longueur des pieds. [...] Donc, je suis la souveraine [...] ceux du sexe féminin d'entre les êtres humains ont peu à peu perdu leurs protubérances et leur exubérance. [...] Demain [...] mes mirmillons et mes rétiaires. [...] pourront se reproduire d'eux-mêmes, pourront, comme par fissiparité, se donner vie nouvelle [...]. (*AA*, p. 245-247)

Cherchell, dans *L'Océantume*, nomme littéralement la quête de la féminité qui ne prend son sens que si le sujet est d'abord excepté de la différence sexuelle.

Si un arbre t'ouvrait son écorce, n'y pénétrerais-tu pas ? Si je creusais un tunnel dans l'air, n'y ramperais-tu pas jusqu'aux étoiles ? [...] Si tu comprends, nous ne sommes plus deux personnes, nous sommes devenues une seule personne. Prenons un nom pour cette seule personne que nous sommes maintenant, un nom ni masculin, ni féminin, ni pluriel, un nom singulier et bizarre. [...] Je te nomme Cherchell ! [...] Nous sommes Cherchell ! (*O*, p. 81-82)

Chercher la femme pourrait bien être la structure minimale de la position hystérique, impliquant sa réponse barrée, du fait qu'elle suppose à l'avance l'existence d'un représentant inaccessible de l'Autre — de la féminité. Ainsi, l'hystérie est la contradiction violente qui affirme l'« impuissance paternelle » — à nommer cet innommable — dans une langue qui s'érige justement pour le masquer. C'est donc dans la simultanéité paradoxale d'une reconnaissance et d'une négation du Nom que se place le sujet hystérique.

Il n'est pas étonnant alors de rencontrer dans le système des représentations ducharmiennes des figures de pères dérisoires: loques sans pouvoir, despotes hurlants et ridicules, à l'écart de la jouissance « Ina Ssouvissable » d'une mère morte[31]. L'hystérique, reparcourant

---

31. « Je n'ai pas peur de lui. D'ailleurs, il ne met jamais à exécution ses menaces [...]. Quand il a pris la peine de me flanquer des paires de claques, il se sent acquitté de ses devoirs de père pour un bout de temps. [...] La plupart du temps, il m'ignore. Espèce d'ignorant ! » (*AA*, p. 24-25); Lange et Van der laine, avec leur nom de vêtements ne sont que les doubles de la mère: « Ina est le chef de la famille. C'est son nom que nous portons. Van der laine n'est que son ex-fécondateur, son sperme passé [...]. » (*O*, p. 33); « Pas de père. On ne savait pas ce que c'était. Quand on l'a su on n'a pas compris à quoi ça aurait pu servir. » (*E*, p. 9) Sans compter les deux figures de père que sont Christophe Colomb et Al Capone, chef des syndicats et tenancier de bordel ayant pris la place de Dieu dans un paradis-dépotoir: « Fille d'un père déchu, pauvre et manquant de fronton [...]. Christophe

son Nom sur le mode imaginaire, fusionne Père et Mère, afin de garder intacte et inentamable la grande Mère primordiale. Le Nom-d'Auteur, on l'a vu, déploie la lettre de cette collusion.

L'« impuissance » supposée du père, le sujet hystérique se voue et se dévoue à la recouvrir sans pour autant cesser de l'affirmer dans une langue où il se prend, suturant l'une à l'autre son identité et son sexe. C'est dans la mesure où le procès de la nomination suture la place où la Loi prendrait effet de reporter son désir au dérobement symbolique, que s'ouvre pour un sujet la voie hystérique. Voie dans laquelle est mise en œuvre une violence contre la langue d'où aucun Nom n'est venu signer l'assomption du sujet. L'impuissance du père est une façon de représenter l'impuissance du sens à fonder le sujet dans son Nom. Si la Loi de la différenciation n'est pas reconnue dans l'arrachement du sujet à sa relation spéculaire avec l'Autre, la langue sera perçue comme un procès de substitutions sans fin, répétant la relation duelle prise dans l'impasse qui oppose le sens au non-sens. Le « je » de l'hystérique consiste ainsi à « dévoiler » la violence — ressentie — de l'arbitraire du sens: dévoilement qui procède selon un déplacement perpétuel, traversant pour les invalider tous les savoirs.

La place de l'hystérique est d'abord celle d'un questionnement quant à son identité adressé à la langue elle-même. Question dont la réponse se suspend à la lettre. La vérité désirée revient au sujet comme une identité ne pouvant s'énoncer que depuis les lieux d'identification. Mais dans le même mouvement, cette identité littérale — nommée — ne saurait être reçue, parce que la langue qui l'énonce a déjà été reconnue impuissante à restaurer la fondation défaillante. L'impasse de la question engendre ce déplacement continuel d'où les discours seront tour à tour dérisoirement réduits à leur faille.

Gérard Wajeman[32] a ramené l'équation hystérique, proposée par Lacan, à un énoncé fort simple:

$$\frac{dis\text{-}moi}{qui\ suis\text{-}je} \qquad \frac{je\ suis}{qui\ tu\ dis}$$

dis-moi... qui suis-je ? —— je suis qui tu dis[33].

vit seul, presque suicidé » (FCC, p. 12-13); « Al Capone [...] quelques mois après, il avait organisé un syndicat / Renversé Dieu le Père, s'était rendu maître du paradis. / Déniaisés par les distilleries , anges et saints l'appellent papa. » (FCC, p. 50)

32. Gérard Wajeman, Le Maître et l'Hystérique, Paris, Navarin/Seuil, 1982, p. 18.
33. « L'hystérique rend en quelque sorte apparente la dépendance signifiante du sujet à l'endroit de l'Autre en marquant, d'une part, la dimension de la dette signifiante — qu'elle fait toujours actuelle — et d'autre part, en posant que le sens du message est inversé de l'auditeur au locuteur. [...] Elle marque ainsi à l'évidence

L'essentiel dans cette structure est qu'elle souligne — par le trait de la barre — la séparation du sujet et de son désir. En ce sens, elle est le terrain impraticable où la vérité s'éprouve d'être impossible à dire. Du fait de cette séparation qui empêche l'hystérie d'entendre « au-delà » du discours qu'elle produit, le sujet ne pourra se reconnaître entièrement dans ce qui lui revient et relancera sa question depuis ce défaut du savoir.

Parce qu'il n'a pas accès à la vérité de son désir, le sujet qui en appelle à l'autre pour lui dire qui il est, fait de cette réponse un symptôme. L'hystérique « cultive l'imaginaire de tout savoir, de tout discours, pour mieux en dévoiler chaque fois le non-sens[34] ». En d'autres termes, plus l'hystérie demande de l'interprétation plus elle y répond par la négative — « ce n'est pas cela ! » — et plus elle s'identifie à cette négation. L'hystérique se confine dans le négatif, travaillant à maintenir son désir insatisfait. Le sujet hystérique, enfin, s'oblige à prendre les mots à corps *perdu*, à se prendre lui-même pour ce corps littéral.

Ainsi, le sujet hystérique est celui qui se dresse à cette place laissée vide de sa nomination pour tenter de la faire consister. De là lui vient son impossible identité. L'hystérique travaille constamment à mettre en scène son « manque », le sursignifiant, le sur-nommant d'une érotisation constamment reprise et déplacée. Son identité lui arrive telle une identification au voile recouvrant ce vide qui le nomme.

La reconstruction de ce discours dans le roman ducharmien est assez éloquente si l'on admet qu'un écrivain se constitue aussi en reparcourant son Nom pour trouver sa signature. Dans l'écriture, le sujet ne se reconstruit pas, bien sûr, une identité positive. Au contraire, devenir écrivain serait plutôt accomplir le deuil de ce fantasme, la topologie de ce deuil devenant au fond le seul « objet » de la transmission de l'écrit.

Ducharme écrit le roman de l'hystérie parce qu'à la place de l'Autre, il dispose une figure ambivalente que, dans le registre de l'écriture, j'aimerais désigner comme étant celle de *l'Autre-Écrivain*. Le symptôme de l'Autre-Écrivain qui consiste à « renvoyer le lecteur à ses oignons », c'est-à-dire au leurre de la lecture. En d'autres termes, c'est le procédé qui vise constamment la communauté des lecteurs pour la réduire à son statut hors texte et hors désir. Cette figure de l'Autre, interpellée, revient dans le roman tel un sur-Nom.

---

qu'il n'y a de parole fondatrice qu'émise du lieu de l'Autre, identifié ici à sa position de maître qui fait advenir le sujet, encore inarticulé, bredouillant : " m ", qui fait " m'être ". » (*ibid.*, p. 20)

34. Roland Gori, « L'hystérie : état limite entre l'impensable et sa représentation », *L'Interdit de la représentation*, Paris, Seuil, 1984, p. 163.

Le déni du romanesque s'appuie sur cet Autre désigné. Si la scène de l'Autre-Écrivain exige l'acte de foi — « tu me crois ou tu t'en vas [35] » —, c'est précisément parce que « je » fait semblant d'être entendu, qu'il se prend dans et pour le « mal entendu ».

> Ô mon ami l'homme, que ne t'ai-je encore entretenu des délices symphoniques de t'entendre m'entendre ? Car je t'entends m'entendre. Tu m'entends et c'est comme si tu me parlais [...] chaque mot que je te dis se répercute en toi comme une goutte d'or, comme un puits d'or. [...] Tu es un puits profond et sonore, et un puits n'a pas de cordes, mais tu es une guitare, tu es ma guitare. Je joue du puits d'or comme on joue de l'orgue. Je t'entends dire que j'exagère... pourtant, je n'entends rien [...]. (*NV*, p. 254)

L'Autre-Écrivain n'est pas tant le représentant fantasmatique de l'écrivain — celui qui incarnerait l'idéal du moi — que l'envers de la communauté des lecteurs. Il désigne en effet la scène duelle sur laquelle un écrivain voit son nom confisqué, différé par le Nom-d'Auteur.

L'hystérique s'identifie au désir de l'Autre. Son identification toujours parodique symptomatise ce désir. Chez Ducharme, l'hystérie est jouée à l'excès dans les déplacements constants de l'énonciation et sous les travestissements de l'auteur, du narrateur, du scripteur et du lecteur. Dans cette pratique qui consiste à mimer les figures du vide, c'est un surplus d'être qui est recherché, surplus qui ramène tout au registre du surnom. Ce qui est transmis, dirai-je, c'est la mort de l'auteur ou encore, l'impasse de l'autorité.

---

35. « Vous en doutez ? allez au cinéma, si vous ne me croyez pas. Lisez les romans et les poèmes qui se vendent, si vous ne me croyez pas. [...] Allez demander aux voisins, si vous ne me croyez pas. » (*NV*, p. 171, 201) « Allez-vous-en, si vous n'êtes pas contents. » (*O*, p. 117)

L'acte romanesque

Quelqu'un me rapporte l'ultime désir d'un écrivain, énoncé quelque temps avant sa mort: « Je voudrais arriver à symboliser ma mort pour les autres. » Il me semble entendre dans cette phrase toute la dimension éthique du roman, lui qui est justement la mise en acte de ce désir: la symbolisation d'une mort — dans un Nom — pour les autres. Peut-être trouvons-nous là aussi le début d'une réponse à la question adressée au roman depuis toujours quant à sa place dans la collectivité.

Que peut le roman? Il semble finalement que ce soit bien peu en termes de progrès, de mouvements de masse ou de changements sociaux. Il semble même que le roman se soit révélé en ces domaines, radicalement impuissant. Le roman ne légifère pas. Sa loi n'est plus tout à fait celle des sujets juridiques. Au contraire, dans ce registre du contrat social, il a déjà, avant même qu'on l'accuse, plaidé coupable.

S'il y a une éthique du roman, elle est très proche de celle d'Antigone, entièrement liée à une loi in-scriptible qui mettrait le sujet en rapport avec sa mort et sa disparition. Et la soumission du roman à cette loi le perd à l'avance au sens de la communauté, faisant advenir le nœud aveugle de toute loi, sa fiction.

Il n'y a pas de mort qui puisse être symbolisée et discernée comme « mort de l'ensemble ». Il n'y a pas de communauté possible dans la mort puisque la communauté se fonde sur le récit qu'elle instaure à partir de sa division. Ce qui vient au récit vient contre l'ordre de cette division, contre l'ordre du surgissement. Du reste, l'aveuglement de l'ensemble se repère précisément dans le récit qu'il élabore *sur* la mort, dans l'intrication des liens qui visent aussi à la recouvrir. Il n'y a que la mort d'un seul qui puisse être symbolisée « pour les autres ». « Les Rédempteurs » était, je crois, l'histoire de cette vérité.

L'éthique — toute éthique — engage dans une voie qui mène à la mort, à la singularité de la mort et au deuil de celui qui y vient *en son nom*. Le sujet en souffrance de loi erre sur la scène de son histoire et ce qu'il rencontre c'est précisément le manquement de la Loi, c'est-à-dire la Loi de l'Autre inapprochable. Or on ne peut avoir affaire à la

Loi sans se demander où elle a lieu et d'où elle vient. Entrer en relation avec la Loi c'est se laisser fasciner ou interpeller par la fin de toute histoire car l'origine de la Loi est la césure ou la division d'où s'engendre l'histoire... de son recouvrement. Le désir du roman est alors de porter le sujet au-devant de cette césure. Dès lors, ce qu'on appelle le sujet du roman ne se conçoit plus tant, on l'a vu, dans les pulsions du désir que dans le tracé, le mouvement, la *forme* qu'élabore ce désir de l'Autre qui le renomme. Le procès d'énonciation s'y effectue comme un *passage à l'acte*, si l'on reconnaît dans ce passage le moment — fou — où *je* viens au lieu de l'Autre, pour parler.

Penser l'éthique exige, il me semble, que l'on distingue trois modes de l'« agir ». Agir au sein de la collectivité peut en effet se concevoir selon trois positions ou trois postures, différentes dans la mesure où elles se donnent pour un *acte*, un *geste* ou une *action*. Chacun de ces agirs dispose d'une temporalité particulière. Je voudrais proposer à la fin de cet essai sur le désir du roman, que l'inscription d'un sujet à sa place — devant la Loi — est prescrite par son rapport au temps.

Ainsi, l'*action* répond à une nécessité impérieuse. Elle impose toujours le regroupement et l'alliance selon un mot d'ordre dont la solidarité est l'énoncé. L'*action* vise ainsi un objectif et seule la réalisation de cette visée la justifiera. Le temps de l'*action* — et celui du sujet de l'action — est chronologique, lancé vers l'avant, le futur. C'est un temps linéaire qui n'accepte nul retournement, nulle digression. L'« action implique une sorte de naïveté, d'adhésion sans faille au projet et sa réalisation. Ne pas se poser trop de questions [1]... » En fait, l'*action* n'est possible qu'à la seule condition de ne pas s'interroger sur le désir qui la motive. Faute de quoi, elle est vouée à l'échec. Hamlet est l'exemple de ce ratage, lui qui n'en finit plus de chercher et de questionner son désir. L'*action* est enfin une appropriation du temps, et c'est en son nom que s'entreprennent les transformations sociales et légales. Elle est ancrée dans le temps historique, celui de la morale dont elle fait sa chose: temps de la poursuite lancée vers un but qui l'achèvera et la relancera ailleurs. L'*action* vise la communauté et non le désir qui la rompt [2].

L'écriture du roman reconnaît toujours là un champ dont l'accès lui est fermé. Quelques écrivains, dont Sartre et Malraux, l'ont dou-

---

1. Louis Bernaert, *Aux frontières de l'acte analytique*, Paris, Seuil, 1987, p. 82.
2. « À prendre l'exemple de la torture, il est clair que sa justification par l'évocation du bien de la communauté nationale masque mal le désir sadique qui la hante. On peut sans doute, dans un discours des fins, qui subordonne l'emploi d'un moyen à l'obligation de respecter les droits de l'homme, interdire la torture, mais cette interdiction est sans prise sur ce désir [...]. » (*ibid.*, p. 83)

loureusement compris. Il faudrait voir d'ailleurs sous quelle forme ils ont inscrit dans le roman la culpabilité qui les portait quand même à s'engager dans de véritables actions. L'*action* demeure hors de l'écriture.

À l'autre pôle de l'action, se trouve le *geste*. Le geste, dit Lacan, est ce qui peut toujours être interrompu[3]. Intimiste, il suppose une proximité dans la mesure où il appelle une réponse. Poser un *geste*, c'est toujours demander et attendre son retour, son interruption étant logiquement en avance sur la réponse qu'il reçoit. Faire un geste de la main, c'est faire un *signe* à l'autre, signe à décoder et à renvoyer là d'où il vient. Un geste de menace est encore le contraire d'une action, puisqu'il garde en réserve sa réalisation. Le *geste* marque le temps de l'attente et de l'intersubjectivité. Il demande à être reconnu et, partant, est livré à son propre inachèvement. Le *geste* appartient comme l'action à l'ordre de l'histoire, mais il en constitue les moments ponctuels dont l'enchaînement fait trame, récit, discours. Finalement, le *geste* est le trait de l'identification. Il fait l'autre semblable à moi, donnant ainsi le *tempo* du lien social, celui qui permet le jeu *entre* les sujets: temps de la réciprocité.

L'éthique du roman se situe plutôt dans le registre de l'*acte*. Ducharme et Aquin ont tous deux situé leur écriture dans un rapport particulier à ces deux temps discursifs — sociaux — que sont l'attente (le geste) et la poursuite (l'action). Ducharme met son roman en attente, plongé dans une écriture gestualisée, sinon gesticulée. L'attente du roman, jouée dans l'intersubjectivité feinte de l'auteur et du lecteur, est constamment rappelée à l'interruption comme à sa propre cause. L'inversion ducharmienne du roman a pour fonction de symptomatiser, et donc de questionner le temps mort de l'intersubjectivité. Aquin écrit le roman de la poursuite. Poursuite du roman qui formalise l'impossible ou l'inaccomplissable de toute action ouverte sur le désir qui la hante.

L'*acte* rencontre donc toujours le dérobement du temps, l'inscriptible. On pourrait dire que, par définition, l'*acte* est ce qui ne peut accéder au récit et de ce fait, ne souffre aucune interruption, aucune alliance, aucune continuité: il est de l'ordre de la répétition pure. L'*acte* redispose et, pour ce faire, interprète, lit, analyse. Il est transmission.

La transmission désigne ce passage à l'Autre, l'acte par lequel un sujet est appelé à se prononcer en son nom à la place d'un autre nom: celui de son désir. L'*acte* est symbolisation et l'acte romanesque

---

3. « Qu'est-ce que c'est un geste [...] c'est bel et bien quelque chose qui est fait pour s'arrêter et se suspendre. » (Lacan, *Séminaire XI*, p. 106)

ressemble à un transfert du corps vers le lieu de son interprétation. Le lecteur est donc appelé à rencontrer une Loi qui est sa chance, en tant que sujet d'une collectivité. Chance de quoi ? D'accéder à une figure de la Loi. Chance que cette improbabilité d'une représentation prenne forme. L'illisibilité ne s'oppose plus alors à la lisibilité. La Loi est à déchiffrer.

Sur la scène du sujet en mal de Loi, en souffrance de sa Loi, ce déchiffrement devient la condition éthique de la lecture. Les deux figures que sont la suture et la coupure de la Loi dans le romanesque ducharmien et aquinien témoignent de leur disposition à rencontrer — pour la transmettre — la place du « sujet à l'écriture ».

La Loi du genre est la pensée du roman devenue acte de lecture, figure du désir de l'Autre. L'intervention portée sur ce bord unique et pourtant clivé de l'écriture fait de la topologie — suture, parcours, coupure — la signature par où un symptôme accède à la vérité du Nom.

L'acte romanesque

Topologie / Figures	SUTURE (Ducharme)	COUPURE (Aquin)
de l'Autre	utopie	atopie
du Nom	Nom-d'Auteur / surnom renommée	Nom de Dieu reNom
du lecteur	parodique abject pornographe	apocryphe imposteur plagiaire
de la négation	nihilisme	néantisation
de la répétition	parodie	plagiat
de l'interprétation	déni / délire	énigme / révélation
de la mort	authentification	résurrection
de l'infini	potentiel (accumulation)	actuel (sérialisation)
du temps	synchronie (en arrêt)	achronie (en réserve)
du littoral	immergé (continu)	clivé (discontinu)
de la parole	attente	poursuite / relais
du roman	anti-roman	faux roman autobiographie
de la vérité	affirmation	épiphanie
théorème d'existence	« Je suis ce que je ne suis pas »	« Je ne suis pas ce que je suis » → « Je suis ce que je suis »

Bibliographie

Topologie et psychanalyse

ABRAHAM, Nicolas et TOROK, Maria, *L'Écorce et le Noyau*, Paris, Aubier-Flammarion, 1978.

ANDRÉ, Serge, *Que veut une femme ?*, Paris, Navarin, 1986.

AUBERT, Jacques (dir.), *Joyce avec Lacan*, Paris, Navarin, 1987.

BADIOU, Alain, « Marque et manque : à propos du zéro », *Cahiers pour l'analyse*, n° 9, été 1968, p. 150-173.

———, « La Subversion infinitésimale », *Cahiers pour l'analyse*, n° 10, hiver 1969, p. 118-137.

BÉNEZET, Mathieu, *Le Roman de la langue*, Paris, UGE, coll. « 10/18 », 1977.

BERNAERT, Louis, *Aux frontières de l'acte analytique*, Paris, Seuil, 1987.

CANTOR, Georg, « Fondement d'une théorie des ensembles (1883) », *Cahiers pour l'analyse*, n° 10, hiver 1969, p. 35-52.

CHARRON, Ghyslain, *Freud et le problème de la culpabilité*, Ottawa, Presses de l'Université d'Ottawa, 1979.

CHÊNE, Janine, « Le Corps langage », *Recherches sur la philosophie et le langage*, vol. II, Grenoble, CGRPL, Université des Sciences sociales de Grenoble, 1982, p. 151-158.

DERRIDA, Jacques, *L'Écriture et la différence*, Paris, Seuil, coll. « Points », 1979.

———, « La Loi du genre », *Parages*, Paris, Galilée, 1986.

ENRIQUEZ, Eugène, *De la horde à l'état. Essai de psychanalyse du lien social*, Paris, Gallimard, 1983.

FREGE, Gottlob, *Écrits logiques et philosophiques*, traduction et introduction de Claude Imbert, Paris, Seuil, 1971.

FREUD, Sigmund, *Inhibition, symptôme, angoisse*, Paris, PUF, 1986.

———, *La Naissance de la psychanalyse*, Paris, PUF, 1986.

———, *Métapsychologie*, Paris, Gallimard, coll. « Folio essais », 1986.

———, *Névrose, psychose et perversion*, Paris, PUF, 1985.

———, *Résultats, idées, problèmes I et II*, Paris, PUF, 1984 et 1985.

———, *Essais de psychanalyse*, Paris, Payot, 1981.

———, *Études sur l'hystérie*, Paris, PUF, 1978.

———, *Totem et tabou*, Paris, Payot, 1977.

———, *Le Mot d'esprit et ses rapports avec l'inconscient*, Paris, Gallimard, coll. « Idées », 1971.

———, *Malaise dans la civilisation*, Paris, PUF, 1971.

GORI, Roland, « L'hystérie : état limite entre l'impensable et sa représentation », *L'Interdit de la représentation*, Paris, Seuil, 1984.

GRANON-LAFONT, Jeanne, *La Topologie de Jacques Lacan*, Paris, Point Hors Ligne, 1986.

HOUDEBINE, Jean-Louis, « L'expérience de Cantor », *L'Infini*, n° 4, automne 1983, p. 87-110.

JULIEN, Philippe, *Le Retour à Freud de Jacques Lacan*, Toulouse, Erès, coll. « Littoral », 1985.

KALFON, Dominique, « Ma mère est une femme », *Ornicar?*, n° 25, 1982.

LACAN, Jacques, *Écrits*, Paris, Seuil, 1966.

———, « Lituraterre », *Littérature*, n° 3, octobre 1971, p. 3-9.

———, *Télévision*, Paris, Seuil, 1974.

———, « Séminaire " Le sinthome " », *Ornicar?*, n° 8, 1977.

———, « La topologie et le temps », Séminaire ronéotypé, Paris, 1978.

———, « Les non-dupes errent », Séminaire ronéotypé, Paris, 1981.

———, « Note italienne », *Ornicar?*, n° 25, 1982, p. 8-12.

———, *Le Séminaire*. Livres I, II, III, VII, VIII, XI, XX., Paris, Seuil, 1973, 1975, 1978, 1981, 1986, 1991

LAPLANCHE, J. et PONTALIS, J.-B., *Vocabulaire de la psychanalyse*, Paris, PUF, 1978.

LECLAIRE, Serge, *Démasquer le réel. Essai sur l'objet en psychanalyse*, Paris, Seuil, coll. « Points », 1971.

———, « Le réel dans le texte », *Littérature*, n° 3, octobre 1971, p. 28-32.

MAJOR, René, *Rêver l'autre*, Paris, Aubier, 1977.

———, *L'Agonie du jour*, Paris, Aubier, 1979.

———, « Le non-lieu de la femme », *Le Désir et le féminin*, W. Granoff et F. Perrier (dirs), Paris, Aubier, 1979.

———, *Le Discernement. La Psychanalyse aux frontières du droit, de la biologie et de la philosophie*, Paris, Aubier, 1984.

MILNER, Jean-Claude, *Les Noms indistincts*, Paris, Seuil, 1983.

PÉRALDI, François, « Pas sans Lacan », *Études freudiennes*, n° 25, 1985, p. 53-80.

RÉGNAULT, François, *Dieu est inconscient*, Paris, Navarin, 1986.

SIBONY, Daniel, *Le Nom et le Corps*, Paris, Seuil, 1974.

———, *L'Autre incastrable*, Paris, Seuil, 1978.

———, *Le Groupe inconscient. Le lien et la peur*, Paris, Christian Bourgois, 1980.

———, « Le rire », *L'Infini*, n° 10, printemps 1985, p. 88-107.

———, *Le Féminin et la Séduction*, Paris, Le Livre de poche, 1987.

WAJEMAN, Gérard, *Le Maître et l'Hystérique*, Paris, Navarin/Seuil, 1982.

Théorie littéraire

BARTHES, Roland, *Essais critiques*, Paris, Seuil, 1964.

———, *Sade, Fourier, Loyola*, Paris, Seuil, coll. « Points », 1971.

———, *Le Plaisir du texte*, Paris, Seuil, 1973.

———, *Leçon*, Paris, Seuil, 1978.

BATAILLE, Georges, *La Littérature et le mal*, *Œuvres complètes*, tome IX, Paris, Gallimard, 1979.

BEAUDOIN, Réjean, *Naissance d'une littérature. Essai sur le messianisme et les débuts de la littérature canadienne-française*, Montréal, Boréal, 1989.

BEAUDET, André, *Littérature l'imposture*, Montréal, Les Herbes rouges, 1984.

BLANCHOT, Maurice, *L'Espace littéraire*, Paris, Gallimard, coll. « Idées », 1978.

———, *L'Après-coup*, Paris, Minuit, 1983.

ÉTUDES LITTÉRAIRES, vol. XIX, n° 1, printemps-été 1986, *La Parodie: théorie et lecture.*

HAMBURGER, Käte, *Logique des genres littéraires*, Paris, Seuil, 1986.

HAREL, Simon, *Le Voleur de parcours*, Longueuil, Le Préambule, 1989.

HUTCHEON, Linda, *A Theory of Parody*, New York et Londres, Methuen, 1985.

KRISTEVA, Julia, « Le sujet en procès », *Artaud*, Paris, UGE, coll. « 10 / 18 », 1973, p. 43-133.

————, « Le sujet en procès: le langage poétique », *L'Identité*, Paris, PUF, coll. « Quadrige », 1977, p. 223-256.

KRYSINSKI, Wladimir, *Carrefour de signes. Essai sur le roman moderne*, La Haye, Mouton, 1981.

KUNDERA, Milan, *L'Art du roman*, Paris, Gallimard, 1986.

MAGNY, Claude-Edmonde, *L'Âge du roman américain*, Paris, Seuil, 1968.

OUELLET, Pierre, *Chutes. La littérature et ses fins*. Montréal, L'Hexagone, 1990.

RICŒUR, Paul, *Temps et récit I*, Paris, Seuil, 1983.

————, *Temps et Récit II*, Paris, Seuil, 1984.

————, *Temps et Récit III*, Paris, Seuil, 1985.

ROBERT, Marthe, *Roman des origines et Origine du roman*, Paris, Gallimard, coll. « Tel », 1972.

Sur Hubert Aquin

CHESNEAU, Albert, « Déchiffrons *L'Antiphonaire* », *Voix & Images*, vol. I, n° 1, 1975, p. 26-34.

MELANÇON, Robert, « Le téléviseur vide ou comment lire *L'Antiphonaire* », *Voix & Images*, vol. IV, n° 2, 1977, p. 244-265.

RANDALL, Marilyn, *Le Contexte littéraire: lecture pragmatique de Hubert Aquin et de Réjean Ducharme*, Longueuil, Le Préambule, 1990.

RICHARD, Robert, *Le Corps logique de la fiction. Le code romanesque chez Hubert Aquin*, Montréal, L'Hexagone, coll. « Essais littéraires », 1990.

(éditeur) « Hubert Aquin, 10 ans après », *Revue de l'Université d'Ottawa*, vol. LVII, n° 2, avril 1987.

SÖDERLIND, Sylvia, « Hubert Aquin et le mystère de l'anamorphose », *Voix & Images*, vol. IX, n° 3, printemps 1984, p. 103-111.

Le Québec littéraire 2, Hubert Aquin, Montréal, Guérin, 1976.

Travaux bibliographiques de l'EDAQ

MARTEL, Jacinthe, « Mise à jour (1983-1984) de la bibliographie analytique d'Hubert Aquin », *RHLQCF. Éditer Hubert Aquin*, n° 10, été-automne 1985, p. 75-112.

BULLETINS DE L'EDAQ, n° 1, mai 1982; n° 2, février 1983; n° 3, mai 1984; n° 4, mai 1985; n° 5, mai 1986; n° 6, mai 1987; n° 7, mai 1988.

Sur Réjean Ducharme

GERVAIS, André, « Morceaux de littoral détruit », *Études françaises*, vol. XI, n° 3-4, octobre 1975, p. 284-290.

LEDUC-PARK, Renée, *Réjean Ducharme, Nietzsche et Dionysos*, Québec, PUL, 1982.

PAVLOVIC, Myrianne, « L'affaire Ducharme», *Voix & Images*, vol.VI, n° 1, 1980, p. 75-95.

Divers

BALTRUSAÏTIS, Jurgis, *Anamorphoses ou perspectives curieuses*, Paris, Olivier Perrin, 1955.

BAUDELAIRE, Charles, « De l'essence du rire et généralement du comique dans les arts plastiques », *Œuvres complètes*, Paris, Gallimard, « Bibliothèque de la Pléiade », 1951, p. 975-993.

BENJAMIN, Walter, *Origine du drame baroque allemand*, Paris, Flammarion, 1985.

BERGSON, Henri, *Le Rire. Essai sur la signification du comique*, Paris, PUF, coll. « Quadrige », 1985.

LA BIBLE DE JÉRUSALEM, traduite en français sous la direction de l'École biblique de Jérusalem, Paris, Desclée de Brouwer, 1975.

BUCI-GLUCKSMANN, Christine, *La Folie du voir. De l'esthétique baroque*, Paris, Galilée, 1986.

DE CERTEAU, Michel, *La Fable mystique (XVIᵉ-XVIIᵉ siècle)*, Paris, Gallimard, 1982.

GODBOUT, Jacques, *Le Réformiste*, Montréal, Fides, 1975.

GRACIAN, Baltasar, *Art et figures de l'esprit. Agudeza y arte del ingenio 1647*, Paris, Seuil, 1983.

KLOSSOWSKI, Pierre, « La messe de Georges Bataille », *Un destin si funeste*, Paris, Gallimard, 1963.

KRISTEVA, Julia, *Pouvoir de l'horreur*, Paris, Seuil, coll. « Points », 1975.

LAROSE, Jean, *Le Mythe de Nelligan*, Montréal, Quinze, 1981.

———, *La Petite Noirceur*, Montréal, Boréal, 1987.

———, *L'Amour du pauvre*, Montréal, Boréal, 1991.

MERLEAU-PONTY, Maurice, *L'Œil et l'Esprit*, Paris, Gallimard, coll. « Folio essais », 1985.

MORIN, Michel et BERTRAND, Claude, *Le Territoire imaginaire de la culture*, Montréal, HMH, 1979.

MORIN, Michel, *L'Amérique du Nord et la culture*, Montréal, HMH, 1982.

PARIS, Jean, *«Hamlet» ou les personnages du fils*, Paris, Seuil, 1953.

SARDUY, Severo, *Barroco*, Paris, Seuil, 1975.

Cet ouvrage
composé en Trump Mediaeval corps 10 sur 11,5
a été achevé d'imprimer
en août mil neuf cent quatre-vingt-douze
sur les presses de l'Imprimerie d'édition Marquis inc.,
Montmagny (Québec)